그 신부를 믿지 마세요

I

I

그 신부를 믿지 마세요

윤온 장편소설

D&C BOOKS

목 차

01. 그녀, 엘로라 아르미트

01. 그녀, 엘로라 아르미트

"호외요, 호외!"

이른 아침, 빵모자를 쓴 소년이 신문 뭉치를 들고 외쳤다. 아침을 깨우는 커다란 외침에 분주히 걸음을 옮기던 사람들이 관심을 보였다.

"발표한 지 얼마 되지 않은 따끈따끈한 소식이에요!"

소년은 인쇄하자마자 바로 들고 온 탓에 아직 온기가 남은 신문을 흔들었다. 펄럭이는 신문의 맨 앞장에는 '아르미트'나 '황가' 같은 단어가 언뜻 보였다.

"세기에 다시없을 최악의 부부가 탄생한대요!"

이목이 집중됨을 느낀 소년이 더욱 목청을 높여 외쳤다. 자극적인 말을 하면 할수록 신문이 잘 팔리기 때문이었다.

하나둘씩 작은 신문팔이에게 관심을 가질 때쯤, 모자를 푹 눌러써서 얼굴이 보이지 않는 남자가 다가와 동전 한 닢을 꺼냈다. 반짝이는 동전을 보고 신이 난 신문팔이는 빠르게 동전을 낚아챈 후 신문을 건네줬다.

그 찰나, 소년의 시선이 잠깐 남자에게로 향했다.

복장은 분명 남자인데 체격이 작았다. 동전을 건네주는 손도 하얗고 곱다.

짧게 궁금증을 표한 신문팔이 소년은 남자가 등을 돌린 동시에 관심을 껐다.

아직 팔아야 할 신문이 잔뜩 남아 있었다. 호외가 괜히 호외겠는가. 충격적인 내용이 실린 만큼 불티나게 팔릴 게 분명했다.

남자는 소년의 반대 방향으로 걸으며 신문을 보았다. 맨 앞장에는 커다랗게 글자가 박혀 있었다. 주간 신문이 나올 날이 아니건만 호외를 인쇄한 원인이었다.

[볼흐라스 황가와 아르미트 가문의 결합?!]

황실과 아르미트 후작가의 결합이라니. 충분히 이슈가 될 만했다.

가볍게 아침 산책을 하기 위해 나온 남자는 걸음을 늦추며, 시선을 부제목으로 옮겼다.

[볼흐라스 황실. 아르미트 가문의 하나뿐인 영애, 엘로라 양과 라하트 황자의 결혼을 선언.]

신문을 읽은 사람들이라면 누구나 생각할 것이다. 어울

리지 않으면서 어울리는 조합이라고. 두 사람 다 제국 내에서 평판이 바닥을 치는 남녀의 대표였다.

신문에 얼굴까지 찍혀 있는 라하트 황자로 말할 것 같으면 전형적인 트러블 메이커였다. 제국의 망나니, 제국의 탕아, 철부지 황자 등으로 불렸다.

그의 기행을 꼽자면 아침부터 여자를 품에 끼고 다니는 건 물론이오, 술에 취해 있지 않은 날이 없다고 알려져 있었다. 한마디로 제정신이 아니라는 뜻이었다.

하루라도 빠짐없이 주색을 즐기고 무례한 언동을 서슴없이 하여 귀족들의 눈총을 받았다. 그를 한 번이라도 만난 귀족은 어쩌다 저런 게 태어났나 싶어 가슴을 칠 정도였다.

그나마 이런 라하트와 정반대라 알려진 첫째 황태자 아히발트가 있어 제국민은 저 망나니가 황제 자리에 앉을 거라는 불안에 떨지 않아도 되었다.

망나니라 불리는 라하트와 반대로 아히발트는 성군이 될 거라 칭찬이 자자했다. 수려한 외모만큼이나 온화하고 현명하며, 똑똑한 그는 현 황제의 젊은 때를 쏙 빼닮았다고 칭송받았다.

아히발트가 제국의 미래라면 라하트는 제국의 근심이었다.

남자는 얼굴만은 잘생긴 황자의 사진을 빤히 보았다.

엘로라 아르미트는 어릴 때를 제외하면 공식적인 활동이 전무하여 신문에는 라하트 황자의 사진만이 인쇄돼 있었다. 단독으로 사진이 박힌 황자는, 얼굴 하나만큼은 어디 내놓아도 미남이라는 소리를 들을 만했다.

흑백으로도 빛이 나는 얼굴을 보고 있으니 바람이 불었다. 사진 속 라하트와 눈을 마주하던 남자는 모자가 벗겨지지 않도록 한 손으로 모자를 고정시켰다.

그리고 모자에 정신이 팔려, 다른 한 손에는 힘을 빼고 있던 탓에 아차 하는 사이 신문이 바람을 타고 날아갔다.

멀어지는 신문을 잡기 위해 뒤돈 남자는 나비처럼 팔랑댄 신문이 웬 사람의 얼굴 위로 떨어지는 것을 볼 수 있었다.

노숙자인가?

신문에 가려 얼굴은 보이지 않았다.

옷차림은 번듯했지만 이 시간에 바닥에서 자고 있는 걸 보아하니 엮여서 좋을 것이 하나도 없을 것 같았다.

어차피 다 본 신문이었다. 굳이 긁어 부스럼을 만들고 싶지 않았기에 관심을 끄고 가던 길을 가려던 남자는 부스럭대는 소리에 걸음을 멈추었다.

곤히 자고 있다 생각했던 노숙자가 깨어 있었던 것이다.

노숙자는 제 얼굴을 덮은 신문을 보더니 굉장히 억울한 듯이 외쳤다.

"뭐야. 이 사진 왜 이래?"

노숙자의 반짝이는 금발만을 얼핏 확인한 남자는 그대로 도망가려고 했다. 하지만 노숙자가 더 빨랐다.

굉장히 분한지 자리에서 벌떡 일어나더니 남자의 얼굴 앞에 불쑥 신문을 들이밀었다.

"실물이 더 잘생겼지 않아?"

"……잘 모르겠는데요."

"사진이 이렇게 못나게 나왔는데 어떻게 모를 수가 있어?"

"직접 본 적이 없어서요."

인쇄된 라하트의 얼굴이 시야 가득 들이찼다. 덤덤히 대답하려고 애쓰고 있었지만 굉장히 곤혹스러운 상황이었다.

이 사람은 도대체 뭘까. 라하트 황자의 열성 팬이라도 되는 걸까? 아니면 라하트 황자와 개인적인 친분이 있는 걸까? 둘 중 무엇이 되었든 무례한 사람이라는 사실은 변치 않았다.

"그래?"

술 냄새가 났다. 노숙자에게서 나는 냄새였다. 그제야 술주정에 불과하다는 걸 깨달은 남자는 도망칠 기회를 엿보았다.

"본 적이 없으면 지금 보면 되지."

"제가 바빠서. 죄송합니다."

다른 누구도 아닌 황자를 지금 보다니. 말도 안 되는 소리였다. 주정뱅이가 확실했다.

고개를 푹 숙인 남자는 모자가 벗겨지지 않도록 조심하며 달렸다. 한참을 달린 끝에 괴짜 주정뱅이가 뒤를 따라오지 않을까 싶어 힐끔 뒤를 보았지만 아무도 없었다.

다행이었다.

안도의 한숨을 내쉰 남자가 집으로 향했다. 돌아가는 길에서는 무수히 많은 사람을 스쳐 지나가게 되었다. 그들은 모두 라하트와 엘로라의 결혼에 대해 얘기하고 있었다. 듣고 싶지 않아도 귀가 뚫려 있으니 들을 수밖에 없었다.

"아르미트 가문에 영애가 또 있었나요?"

"'그' 엘로라밖에 없을걸요."

"세상에."

"전하도 전하지만, 살면서 아르미트 영애가 결혼하는 꼴을 다 보다니."

남자는 저도 모르게 숨을 죽이고, 고양이 걸음으로 지나갔다.

다들 한결같은 반응이었다.

그 라하트와 그 엘로라가?

라하트는 그렇다 쳐도 엘로라가 결혼한다는 데에 경악하는 이들이 많았다.

그도 그럴 것이 그녀는 안 좋은 쪽으로 유명한 라하트와 쌍벽을 이루는 유명 인사였다.

아르미트 가문의 막내딸로 태어난 엘로라는 손위 세 형제가 능력과 외모로 이름을 날릴 때 특출나게 못난 외모와 성격으로 이름을 날렸다.

한 번 스치듯이 보기만 했을 뿐인데 다시 볼 엄두가 나지 않는다는 얼굴은 주근깨 가득한 피부에 축 처진 작은 눈과 옹졸해 보이는 입술을 가진, 전체적으로 불쌍한 인상이었다.

너무 못생겨서 제대로 본 이가 없을 정도로 경악스러운

엘로라의 추한 얼굴은 한동안 입에 오르내리고는 했다. 때문에 정식으로 사교계에 데뷔도 하지 않았건만, 그녀를 모르는 이가 없었다.

잘생긴 아버지와 어여쁜 어머니 사이에서 어떻게 저런 못생긴 여자가 태어날 수 있냐고 사람들은 속닥거렸다. 그 탓인지 엘로라는 사교계에 얼굴을 드러내지 않을 뿐만 아니라 집 밖으로 외출조차 꺼렸다.

사람들은 가끔 아르미트 집안의 고용인이 내는 소문으로 엘로라가 여전히 못생겼으며, 성격은 입술만큼이나 옹졸하다는 걸 알 수 있었다.

라하트와 망나니가 동일한 단어라면 엘로라, 그녀의 이름은 못난 여자라는 뜻이 돼 있었다.

세상 사람들이 다 아는 못난이 엘로라의 결혼 자체도 화제가 될 법한데 상대가 라하트이니 이번 호외는 없어서 못 팔게 될 것이었다.

정작 결혼 당사자는 덤덤한데 주위에서 난리인 결혼이다.

모자를 푹 눌러쓴 남자는 고풍스러운 저택의 뒷문으로 들어갔다. 누구도 그런 그를 막지 않았다. 오히려 반기는 분위기였다.

남자는 실내에 들어가자마자 모자와 함께 가발을 벗었다.

숨겨져 있었던 은발이 모습을 드러냈다. 시선을 사로잡는 화려함이었다.

빛 아래에서 반짝이는 은발과 어울리는 어여쁜 얼굴은

누가 봐도 미인이라 불릴 법했다. 옷만 남성복이었지 영락없이 여자였다.

"아가씨, 다들 식사 중이십니다."

남자, 아니 여자는 고개를 끄덕였다. 그리고 아르미트 가문 특유의 은발을 귀 뒤로 넘기며 계단을 올라갔다.

원래라면 가벼운 아침 산책이 됐어야 하는데 일이 있어서 시간이 지체되었다. 결혼 소식이 담긴 호외며, 황자의 열성 팬인 노숙자며, 결혼에 대해 신나게 떠드는 거리의 사람들까지. 세상 사람들이 다 자신의 이름을 입에 담고 있는 듯했다.

빠른 걸음으로 방에 들어간 그녀, 엘로라는 옷을 갈아입었다.

얼굴은 잘생겼지만 성격이 개차반이라고 알려진 황자와 얼굴도 성격도 졸렬하다고 알려진 영애.

속고 속이는 결혼의 시작이었다.

02. 오페라의 장미

02. 오페라의 장미

엘로라 아르미트.

볼흐라스 제국에서 제일가는 추녀라고 소문난 그녀는 소문과 달리 부모님의 외모에서 좋은 점만 쏙 빼닮은 예쁜 여성이었다.

입을 다물고 얌전히 있으면 도자기 인형처럼 보이기도 했다. 그녀의 진짜 얼굴을 본 사람들은 그녀만 한 아름다움을 가진 여성을 본 적이 없다고 찬양할 정도였다.

소문의 '추녀'라는 단어와 정반대되는 외모를 가진 그녀는 얇은 원피스로 갈아입은 후 식사하기 위해 가벼운 걸음으로 내려갔다.

맛있는 냄새가 솔솔 풍기는 식당에 들어서니 평소와 다른 음침한 분위기가 엘로라를 맞이했다.

일찍이 어머니가 돌아가셔서 남자만 넷이 있는 집이었다.

사뭇 진지한 표정으로 저들끼리 머리를 맞대고 있는 네 남자를 보며 엘로라는 두 눈을 깜빡였다.

"좋은 아침이에요."

"에, 엘리. 일어났니?"

애칭으로 부르는 아버지의 아침 인사가 너무 부자연스러웠다. 첫째 오라버니는 무언가를 숨겼고, 다른 오라버니들은 마치 아무 일도 없다는 듯이 어색하게 먼 산을 바라보았다.

또 무슨 작당을 꾸미고 있나 싶어서 성큼 다가가자 다들 몸을 뒤로 뺐다. 그 모습이 몹시 수상했다.

상황이 이상하게 돌아가는 것을 느끼고 장남인 에곤과 눈을 마주쳤지만 그는 슬쩍 시선을 피했다. 둘째 라엘과 셋째 요제프 또한 마찬가지였다.

"무슨 일이에요?"

"아무 일도 없는데 무슨 말이니, 엘리."

아무 일도 없기는.

이 집안 남자들은 거짓말해선 안 됐다. 얼굴에 '나 거짓말하고 있음'이라고 다 쓰여져 있으니 말이다.

결국 그녀는 에곤이 자신을 보자마자 허둥지둥 숨긴 종이를 빼앗아 들었다.

신문이었다.

오늘 아침, 호외로 발간된 신문.

이미 내용을 알고 있었지만 처음 보는 척, 천천히 훑어보았다. 어차피 아침에 산 신문은 주정뱅이의 이불이나 깔개가 돼 있을 것이라 다시 읽고 싶어도 읽지 못했다.

바깥에서 대충 읽은 탓에 꼼꼼히 확인하고 있으니 주위 남자들이 안절부절못했다.

"저, 엘리. 그게 말이다……."

"일전에 말씀하셨잖아요. 무슨 문제 있어요?"

난감해하는 아르미트 후작과 다르게 엘로라의 반응은 덤덤했다. 만약 지금 신문을 처음 봤다 하더라도 반응은 똑같았을 거였다.

"문제가 너무 많아서 일일이 짚는 것도 힘들 정도다! 폐하께서 그냥 농담으로 한 말인 줄 알았으니 말이다!"

"전 아버지께서 조용히 진행하고 계신 줄 알았어요."

"이 아비를 어떻게 보고 있는 것이냐. 내 노망이 난다 하더라도 내 딸을 그런 망나니에게 보내는 일은 절대 없을 거다!"

그렇게 외치며 후작은 엘로라를 덥석 안았다.

와락 끌어안긴 엘로라는 흥분한 아버지를 진정시키기 위해 등을 토닥여 주었다. 겉으로만 보면 강제로 결혼하는 사람은 엘로라가 아니라 후작인 것 같았다.

"전 괜찮아요."

정말 괜찮았기 때문에 차분히 달래 주었으나 후작이 듣기에는 아니었던 모양이었다. 엘로라를 꽉 끌어안은 그가 분노를 가득 담아 말했다.

"엘리, 괜찮다고 말해도 안 괜찮은 거 알고 있단다. 말이 황자지 그런 망나니한테 시집가는데 괜찮을 영애가 어디 있겠니."

나름 얼굴이 잘생겼으니 얼굴을 보고 위안 삼는 사람이 있지 않을까.

차마 그 말은 내뱉지 못하고 반역죄로 잡혀갈 만한 발언을 서슴지 않는 아버지를 난감하게 쳐다보았다. 어떻게 달래야 하나 고민하고 있는데 이때까지 조용히 있던 형제들이 한술 더 떴다.

"살면서 황족 한 명 죽여 봐야 보람찬 삶을 살았다고 말할 수 있겠지."

"죽일까?"

"……오라버니들. 가문이 반역죄로 풍비박산 나는 건 보고 싶지 않아."

"실패하면 반역자이지만 성공하면 말이 달라지지."

"황실에서 찾아오면 내가 밀고한 줄 알아."

단호한 엘로라의 말에 에곤이 입을 다물었다. '죽일까?' 라고 하며 금방이라도 검을 꺼내 들 것처럼 굴던 라엘도 마찬가지였다.

원래라면 에곤이 가장 냉정하게 판단하곤 했는데 에곤마저 이러는 걸 보니 이곳에서 이성적인 생각을 하고 있는 건 엘로라, 자신밖에 없다는 사실을 깨달았다.

그냥 강제로 결혼한다 해도 집안이 뒤집어질 텐데 하필이면 상대가 얼굴만 잘생겼지 속은 텅텅 빈 황자라서 문제였다.

너무 못생겨서 결혼은 절대 못할 거라는 자식에게 이러는 걸 보면 라하트 황자의 존재가 황실에서 어지간히 골칫거리인 모양이었다.

"폐하께 내 딸이 세상에서 제일 못생기고 성격도 나쁘다고 몇 번이나 말했건만 그 망나니 자식의 또래인 여아가 우리 엘리밖에 없다는 이유로 혼인을 밀어붙이다니. 어차피 너에게 들어오는 혼사가 없고, 그 놈팡이는 결혼하면 사람답게 살 테니 서로에게 득이 되지 않겠냐고 설득하는데 말이 되는 소리를 해야지. 우리 엘리가 어떤 아이인데!"

후작이 고통에 몸부림쳤다. 그동안 결혼을 막기 위해 외로운 사투를 했음을 짐작할 수 있었다.

말이 사람답게 사는 거지, 들리는 소문으로 추정하건대 결혼한다 하여 제 버릇 개 못 줄 듯했다. 그냥 어디 막 갖다줄 수 없으니 가문은 좋지만 하자 있는 여인에게 팔아넘기려는 꿍꿍이였다.

속셈이 훤히 보이는 다급한 혼인 진행에 엘로라는 한숨을 내쉬었다.

"상관없어요."

"안 된다, 안 돼! 다른 사람이면 몰라도 그 망나니만큼은 안 된다!"

"오히려 잘됐죠. 어차피 결혼할 생각 없다고 말씀드렸잖아요. 명목상 유부녀가 되면 아무도 접근하지 못할 테니 지금이랑 별반 차이 없을 거예요."

"차라리 미망인이 되렴, 엘리."

"……거듭 말씀드리지만 가문이 풍비박산 나는 꼴은 보고 싶지 않아요."

"아무도 모르게 진행하면 조용히 묻힐 테다. 어차피 황실에서도 내다 버린 아이니까."

"아버지. 제가 간이 작아서 진짜로 그런 일이 생기면 바로 황실에 고발할 것 같네요."

"오오, 엘리. 우리 불쌍한 엘리."

강제로 혼인을 한다기에는 너무 냉정한 엘로라의 반응에 결국 후작이 울먹이며 그녀의 손을 꼭 잡았다. 정말 누가 결혼하는 건지 모를 지경이다.

"제가 알아서 잘 처리할게요."

굳이 도움을 받지 않아도 아르미트가와 황실 사이 트러블 없이 이 일을 해결할 자신이 있었다.

아르미트가 볼흐라스 건국 초부터 자리를 굳건하게 지킨 명성 높은 가문이라 할지라도 결국 볼흐라스의 귀족일 뿐이었다. 귀족이란 본디 황실에게 복종을 맹세하고 얻는 자리이니만큼 황실의 명을 어겨 눈 밖에 나는 짓은 하고 싶지 않았다.

엘로라는 자신 때문에 아버지와 오라버니들이 불이익을

받지 않았으면 했다.

"이왕이면 다신 성 기능을 하지 못하도록 처리하는 것도 좋지."

"암살 도구 빌려줄까?"

"어, 그런 거 우리 상단에 많아!"

"……오라버니들. 제발. 그런 처리가 아니야."

마치 짠 것처럼 자연스레 이어지는 형제들의 말에 엘로라가 관자놀이를 문질렀다. 다들 제 분야에서 천재라고 불리는 사람들인데 막상 하나뿐인 여동생의 문제 앞에서는 너무 원시적인 방법으로 접근하려 했다.

일단 아버지를 잘 타이르고 자리에 앉은 엘로라가 구겨진 신문을 제 옆에 두었다. 근래 '못생긴 엘로라 아르미트'로 나간 적이 없는 탓에 잘생긴 황자의 얼굴만이 구겨진 채로 있었다.

겉으로 보기에는 정말 멀쩡한 남자다.

멀쩡하다 못해, 잘생긴 오라버니들과 아버지를 보고 자란 엘로라의 눈에도 외모가 잘나 보였다. 성격만 개판이 아니었더라면 이 정도로 난리가 나진 않았을 것이었다. 하지만 인생을 초기화해서 성격을 재조립할 수도 없는 노릇이니 그녀로서도 라하트의 성격은 어찌 손쓸 수 없었다.

일단 상대는 호색한으로 소문이 난 남자였다. 단언컨대 못생긴 여자와 제대로 된 결혼 생활을 즐길 생각 따위는 눈곱만큼도 없을 것이었다.

그건 엘로라도 마찬가지였다. 엘로라는 본인의 일을 하기에도 바빴다. 남편을 위해서 살아갈 것이라고 한 번도 상상해 본 적이 없었다.

결혼 당사자들이 다른 생각을 품고 있는 듯하니 그것만 어찌 잘 풀어 나간다면 지금의 생활을 유지할 수 있을 것이다.

"결혼하기 전에 전하와 따로 만날 수 있겠죠?"

훌쩍이며 식사를 하던 후작이 그녀의 말에 눈을 크게 떴다.

"웬만하면 조용히 죽이는 게 좋을 거다."

"……안 죽여요!"

"그러면 무엇을 하려고 그 망나니와 따로 만나려 하는 것이냐."

"결혼 전에 간단히 짚고 넘어가야 할 사항이 있어서요. 서로에게 도움이 될 거예요. 그러니 아버지나 오라버니께서는 너무 걱정하지 않으셔도 돼요."

굳이 죽이지 않아도 지금처럼 자유롭게 살 수 있는 방법이 있었다. 일찍이 세상을 깨닫고 추녀라고 소문내서 다행이지, 그렇지 않았더라면 씨알도 먹히지 않았을 방법을 떠올린 엘로라가 앞으로의 일이 다 잘 풀리길 바라며 식사했다.

그렇게 폭풍이 한차례 지나간 것 같은 분위기 속에서 식사를 마치고, 외출 준비를 끝낸 그들은 현관 앞에 모여 엘로라의 인사를 받기 위해 기다렸다. 하나의 관례처럼 이어지는 순서였다.

"아버지, 잘 다녀오세요."
"그래. 폐하께는 일단 안 된다고 말이라도 꺼내 보마."
가볍게 아버지의 뺨에 뽀뽀한 엘로라가 손을 흔들었다. 후작이 나가자 둘째, 라엘이 성큼 다가왔다.
라엘은 무(武)에 정점을 찍은 사내로 어린 나이에 황실 기사단에 들어가 그 능력을 인정받았다. 이른 나이에 황실 기사단장이 될 거라 예상되는, 촉망받는 인재였다. 대신 검밖에 모르는 바보이기도 했다.
말없이 앞에 선 라엘에게 손을 내밀자 조심스럽게 엘로라의 손을 쥔 라엘이 고개를 숙여 손등에 입을 맞추었다. 가볍고 정중한 입맞춤이었다.
"오늘도 몸조심해."
엘로라의 걱정 어린 안부에 끄덕인 라엘이 밖으로 나갔다. 라엘이 나가자 기다렸다는 듯이 요제프가 달려왔다. 그는 엘로라의 머리칼에 입을 맞추고는 들뜸을 감추지 못한 채 속사포처럼 말을 꺼냈다.
"엘로라, 사랑해. 금광을 넘겨서라도 그딴 자식에게 절대 시집가지 않도록 내가 노력해 볼게."
"무리하지 마."
"돈보다 네 인생이 더 중요해."
"마음만 감사히 받을게. 그러니까 어서 가."
더 얘기해 봤자 제자리를 빙빙 돌 뿐이었다. 황실도 무시할 수 없는 규모의 상단을 운영하고 있는 셋째 요제프에게 손을 흔들어 주었다. 단호함이 담긴 엘로라의 의지에 할 말이 많은 표정으로 요제프가 집을 나섰다.

그러자 이 모든 광경을 지켜보고만 있던 에곤이 쭈뼛거리며 조금씩 거리를 좁히려 했다. 감정 표현이 서툰 에곤의 어색한 모습을 주시하던 엘로라는 한숨을 내쉬었다.

엘로라의 한숨 소리에 그가 움찔했다.

냉철하고 지적이라고 소문이 자자한 남자라고는 믿기지 않는 광경이었지만 엘로라에게는 아침마다 흔히 보는 모습이었다. 죽마고우인 황태자도 이런 에곤의 모습을 상상도 하지 못할 것이다.

세간에 심장까지 얼어붙었다 불리는 남자에게 먼저 다가가 답지 않게 흐트러진 옷매무시를 정리해 주었다. 항상 빈틈을 보이지 않는 남자이건만 이상하게도 아침마다 손이 가게 만들었다.

일부러 그런 것이라는 걸 일찍이 눈치챘지만 엘로라는 굳이 지적하지 않았다.

"조심히 다녀와."

"……그래."

평소의 깔끔한 차림새가 된 에곤이 살짝 올라간 입꼬리를 숨기지 못한 채 나갔다.

네 남자가 나가니 저택은 순식간에 조용해졌다. 하루가 시작됨을 느끼며 기지개를 켠 엘로라는 이제 자신의 일을 하러 방으로 올라갔다.

방에는 미리 대기하고 있던 시녀, 히나가 화장대를 다 정리해 놓고 기다리고 있었다.

"오늘은 일정이 바쁘시네요."

"윌런 씨와의 만남을 미룰 수가 없었어."

"그분도 참 아가씨의 그림을 좋아한다니까요."

히나가 작게 웃으며 자리에 앉은 엘로라의 머리를 세팅하기 시작했다.

아르미트 가문의 상징이라고 할 수 있는 은발을 가리기 위해 검은 가발을 씌울 예정이었다. 윌런 씨와 만날 사람은 엘로라 아르미트가 아닌, 병약하고 가난한 불운의 화가 '로이스'였기 때문이다.

화가 로이스.

그는 엘로라가 자신의 재능을 발휘하기 위해 만들어 낸 가공의 인물이었다.

명망 있는 가문의 영애로 태어난다는 건 결국 비슷한 집안의 남자에게 시집을 가서 아이를 낳고 '어머니'로서의 삶만 강요받는다는 것이었다.

일찍이 자신의 운명을 깨달은 엘로라는 어린 나이였음에도 불구하고 아버지에게 찾아가 한 가지 제의를 했다. 어서 결혼하기만을 기다리는 어여쁜 후작 영애가 아닌, 재능과 삶을 우선시하는 사람이 되고 싶다고.

후작이 이를 받아들임으로써 일부러 추녀인 데다가 성격도 나쁘다는 소문을 퍼뜨려 '엘로라 아르미트'라는 존재를 지워 버렸다.

소문을 듣고 지레 겁먹은 가문들은 엘로라가 혼기가 차도 청혼하지 않았다. 후작가의 사위가 된다는 이득에 눈이 먼 사람이 한두 명은 있을 테니 한 번이라도 청혼받을 법했지만 이 또한 가족들이 그녀를 싫어한다는 소문을 퍼트려 일말의 가능성도 남겨 두지 않았다. 자연스럽게 가치 없는 여자가 된 것이었다.

혼인을 하지 못하는 여성은 사회적으로 고립될 뿐이었다. 애초에 이를 노린 엘로라는 다양한 가명으로 다른 사람인 척 활동하며 재능을 꽃피웠다.

자신이 하고 싶은 일을 하며 오롯이 한 사람으로서 살아갈 수 있다는 건 축복이었다.

"아가씨는 어쩜 이리 흑발도 잘 어울릴까요."

"매번 가발 씌울 때마다 어울린다고 칭찬하는 것도 지치지 않아?"

"이렇게 아름다운 분인데 칭찬이 질릴 리가 있나요."

"너도 예뻐, 히나."

"어머, 아가씨."

감동받은 표정으로 자신을 바라보는 히나가 거울에 비쳤다. 미소를 지은 엘로라는 그런 히나의 손을 잡았다. 잡일을 많이 하여 거칠어진 손이었다.

그 손을 부드럽게 쓸어 주자, 엘로라의 온기를 느낀 히나가 눈을 내리깔았다.

"어머니는 괜찮으셔?"

"아가씨 덕에 많이 좋아지셨어요."

"동생들은?"

"말도 마세요. 너무 빨리 커서 못 알아볼 뻔했다니까요."

"다행이네."

전속 시녀이다 보니 매일 저택에 있어야 했기에 반년에 한 번씩 가족을 보러 가라고 휴가를 주었다. 휴가가 끝나고 어젯밤에 돌아온 히나의 말에 엘로라는 잔잔한 미소를 지었다.

"그 아이들이 뭣도 모르고 아가씨 험담을 하고 있길래 머리에 주먹을 박고 왔지요."

"밖에서는 성격도 얼굴도 못난 여자 아래에서 일하는 척 해야지."

"하지만 다른 누구도 아닌 제 혈육이 이렇게 훌륭한 분의 험담을 하고 있는데 그냥 보고 있을 순 없잖아요."

짐짓 엄하게 말하자 히나가 입술을 삐죽였다. 칭찬을 받고 싶었는데 그러지 못하니 어지간히 억울한 듯했다.

"밖에서 누가 물어보면 심성이 마귀할멈 같아서 어린아이를 잡아먹을지도 모른다고 말하렴."

"아가씨, 농이 지나치셔요."

"이렇게 부풀려 줘야 내가 고약한 사람인 걸 사람들이 잊지 않지."

결혼 후에도 자신이 별 볼 일 없는 여자임을 각인시킬 필요가 있었다. 그래야 혹 의심을 받더라도 '에이. 그 엘로라가? 말도 안 돼.'라는 반응을 끌어낼 수 있기 때문이었다. 선입견이라는 건 참으로 무서워 한 번 인식이 박히면 바뀌기 힘들었다.

엘로라는 병약하고 불운한 남성 화가인 로이스로 변장하기 위해 화장했다. 그녀의 화장술은 이미 타의 추종을 불허했다. 마치 다른 얼굴을 뒤집어썼다 해도 믿을 정도로.

먼저 핏기 없이 창백한 피부를 만들었다. 그 후에는 깊은 다크서클을 만들고, 눈매도 아래로 축 처지게 했다. 머리카락 색과 맞추기 위해 직접 제조한 약으로 속눈썹과 눈썹을 쓱쓱 칠하자 태생이 흑발이었던 것처럼 자연스러웠다. 엘로라의 손길이 닿는 곳마다 다른 사람처럼 변했다.

얼마 지나지 않아 공들여 만든 인형처럼 아름답던 그녀의 얼굴은 금방이라도 쓰러질 듯한 나약한 남자의 얼굴이 돼 있었다. 결과물을 만족스럽게 본 엘로라가 마지막으로 허름한 정장을 입고 준비를 마쳤다.

얼굴은 속일 수 있지만 체격을 속이긴 힘들어 남장할 때는 가난해서 많이 못 먹었다거나, 병약하다는 콘셉트를 주로 쓰는 그녀였다.

"오늘 오페라 '프라시아'의 첫 주연 무대를 서시는 날이죠?"

"응."

"준비는 미리 해 놓고 있을게요."

"기대하고 있을게."

"예, 다녀오세요."

히나와 인사를 나눈 엘로라가 천으로 포장한 그림 한 점을 들고 저택 후문으로 몰래 나갔다.

화장을 하고 나니 기분이 좋아져 속으로 흥얼거리며 거리로 나온 그녀는 익숙한 길을 따라 미술상인 윌런을 만나러 갔다.

윌런은 평판이 좋은 미술상으로 안목 있는 데다 흥정하는 데에 도가 튼 남자였다. 밑바닥에서부터 차근차근 올라가기 시작했을 때 그림의 가치를 알아준 윌런을 만난 건 행운이었다.

그날을 계기로 인지도 있는 화가로 부상했지만 거래는 항상 윌런과 했다. 자신의 그림을 먼저 알아본 사람에 대한 예의이기도 했고, 거래처를 늘려 봤자 귀찮아서 그런 것도 있었다. 후자의 마음을 모르는 윌런으로서는 그냥 좋을 뿐이다.

예상했던 대로 약속했던 시간에 딱 맞춰서 도착했다.

일찍 온 윌런은 그들이 항상 만나는 카페의 테라스에서 앉아 있었다.

윌런의 근처에 다다를 때부터 엘로라가 기침을 시작했다. 실제 병자의 기침 같은 현실적인 연기였다. 이런 생활을 몇 년 하다 보니 병약한 연기에 도가 튼 그녀였다.

"안녕하세요, 윌런 씨."

"오, 로이스 씨. 딱 맞춰 오셨군요."

신문을 보던 펠런이 로이스의 인사에 고개를 들었다.

반가움을 숨기지 못하는 그의 시선이 캔버스에 꽂혔다.

"……예, 여기 그림……."

"일단 앉아서 이야기하지요."

펠런의 설렘 가득한 눈빛을 받으며 자리에 앉자, 항상 그렇듯 카페 종업원이 나와 앞에 커피를 놓고 갔다. 조심스럽게 커피를 마신 엘로라는 힐끗 테이블 위에 엎어진 신문을 보았다. 그곳에는 당연하게도 라하트 황자의 얼굴이 대문짝만하게 찍혀 있었다. 오늘따라 참 많이 보는 얼굴이었다.

로이스는 단 걸 안 좋아한다는 콘셉트였으므로 쓴 커피를 마셔서 인상이 찡그려질 뻔한 걸 꾹 참은 엘로라는 캔버스를 감싼 천을 푸는 펠런에게로 시선을 옮겼다.

펠런이 그림을 확인하고 있었다.

이 순간이 제일 긴장되고 두근거렸다.

"로이스 씨."

"네."

"이번 그림은 정말……."

펠런의 얼굴을 보고 있지만 좋다는 건지 나쁘다는 건지 알 수 없다. 참으로 해괴한 표정으로 자신의 그림을 보았다. 엘로라는 긴장으로 주먹을 쥐었다. 일분일초가 느리게 흐르는 순간이었다.

"……최고입니다! 최고의 그림이에요!"

바짝 긴장하고 있던 엘로라가 가슴을 쓸어내렸다.

윌런은 그림과 뽀뽀할 듯이 굴며 거친 숨을 뿜어 댔다. 이렇게 보면 감정 변화가 얼굴에 잘 드러나는데, 그 한순간만큼은 이상하게도 종잡을 수 없었다.

"감사합니다."

잔기침을 쏟아 내며 대답한 로이스가 아련한 미소를 지었다. 엘로라는 이 미소를 애수에 젖은 미소라 불렀다. 아픈 사람 연기를 할 때만 할 수 있는 특유의 미소로, 잊을 만할 때마다 써 주면 상대방이 측은하게 쳐다보곤 했다.

"분명 이번 작품도 고가에 팔릴 겁니다."

"다행이네요."

힘없는 목소리로 기쁨을 표했다.

그런 그녀를 안쓰럽게 쳐다본 윌런이 조심스럽게 운을 떼었다.

"저……, 로이스 씨."

"네."

"아직 형편이 안 좋습니까?"

"집안에 빚이 많아서……."

차마 말을 잇지 못하고 눈을 내리깔았다.

최근에 그림을 성공적으로 몇 점 팔았으니 이제 경제적으로 숨통이 트일 만한데 여전히 가난에 허덕이는 로이스의 모습을 보고 의심할 수 있겠다는 생각이 들었다.

이제 슬슬 화가 로이스는 그만두어야 하는 걸까.

고민하고 있는데 윌런이 무언가 큰 결심을 한 표정으로

말했다.

“괜찮다면 제가 대신 내겠습니다.”

“……예?”

“저는 로이스 씨의 재능을 믿습니다.”

뭘런의 올곧은 눈동자와 마주하게 된 엘로라는 빠르게 고개를 저었다.

“아니요, 제 재능을 믿어 주시는 분께 그건 도리가 아니라고 생각합니다. 제 힘으로 나아가 볼 테니 믿어 주세요.”

“혹 필요하신 게 있으시다면 언제든 말씀해 주십쇼.”

“네, 감사해요.”

쓰디쓴 미소가 번졌다.

언제 죽일지 모르는 가짜 모습이 아닌 진짜 모습으로 재능을 펼치기 위해 만났더라면 오랫동안 인연을 이어 갈 수 있었을 텐데. 참으로 아쉬웠다.

“그러면 로이스 씨, 저번에 말씀드린 전시회 말입니다.”

“아, 예.”

“건강이 큰 걸림돌이 되겠지만 첫 전시회이니 꼭 참석해 주시기 바랍니다.”

“……노력해 볼게요.”

로이스가 아닌 다른 사람으로 변장하고 찾아가려고 생각했던 차였다. 뜨끔한 엘로라가 미적지근한 반응을 보였다.

“그리고 큰 사이즈의 작업물이 하나쯤 있으면 괜찮을 것 같은데 그건 무리입니까?”

"제가 그만한 기량이 되지 않아서……."

작업 시간이 오래 걸리기도 하지만, 사실 들고 오기 힘들어서 항상 작은 사이즈의 캔버스에 작업했다. 한 번쯤은 제 몸보다 큰 사이즈의 캔버스에 작업해 보고 싶은 마음은 들었지만 최근 계획을 생각하면 무리였다. 화가로서 어느 정도 자리 잡고 나니 이제 오페라 공연에 힘을 쏟고 싶었다.

"그래도 고려해 주셨으면 합니다."

"네, 그러면 다음 작품이 완성되면 편지로 연락드릴게요."

엘로라가 이만 자리에서 일어났다. 찻잔에는 마시다 만 커피가 남아 있었다. 함께 자리에서 일어난 뮐런이 손을 내밀었다. 가볍게 인사를 한 그들은 서로 반대 방향으로 걸어갔다.

쓴 물을 마시니 혀가 마비될 것 같았다.

뮐런에게서 등을 돌리자마자 인상을 찡그린 엘로라는 그와 멀찍이 떨어진 후 주위를 둘러봤다. 뮐런이 아니라면 자신을 알아볼 사람도 없으니 달달한 음식을 하나 사 먹고 돌아가고 싶어졌다. 평소에는 그냥 돌아가곤 했는데 오늘따라 달달한 것이 동했다.

마침 막대 사탕을 파는 행상을 발견할 수 있었다.

쪼르르 달려간 엘로라가 커다란 사탕을 두 개 샀다. 하나는 먹고 나머지 하나는 히나에게 줄 생각이었다.

히나에게 줄 사탕을 주머니에 넣고 나서 남은 하나는 바로 입 안에 넣었다 빼니 쓴맛은 중화되고 달달함만이 남아 있다. 행복한 미소를 지으며 집으로 가는 방향으로 걸음을 옮겼다.

그때, 미처 앞을 보지 못한 엘로라가 누군가와 부딪쳤다.

"아."

딱딱한 바닥에 그대로 엉덩방아를 찧은 엘로라가 인상을 찡그렸다. 고개를 드니 장신의 남자가 자신을 내려다보고 있었다.

그 얼굴과 마주한 엘로라는 순간 헛것을 보는 줄 알았다. 오늘만 해도 흑백으로 가족보다 더 자주 본 얼굴이 있었다. 두 눈이 절로 크게 떠졌다.

"헉."

"괜찮아?"

"예, 예."

최대한 아무렇지 않은 척하며 내밀어진 손을 잡았다. 맞잡은 손에 힘을 준 상대가 엘로라를 가볍게 당겼다.

가까이서 보니 더 확실했다.

부딪친 상대는 엘로라와 곧 결혼할 거라는 소문이 쫙 퍼진 황자, 라하트였다.

단순히 얼굴이 비슷한 사람이 아니었다. 금발은 그렇다쳐도 보라색 눈동자는 흔한 게 아니니까.

이런 곳에서 망나니 황자를 볼 거라고 꿈에도 생각지 못했다. 아니, 누가 사탕을 먹다가 거리에서 황자와 부딪칠 거라고 생각…… 사탕?

자신의 손에 사탕이 없음을 깨달은 엘로라가 고개를 돌려 바닥을 보았다. 저 멀리 나뒹구는 사탕이 보였다.

다신 먹을 수 없을 정도로 망가진 상태였다. 혹시나 싶어 빠르게 주머니를 더듬으니 굳이 꺼내지 않아도 깨진 사탕이 손끝으로 느껴졌다.

처참한 꼴이 된 사탕 때문에 한숨을 쉬는 엘로라의 앞으로 황자가 성큼 다가왔다.

남자의 체취가 훅 끼쳤다.

아니, 체취가 아니었다. 인위적인 향이 코를 찔렀다.

그것은 담배 냄새였다.

“너.”

“……네?”

위협적으로 다가온 남자의 모습에 엘로라가 몸을 움츠렸다. 라하트는 그런 엘로라를 내려다보며 자신의 셔츠 한쪽을 가리켰다.

“이거 어떻게 할 거야?”

식은땀이 흘렀다. 하얀 셔츠에는 침 자국이 사탕 모양으로 찍혀 있었다. 누가 봐도 아까 한 번 문 사탕 모양이었다.

“죄, 죄송합니다.”

“그렇게 두려워할 것 없어. 어차피 옷은 많으니까.”

간단하게 해결할 수 있는 문제면서 왜 그렇게 위협적으로 굴었는지 알 수 없었다. 눈을 게슴츠레 뜬 엘로라가 고개를 숙였다.

황자인데 경호 없이 거리를 쏘다니는 데다 복식은 편하기 그지없었다. 심지어 한 손에 쥔 담배 파이프를 보니 역시 황실에서 내다 버린 황자라는 말이 맞는 듯했다.

“고개 숙이지 않아도 돼. 얘 때문에 정신없어서 앞을 보지 못한 내 잘못도 있으니까.”

엘로라는 슬쩍 고개를 들어서 라하트의 옆에 서 있던 여자를 보았다. 화려하게 치장한 여자는 아름다웠으나 라하트의 말을 듣자마자 얼굴을 와락 구겨서 순식간에 험악한 인상이 되었다.

“제가 잘못했단 거예요?”

“네가 계속 오페라를 보러 가자고 했잖아.”

“분명 마음에 드실 거예요.”

“난 그런 고상한 거 싫어해.”

티격태격 싸우는 남녀를 지켜보던 엘로라는 지금이 때라고 여겼다. “그러면 저는 이만…….”이라고 작게 말하고는 그들과 거리를 벌렸다.

싸우느라 정신없을 거라 생각했는데 그 작은 소리를 들은 라하트가 끝까지 고상한 건 싫다고 주장하면서도 잘 가라며 손을 흔들어 주었다.

대단히 인상적인 광경이었다.

얼떨결에 고개를 끄덕인 엘로라는 일단 도망쳤다. 그리고 빠르게 달리는 와중에 무언가 이상하다는 걸 느끼고는 그들의 대화를 되짚었다.

황자가 오페라를 보러 온다고 했다.
오늘 하는 오페라가…… 딱 하나 있었다.
바로 '프라시아'.
이마를 짚었다.
어차피 또 다른 가명으로 공연했기에 정체가 탄로 날 일은 없었다. 하지만 여자를 밝히는 황자가 공연장에 와서 행패를 부릴지도 모른다는 불길한 예감이 엄습했다.
최소한의 교양은 있겠지, 싶지만 결혼한다는 기사가 대문짝만하게 난 오늘도 대낮에 여자를 끼고 거리를 돌아다니는 사람이었다.
오페라를 보기 싫은 눈치던데 제발 괜한 걸음 하지 않았으면 하는 바람으로 집에 들어가자 히나가 엘로라를 기다리고 있었다.
"어머, 아가씨. 윌런 씨께서 뭐라고 하셨어요?"
"윌런 씨는 항상 그렇듯 이번 그림도 좋다고 하셨지."
"다행이네요. 그런데 다른 무슨 일이 있으셨나요? 표정이 어두우셔요."
티를 내다니. 실수였다.
얼굴에서 어두운 기색을 지운 엘로라가 짐짓 아무렇지 않은 척 말했다.
"오는 길에 사탕을 흘려서 그래."
"사탕을 드셨어요?"
"응, 오늘도 로이스의 취향에 맞춰서 윌런 씨가 쓴 커피를 대접해 주셨거든. 참, 히나. 이러고 있을 시간이 없어. 어서 올라가자."

서둘러 올라가는 엘로라를 따라가던 히나가 고개를 갸웃거렸다. 사탕을 흘리다니. 평소 아가씨의 모습을 생각하면 믿을 수 없는 일이었다. 사탕을 흘려서 기분이 안 좋은 게 아니라, 사탕을 흘리게 된 원인 때문에 기분이 안 좋다고 추측한 히나가 수수한 원피스로 갈아입고, 화장을 지우는 엘로라를 보았다.

조금 전까지만 해도 병약한 남자였던 그녀가 화장을 지웠을 뿐인데 혈색 있는 여인으로 바뀌었다. 너무 많이 봐서 이제는 놀랍지도 않은 변화였다.

"아가씨, 이번 가발 마음에 드세요?"

"마음에 쏙 들어."

긴 생머리의 흑색 가발이었다.

이번 오페라는 이례적으로 여자 주인공을 맡은 가수가 두 명이었는데, 엘로라는 흑발이 잘 어울리는 역할로 배정받았다. 오페라의 이야기를 더듬으며 화장을 시작했다.

원래 얼굴보다 인상이 더 강해야 했다. 과감하게 색조를 썼다. 눈썹도 크게 그리고 눈꼬리도 위쪽으로 뺐다. 마지막으로 입술을 진한 붉은색으로 물들이니 원래의 엘로라와 비슷하면서도 다른 여인이 앉아 있었다.

엘로라는 거울 속의 자신을 만족스럽게 보았다.

현재 볼흐라스에서는 여성의 순종을 가장 높게 쳐주는

만큼 봄처럼 싱그럽고 청순한 화장이 유행하고 있었다. 이렇게 진하고 강한 인상의 화장은 뒷골목 여인이나 한다는 인식이 있었지만, 엘로라에게 그건 알 바가 아니었다.

"아가씨, 너무 예뻐세요."

엘로라가 맡은 역에는 이런 화장이 어울렸다.

싱긋 미소를 짓자 히나가 두 눈을 반짝였다. 얼마나 좋아하고 있는지 말하지 않아도 알 수 있었다. 이제껏 존재감이 미약한 남성 혹은 못난이 엘로라로 변장했기 때문에 히나의 흥분은 이해할 수 있는 것이었다.

"그러면 갔다 올게."

눈에 띄면 곤란하기에 일부러 수수한 옷에 모자까지 쓴 엘로라가 저택을 나섰다. 밖으로 나가기 전, 문득 드는 생각에 우뚝 서자 히나가 어리둥절한 표정을 지었다.

"히나."

"네, 아가씨."

"아버지와 오라버니들이 집에 돌아오면, 알지?"

"당연히 알지요. 굳이 아가씨를 보러 가실 거면 한 분만 가능하다고 말씀드릴게요."

"우르르 몰려오면 다신 얼굴 안 본다고 협박도 해야 해."

"네, 아가씨."

단호한 엘로라의 말에 히나가 작게 웃음을 터트리며 대답했다. 나름 진지한 문제였기에 거듭 확인을 받고 저택을 빠져나왔다.

모자를 푹 눌러쓴 그녀는 가벼운 발걸음으로 오페라 하우스로 향했다.

설렘을 가득 안고 분장실로 가자 꾸미는 데에 한창인 다른 오페라 가수를 볼 수 있었다. 챙이 넓은 모자를 벗은 엘로라는 그들의 모습을 반짝이는 눈빛으로 지켜보았다.

넋을 놓고 있으니 익숙한 목소리가 그녀를 불렀다.

"로즈, 언제 왔어?"

"방금."

"왔으면 말을 해야지. 어서 나랑 옷 갈아입으러 가자."

엘로라와 함께 주연을 맡은 안나가 자연스럽게 팔짱을 끼고 달렸다. 얼떨결에 의상실로 달려간 엘로라는 미리 준비돼 있던 드레스를 확인할 수 있었다. 주연을 위한 드레스는 총 두 벌이었다.

안나에게는 순백의 드레스가, 엘로라에게는 검은 드레스가 건네졌다. 이번 오페라의 주인공인 두 사람은 타인의 도움을 받아 화려한 드레스로 갈아입었다.

엘로라가 이번에 처음으로 참여하는 작품, '프라시아'는 주인공 프라시아의 삶을 그린 오페라다. 2막으로 구성된

이 작품은 1막에서는 지고지순한 프라시아가 나온다. 하지만 남편의 불륜과 배신으로 분노한 그녀 앞에 악마가 나타나 계약을 제안한다. 악마와 계약한 그녀는 타락하고, 2막에서 엘로라가 맡은 검은 드레스를 입은 프라시아가 된다.

한 사람이지만 타락하면서 바뀌는 모습을 큰 변화로 보여 주기 위해 한 사람의 일생을 두 사람이 표현하게 될 수밖에 없었다.

드레스를 입은 엘로라는 거울 앞에서 한 바퀴 돌아 자신의 모습을 확인했다. 하단이 벨라인으로 돼 있는 드레스의 하트 탑에는 까마귀 같은 검은색 새의 깃털이 붙어 있었다. 1막의 프라시아의 드레스와 다른 점은 색깔과 이 깃털이었다.

만족스러운 미소가 절로 지어졌다.

누가 보아도 완벽한 2막의 프라시아였다.

마지막으로 1막의 주인공인 안나와 함께 대본을 확인했다.

엘로라를 제외하고 모두 프로들이었다. 그 사이에 끼어서 주연 역할을 수행하는 게 꽤 부담될 법도 하건만, 엘로라는 이 모든 상황이 즐거웠다. 살아 있음을 절절히 느끼게 해 주었다. 사람을 만나고, 새로운 도전을 하는 건 엘로라에게 항상 어렵고 즐거운 일이었다.

제아무리 높아 보이는 벽이더라도 넘어갈 방법은 있었다. 지금 그녀는 그 벽을 넘어가기 위해 도약하고 있었다.

"안나, 준비 다 끝났으면 다른 가수들과 대기하고 있어.

곧 막이 오를 거야."

시간이 되자 그들을 찾아온 스태프가 재촉했다. 드디어 막이 오를 시간이 찾아온 것이다.

"벌써 시간이 그렇게 됐나요? 초연은 항상 떨리네요."

떨린다고 했지만 안나의 두 눈은 어느 때보다 반짝였다. 설렘 가득한 모습에 엘로라 또한 그 흥분이 옮은 듯했다. 아직 제 차례도 아니건만 가슴이 두근거렸다.

"힘내, 안나. 응원하고 있을게."

관객석에서 구경할 수 없는 엘로라는 무대 뒤편에서 안나의 연기를 관람하기로 했다. 연습 무대 때 몇 차례 보았지만 연습과 실전은 그 감동이 다르리라는 걸 알았다.

항상 짜인 대본대로 움직이는 무대 위와 다르게 무대 뒤는 분주했다. 이리저리 뛰어다니는 관계자나 배우의 모습은 흔히 볼 수 있었다. 그들 사이에 자연스레 스며든 엘로라는 지금 이 기분을 만끽했다.

하지만 시끌벅적했던 무대의 뒤도 장막이 걷히기 직전에는 조용했다. 엘로라는 숨을 죽이고 어둠이 드리운 무대 위를 보았다.

천천히 장막이 걷히고, 익숙한 노래가 홀 안을 메웠다.

마치 자신이 무대 위에 서 있듯 긴장이 역력한 얼굴로 무대 위에 오른 안나를 쳐다보았다.

1막의 내용은 간단했다. 언뜻 행복한 결혼 생활을 시작한 듯한 프라시아와 그녀의 남편인 하스. 그 둘 사이에 언제부터인가 묘한 기류가 흐르기 시작한다. 결혼 전에는 목숨이라도 내놓을 듯이 사랑을 속삭이던 하스가 다른 여자들을 만나기 시작한 것이다. 여자도 아닌 여자'들'이었다.

한 시간만 보겠다던 하스는 프라시아를 꽃병에 꽂힌 꽃에 비유하며, 이미 손에 들어온 꽃에는 흥미가 없다고 언급한다.

계속되는 남편의 바람에 처음에는 그것이 자신의 잘못이라고 생각한 프라시아는 하스의 마음을 돌리기 위해 갖가지 노력을 한다. 하지만 이미 하스의 마음은 돌아섰다.

끝까지 자신의 문제라고 생각하며, 남편에게 사랑받지 못하는 아내는 가치가 없다고 판단한 프라시아는 결국 죽음을 선택한다.

그 순간, 자살하려는 그녀 앞에 악마가 나타나 너의 잘못이 아니라 속삭인다. 악마에게 홀린 프라시아는 이미 버리려고 했던 목숨을 담보로 악마와 계약한다. 그것이 1부의 끝이다.

프라시아. 너의 피, 너의 살결, 너의 신장, 너의 시간을 내게 다오. 나는 네게 더없는 행복을 선사해 주지.

— 행복! 그것이 무슨 의미가 있나요.

— 인간은 행복을 좇기 위해 사는 동물이지. 프라시아. 그 남자에게 꺾인 뒤로 진정 미소 지은 날이 있는가?

— ……처음엔, 처음엔 행복했지요.

— 그 뒤로는?

— …….

— 고통과 절망의 나날이었겠지. 그것이 진정 삶이라고 할 수 있는가, 프라시아.

엘로라는 숨을 멈추었다.

안나, 아니 프라시아의 안광이 형형히 빛났다.

순백의 드레스를 입었지만 한순간에 다른 사람이 서 있는 듯한 기분이었다.

— 그러면 말씀해 보세요. 진정한 삶은 무엇이지요?

— 삶. 아름다운 단어이지. 그 의미를 찾기 위해 나와 계약하겠는가?

악마가 매혹적인 미소를 지으며 프라시아에게 손을 내밀었다. 망설이던 프라시아는 결국 그 손을 잡았다. 그런 프라시아를 잡아당긴 악마가 칼을 꺼내어 그녀의 심장에 칼을 박았다.

순백의 드레스는, 피로 물들었다.

— 똑똑히 보아라, 프라시아. 앞으로 네게 일어날 일들을.

악마의 낮은 웃음소리가 울린다.

어둠이 내렸다.

장막이 걷히는 와중에도 엘로라는 꼼짝할 수 없었다. 벌어진 입술은 다물어지지 않았고, 저도 모르게 주먹을 쥔 손에는 땀이 차고 있었다.

"로즈, 여기서 뭐 하고 있어!"

2막을 위해 그녀를 부른 스태프만 아니었더라면 아마 한

참을 그렇게 서 있었을 것이었다. 뒤늦게 정신을 차린 엘로라는 지금 자신이 '로즈'임을 상기하고 무대에서 등을 돌렸다.

여운이 가시지 않았다.

하지만 이 여운을 얼른 씻어 내야 했다.

이제 그녀가 무대 위로 올라설 차례였다.

막이 올랐다.

오롯이 자신을 향해 쏟아지는 수많은 시선이 빛처럼 그녀의 살갗을 따끔거리게 찔러 왔다.

긴장해서는 안 됐다.

숨을 가다듬은 그녀는 천천히 두 눈을 깜빡였다.

이제 여기 있는 사람은 엘로라 아르미트도, 로이스도, 로즈도 아니었다.

프라시아.

악마와 계약한 여자였다.

그녀는 나비처럼 우아한 걸음과 상냥하지만 독을 감춘 미소를 지은 채, 고혹적인 모습으로 다시 하스에게 나타났다.

아예 뒤바뀐 분위기 탓에 처음에 하스는 그녀를 알아보

지 못한다. 그런 그를 비웃은 프라시아가 조롱과 냉소를 퍼부었다. 멍청한 하스는 냉정하고 아름답지만 제게 사랑을 내어 주지 않는 프라시아에게 또다시 사랑을 느꼈다.

아니, 그건 사랑이 아니었다.

그저 남자의 독점욕일 뿐이었다.

이를 아는 프라시아에게 더 이상 슬픔이라는 감정은 존재하지 않았다. 슬픔은 악마에게 내어 준 심장이 해야 할 일이었다.

하스가 손을 뻗는다. 프라시아는 그가 다가온 거리만큼 도망갔다.

하스를 유혹하면서도 그가 다가오면 피했다. 이때까지 하스를 거부하는 여성은 없었다. 프라시아가 제멋대로 되지 않자 애간장이 탄 그에게 아리아를 선사한다. 한없이 차가운 그녀의 목소리가 홀을 울렸다.

저를 꽃이라 부르지 마세요!

당신의 정원을 장식하기 위해 태어나지 않았답니다.

당신에게 꺾여 시들 바에 자유로운 나비가 되어 날아다닐 거예요.

차라리 당신을 꽃으로 여기며 꺾어 줄 테니 내게로 와요.

당신을 위해 물을 주고, 볕이 잘 드는 곳에 놓아 주고, 매일 아름다운 노래를 불러 줄 거예요.

그러다 질리면, 어쩌겠어요. 시들어야지요.

당신이 내게 그러했듯이. 시들어야지요.

하스가 자신에게 그러했듯이 프라시아는 제 손에 들어온 하스를 언제든 버릴 준비가 돼 있었다.

자신의 꽃병에 꽂힌 꽃은 매력 없다 하였다.

한때는 사랑을 속삭이던 따듯한 눈빛과 입술은 오물을 뒤집어쓴 듯이 역겨워 보였다. 제게 사랑을 구걸하여서 그런 걸까. 쓰레기장을 나뒹구는 거지를 보는 듯한 시선으로 하스를 보았다.

제 손에 들어온 꽃을 향해 경멸을 숨길 이유가 없었다.

— 프라시아. 내 사랑을 받아 주오.

극이 절정으로 치닫는다. 무릎을 꿇고 애원하는 하스를 내려다보았다. 악마에게 온기를 빼앗긴 그녀는 북풍한설과 같아, 굳이 하스가 아니더라도 제 자리를 내어 줄 생각이 없었다.

하스를 놀리듯, 그런 그의 주위를 돌던 프라시아는 문득 좋은 생각이 떠올랐다. 어린아이같이 장난스러운 미소를 지으며 하스의 귀에 속삭였다.

— 날 위해 죽어 줄 수 있나요?

그 어느 때보다 달콤했다. 저를 잡아먹기 위한 유혹임을 눈치채지 못한 하스는 격하게 고개를 끄덕였다.

— 오, 당연하지. 프라시아.

무작정 불구덩이로 뛰어드는 불나방처럼 달려드는 하스

를 보며 프라시아는 미소를 지우지 않았다.

— 그러면 죽음으로 당신의 사랑을 증명해 보세요.

그들의 관계는 더는 사랑으로 정의할 수 없었다.

그건 광기였다.

— 프라시아. 이 칼을 내 심장에 찌르면 정말 나를 사랑해 줄 텐가?

프라시아가 핏기 하나 없이 창백한 손으로 하스의 뺨을 쓸어 주었다.

— 적어도 저승길에 오르는 노잣돈으로 당신의 심장에 금화를 얹어 놓을 마음은 들겠지요.

언제 하스의 뺨을 어루만져 주었냐는 듯이 등을 돌렸다. 멀어져 가는 프라시아를 보며 하스는 칼을 빼 들었다.

— 프라시아. 나의 사랑을 보시오.

높이 든 칼이 망설임 없이 하스의 심장을 꿰뚫었다. 그러나 프라시아는 하스를 보지 않았다. 한 번 돌아선 그녀의 마음은 죽음으로도 되돌릴 수 없었다.

하스가 죽었다.

사랑이라는 이름의 광기가 끝이 났다.

눈을 내리깐 프라시아가 악마를 찾는다. 그런 그녀 앞에 마치 처음부터 옆에 있었다는 듯이 악마가 나타난다.

— 삶이란 무엇인가요?

— 너는 이미 답을 알고 있지.

— 이것이 삶인가요?

되묻는 프라시아에게 악마는 의미 모를 미소를 지었다.

그런 악마를 지나쳐, 무대 앞으로 천천히 나아간 프라시아는 관객들과 눈을 맞추었다. 자신을 지켜보는 무수히 많은 시선들에.

— 그가 절 죽였지만 결국 모두의 기억 속에는 남자를 죽인 부도덕한 여자만이 남겠지요.

프라시아는 모두에게 웃어 주었다.

아름다운 얼굴에 어울리는 미소였지만 어딘가 슬퍼 보이는 미소였다.

— 전 꺾이지도, 시들지도 않았어요.

사람들이 몰려왔다.

그들은 한결같이 그녀가 마녀임을 외치고 있었다.

사람들에게 끌려가기 전, 프라시아는 마지막 말을 힘겹게 내뱉었다.

— 꽃이 아닌 사람이니까요.

그녀가 끌려갔다. 동시에 막이 내렸다. 오페라를 보러 온 사람들은 막이 완전히 내려갈 때까지 멍하니 무대를 보았다. 누구도 먼저 박수를 보내지 않았다. 완벽한 정적이었다.

무대 뒤에 선 프라시아, 아니 엘로라는 관객석에서 반응이 나오기를 기다렸다. 불안하거나 초조하지 않았다. 조용해도 너무 조용했지만 그들에게 프라시아를 받아들일 시간이 필요하다고 생각했다.

그리고 엘로라의 생각대로 오랜 정적 끝에 누군가 용기 내어 손뼉 쳤다. 그것을 도화선으로 하나둘씩 프라시아를 향해 박수를 보냈다. 한 사람, 두 사람, 세 사람…….

여러 사람의 박수가 모여 그 어느 때보다 웅장한 노래가 되었다.

두 눈을 감은 엘로라는 미소 지었다.

성공이었다.

"로즈! 정말 대단했어, 로즈."

흥분한 안나가 엘로라에게 다가왔다. 오히려 안나에게 해 줘야 할 말이었으므로 엘로라는 안나에 대한 칭찬을 아끼지 않고 쏟아부었다.

"대단한 건 안나지. 진짜 프라시아 같았어. 특히 마지막 장면에서 소름이 돋았다고!"

"그건 내가 할 소리야. 그보다 마지막에 그 말…… 원래 대사에 없던 거 아니야?"

안나의 물음에 뜨끔했다. 원래 대사에는 '전 꺾이지도, 시들지도 않았어요.'를 마지막으로 아무 말 없이 프라시아는 끌려간다. 한마디로 마지막의 엔딩 대사는 순전히 엘로라의 즉흥적 대사였다.

"……프라시아라면 그 말을 꼭 할 것 같았어."

모두가 함께 만든 오페라의 일부분을 바꾸었으니 언제라도 해명해야 할 사항이었다. 힘겹게 입술을 연 엘로라는 솔직한 마음을 꺼내 놓았다. 그런 엘로라를 보던 안나가 웃었다.

“동감해. 프라시아라면 그랬을 거야.”

인정받았다. 안나에게 인정받았다는 사실에 뿌듯함이 몰려왔다. 애써 티가 나지 않도록 노력한 로즈는 이 여운을 즐겼다. 그런데 제대로 여운을 즐기기도 전에 오페라 스태프가 급하게 안나와 로즈를 찾았다.

“안나, 로즈! 여기 있었구나.”

다급함이 역력한 그의 모습에 마지막 대사 때문에 혼내려는 건가 싶었다. 하지만 굳이 안나까지 부를 필요는 없었기에 무언가 다른 일이 있어 보였다.

“둘 다 어서 따라와.”

“무슨 일 있으신가요?”

엘로라의 물음에 그가 인상을 와락 찡그렸다. 굉장히 난처한 표정이었다.

“황자 전하께서 프라시아 역할을 한 가수를 보고 싶다고 난리야.”

“……네?”

이어지는 그의 말에 놀랄 수밖에 없었다. 1황자가 황태자로 오른 이 시점에서 황자라고 부를 만한 사람은 딱 한 명밖에 없었지만 재차 물어보지 않을 수 없었다.

“혹시 그 황자 전하라는 분이 라하트 전하를 말씀하시는 건가요?”

“그래. 지금 체통도 잊으시고 난리를 부리셔서 금방 데려오겠다고 하고 달려왔어. 딱히 나쁜 일로 부르는 건 아닌 듯해. 오히려 너희에게 좋은 기회가 될 거야. 하지만 상대가 상대다 보니 혹시 이상한 짓을 하면 내가 적당히 막아 줄 테니 걱정하지 마라."

보통은 황족을 만나니 영광이라고 할 테지만 라하트는 달랐다. 호색한이라고 소문난 인물이라 굳이 여자 가수를 부르는 의도가 심히 의심되었다. 상대는 무려 황족인 터라 명을 거절할 수 없으면서도 한편으로 걱정하는 그의 심정이 이해되는 바였다.

"저기."

"응?"

엘로라가 조심스레 스태프를 불렀다. 어차피 분장을 한 상태라 못 알아보니 만나도 상관은 없지만 엘로라에게 방금 아주 중요한 일이 생겼다.

"전하께서는 1부의 프라시아를 보고 싶어 하는 게 아닐까요? 저는 일이 있어서 안나만 데리고 가세요."

"하지만 프라시아라고……!"

"프라시아라고 했지, 프라시아'들'이라고는 하지 않았잖아요. 저 하나 안 간다고 해서 문제없을 거예요."

"로즈, 이건 좋은 기회야. 아무리 전하께서 소문이 안 좋다 하더라도 상대는 황족이잖아! 어쩌면 다시없을 기회가 될 텐데 어째서 가지 않으려는 거야?"

앞으로 자주 볼 얼굴이거든.

그 말을 삼킨 엘로라가 대신 안나의 손을 꼭 잡아 주었다. 마치 제 일처럼 안타까워하는 안나의 마음씨가 따듯하게 느껴졌다.

“사랑하는 사람이 와서 빨리 가 봐야 해. 물론 전하를 보는 것도 다시 올 수 없는 기회이지만, 난 그 사람이 더 중요해. 부탁할게, 안나.”

안나에게 로즈란, 미지에 싸인 신비한 인물이었다. 시골에서 상경한 지 얼마 안 됐다고 하지만 가끔 보이는 기품 같은 건 절대 시골 여자가 가질 수 있는 게 아니었다.

그런 로즈가 처음으로 자신에 대해 얘기했다. 심지어 사랑하는 사람이라니. 무언가 절절한 사연이 있을 거라고 믿은 안나가 비장하게 고개를 끄덕였다.

“알겠어. 전하께는 나 혼자 갔다 올게. 어서 사랑하는 사람을 보고 와.”

“이해해 줘서 고마워, 안나.”

스태프 또한 안나와 같은 생각이었기에 별다른 말 없이 안나와 함께 움직였다. 안나가 시야에 보이지 않을 만큼 멀어졌을 때야 이동하기 시작한 엘로라는 속으로 식은땀을 훔쳤다.

아예 거짓말은 아니었지만 최대한 진심으로 보이게 연기한다고 힘들었다. 자신을 보러 온 ‘그 사람들’을 생각하면서 이성적으로 좋아하는 사람이라고 말하는 자체가 연기하기 힘들었다.

한숨을 내쉰 엘로라가 빠르게 걸음을 옮겼다. 그녀가 향한 곳은 주로 고위 귀족이 앉는 위층이었다. 아래층과 다르게 위층은 개인 공간처럼 만들어졌기 때문에 큰 목소리로 대화를 나누지 않는 이상 남들에게 들릴 일이 없었다.

기억을 더듬어 방을 찾으려 했지만 이런 그녀의 행동을 일찍이 눈치챈 듯, 히나가 나와 있었다.

"아가씨!"

"쉿!"

괜히 듣는 귀가 있을까 봐 조용히 하라는 제스처를 취한 엘로라가 히나를 끌고 안으로 들어갔다. 그러자 익숙한 뒷모습을 볼 수 있었다.

은발 머리통 네 개였다.

그렇다.

하나가 아닌 네 개였다!

"아가씨, 그것이 말이죠……."

"괜찮아. 히나."

히나가 울먹거렸다. 자신의 잘못이라고 생각하는 모양이다. 하지만 히나는 일개 시녀였고, 그들은 귀족이었다. 아무리 엘로라가 부탁했다 하더라도 저지하는 데에 한계가 있을 거라고 예상은 했다.

"아버지, 오라버니들."

그들을 불렀다. 보통 두 팔 벌려 자신을 맞이한 그들이 등을 돌린 채 있는 걸 의아하게 여기면서.

"아버지?"

분명 목소리를 들었을 텐데 반응이 없었다. 재차 불렀지만 우뚝 서 있는 모습이 이상하여 결국 먼저 다가갔다. 그리고 충격을 금하지 않을 수 없었다.

"다들 꼴이 이게 뭐예요!"

소리를 지른 엘로라가 손을 뻗어 차례대로 그들의 인중에 있는 콧수염을 떼어 냈다.

넷 다 한결같이 가짜 콧수염을 붙이고 있었다.

콧수염을 붙이면 뭐 하나. 결국 그 얼굴이 어디 가는 게 아닌데.

아버지와 오라버니들의 난감한 행동에 엘로라는 차례로 그들과 시선을 마주했다. 엘로라와 눈이 마주칠 때마다 양심이 찔리는지 슬쩍 시선을 피했다.

"말 안 하실 거예요?"

"아가씨, 제가 말씀드릴게요."

"아니. 히나. 나는 직접 듣고 싶어."

단호한 엘로라의 말에 히나가 한 발자국 물러설 수밖에 없었다.

"……나 혼자 오려고 했어!"

결국 침묵의 끝에서 셋째인 요제프가 입을 열었다. 첫말이 변명이라 엘로라가 살짝 인상을 찡그렸다. 요제프가 움찔했다.

"혼자 오려고 했는데…… 갑자기 형이랑 아버지가 오더

니 같이 가겠다고 우겼다고. 난 억울해."

요제프의 목소리가 점점 더 땅으로 꺼졌다. 대충 상황은 짐작이 갔다. 혼자 몰래 가려고 했다가 딱 걸린 거겠지.

엘로라가 그들의 인중에서 떼어 낸 콧수염을 들었다. 그러면 이 해괴한 물건은 무엇인가 싶었다.

"이건 뭐야?"

"다 같이 오면 다시 얼굴 보지 않겠다며."

"그래서 변장한 거야?"

"……응."

터져 나오려는 웃음을 꾹 참았다. 히나가 끌려온 것으로 보아, 히나에게 부탁한 모양이다. 그래도 그렇지 변장을 하려면 그럴듯하게 해야지 가발도 쓰지 않고 머리카락 색이랑 다른 색의 콧수염만 딱 붙이는 건 어느 나라 변장법인가 싶다.

"제가 콧수염을 붙여도 똑같다고 했는데 빨리 가야 한다고 하셔서……."

"그래서 이 상태로 들어온 거야?"

"예."

"히나, 네가 고생이 많아."

히나의 어깨를 토닥였다. 막내딸 앞에서 이성을 잃는 식구들 때문에 고생이 많았다.

"내일 신문에는 콧수염을 붙이고 오페라를 구경한 아르미트 가문에 대한 기사가 장식되겠네."

논란을 만들고 싶지 않아 최대한 눈에 띄지 않게 한 명씩 오라고 했건만 오히려 일을 더 크게 벌여 놨다. 사실 한 명씩 와도 존재감이 커서 눈에 띄기 십상인데 단체로 다니면 그야말로 걸어 다니는 기삿거리였다.

"그건 아닐걸?"

"응?"

"오페라 관계자의 입은 다 막아 놨어. 이 꼴로 당당하게 앞문으로 들어왔다고 생각한 거야? 아르미트가를 무시하지 말라고. 그리고 황자도 구경하러 왔다며. 명색이 황족인데 기사가 뜨면 그게 뜨겠지. 어쨌든 축하해, 엘로라. 겉으로는 황족인 애도 보러 오고 관객석도 다 찼고. 흥행에 성공했네."

엘로라는 요제프의 말에 관자놀이를 문질렀다.

황자가 오페라를 구경하러 온 이유는 알고 있다. 옆에 끼고 있던 여성 때문이었다. 오페라에 대한 열정 같은 거창한 이유가 아니었다. 그래서 황족이 보러 온 오페라, 라는 거창한 명칭이 붙는다면 조금 부끄러울 것 같았다.

관객의 반응을 보니 결국 요제프의 말대로 흥행에 성공할 듯했지만 뭔가 심경이 복잡했다. 막 프라시아라는 가면을 벗고 나와서 그런 걸까.

눈을 내리깔고 멍하니 서 있었다. 그런 엘로라의 앞으로 둘째인 라엘이 다가왔다.

"엘로라."

고개를 들었다. 라엘이 사뭇 진지한 표정으로 엘로라를 바라보았다.
"앞으로 안 볼 거야?"
느릿하게 말을 잇는 라엘의 모습에 엘로라가 살며시 입꼬리를 올렸다.
"오라버니."
"응."
"내가 어떻게 오라버니를 안 보겠어."
라엘이 잘못을 알고 꼬리를 내리는 모습에 엘로라의 마음이 허물어졌다. 어차피 진심으로 한 협박도 아니었다. 가족이 앞뒤 가리지 않고 자신을 보러 와 줬다는 사실은 온전히 사랑받고 있음을 절절히 느끼게 해 주는 증거이니까.
"하지만 앞으로 내가 하는 말을 무시하지 않았으면 좋겠어."
"응, 알겠어."
순순히 고개를 끄덕였다. 그런 라엘을 뒤로하고 훌쩍이고 있는 아버지에게로 시선을 돌렸다. 눈이 마주치자 뜨끔한 후작이 주섬주섬 사과를 내놓았다.
"엘리, 미안하다."
"아버지께서는 제 마음 아시잖아요. 가문이랑 엮이지 않은 채로 활동하고 싶다는 걸요."
"내가 잘못했어."
막내딸을 아끼는 아버지로서, 딸이 오페라의 주연을 꿰찼는데 초연을 보지 못하는 것도 나름대로 고역이었을 거다. 울먹이는 아버지를 보니 마음이 약해진 엘로라가 헤어짐을 종용했다.
“이만 돌아가 주세요. 집에서 봐요.”
집에서 보자는 말에 순식간에 후작의 표정이 밝아졌다. 정말 미워할 수 없는 가족이었다.
“엘리, 언제 올 거니?”
“뒤따라갈게요. 그리고 아빠.”
아빠라는 말에 눈이 휘둥그레진다.
아직 눈가가 촉촉한 아버지에게 다가갔다.
“저도 미안해요.”
“아니, 엘리. 미안하다니.”
“당당할 수 없어서 미안해요.”
엘로라의 말에 후작이 북받치는 감정을 주체하지 못하고 그녀를 꽉 끌어안아 주었다. 재능 많은 딸아이가 여아로 태어나서 재능을 이렇게밖에 드러내지 못하는 모습이 항상 안타까웠던 후작이었다.
“엘리, 너는 우리 가문의 자랑이란다.”
목이 막혔다. 후작은 프라시아에게서 엘로라의 모습을 보았다. 오페라 내내 열연하는 엘로라를 보며 마냥 기뻐할 수 없었다.
“오늘 공연, 멋지더구나.”
“감사해요.”
많은 말을 하고 싶었다. 무대 위의 딸이 얼마나 예뻤는지, 프라시아라는 역할을 얼마나 훌륭하게 소화했는지에 대해서. 재능도 찬란했지만 하나의 역할을 수행하기 위해 누구보다 피나는 노력을 했음을 알고 있었다.

눈에 넣어도 안 아플 자식이었다. 아들들보다 더 정이 가는 딸아이였다. 입술을 꾹 다문 후작은 밤하늘에 새겨진 별처럼 수많은 말을 집어삼킨 채로 이만 엘로라, 아니 이 자리에서는 로즈인 가수와 작별 인사를 했다.

가족들이 다 나가자 주위가 한산해졌다.

잠시 휴식을 가진 엘로라는 그곳에서 무대를 내려다보았다.

이 자리에서 아버지가, 오라버니들이, 그리고 히나가 자신을 보았을 것이다.

막이 내린 무대는 조용했다. 아직 실감이 나지 않았다. 저 무대 위에서 프라시아를 연기했다는 사실이.

천천히 주먹을 쥐었다가 폈다.

이후 공연은 몇 번이고 남았다. 프라시아로서, 로즈로서 살 기회가 남아 있었다. 앞으로 이런 오페라 작품은 못 만날 것을 알기에 지금 이 순간에 충실하기로 했다.

수많은 삶을 만나 왔고, 계속해서 만들어진 인물 속에서 살아갈 테지만 각개의 인물이 다 소중했다. 누구의 삶도 실패했다고 정의를 내릴 만한 게 아니었다.

자리에서 일어난 엘로라가 옷을 갈아입고 집으로 가려 했다. 초연을 성공적으로 마친 기념으로 뒤풀이가 있었지만 저택에서 자신을 기다리고 있을 사람들을 알기에 거절했다.

주연인 그녀가 빠진다는 사실에 많은 이들이 안타까워했으나 웃음으로 무마했다. 또 황자와 만나고 돌아온 안나가 사정을 잘 설명해 주어 빠져나오는 데에는 그리 무리가 되지 않았다.

안나에게 황자와 만나서 무슨 일이 있었는지 굳이 물어보지 않았다. 표정을 보아하니 별다른 일이 없는 것 같아 그냥 얼굴 한번 보자고 불렀겠지 싶었다.

수수한 차림으로 돌아온 엘로라는 다른 이들보다 먼저 오페라 하우스를 빠져나왔다. 관객보다는 늦고, 관계자보다는 이른 때였다.

마침 근처에 빈 마차가 있어 그쪽으로 간 엘로라는 뒤에서 다급한 발소리를 들었다. 그리고 그 정체불명의 사람이 엘로라의 팔을 거칠게 붙잡았다. 당황하여 고개를 돌리자, 익숙한 얼굴이 보였다.

라하트 황자였다.

이게 무슨 상황인가 싶어 얼떨떨했다.

"프라시아, 맞지?"

어디인가 다른 곳을 보는 듯, 몽롱한 눈빛이었다. 그 보랏빛 눈동자를 가감 없이 받아친 엘로라가 고개를 끄덕였다.

"네 진짜 이름이 뭐야?"

라하트가 느릿하게 물었다. 혹시 프라시아를 보고 싶다고 했던 게 안나가 아닌 로즈였던 것일까.

취향 한번 독특했다. 보통 남자들의 이상형은 2막의 프라시아가 아닌 1막 초반의 프라시아였다. 누구도 남자에게 대드는 여자를 좋아하지 않았다.

"프라시아?"

오랫동안 대답이 없자 라하트가 다시 불렀다. 뒤늦게 정신을 차린 엘로라는 피로감을 느꼈다.

"로즈입니다, 전하. 조금 전의 무례는 이해 부탁드립니다."

"로즈, 로즈구나."

라하트가 그녀의 이름을 되뇌었다.

그런 라하트를 보고 있자니 살짝 식은땀이 흐르는 듯했다. 이래서 얼굴을 드러내는 직업보다 드러내지 않는 직업이 나았다. 작품 뒤에 숨어 있으면 관심을 가지던 사람들도 얼굴을 모르니 이내 흥미를 잃고 사라졌기 때문이다. 애초에 그들이 관심을 가진 건 작품이지 작가가 아니었다.

황족의 관심을 받고 싶지 않았다.

꼬리가 길면 밟히기 마련이라고, 꼬투리를 잡히고 싶지 않았다.

"혹시 지금 시간……."

"죄송하지만 제가 지금 남편을 만나러 가야 해서 먼저 가 보겠습니다."

라하트의 말허리를 끊고 속사포처럼 말을 쏟아 낸 엘로라가 도망치듯이 뛰었다. 마지막으로 본 황자는 바보 같은 표정을 짓고 있었다.

'남편'이라는 단어가 나올 때부터 단어를 제대로 인식하지 못했는지 멍하니 엘로라를 쳐다보았다.

앞으로 얼굴을 드러내는 직업은 여러 번 고려해 봐야 되겠다고 생각하며 빈 마차에 오른 엘로라가 목적지를 말했다.

그녀를 태운 마차가 빠르게 사라졌다

라하트는 그런 그녀의 모습을 우두커니 서서 바라보았다.

혹 주위에 쫓아오는 사람이 있는지 샅샅이 살펴본 후 겨우 저택으로 들어간 엘로라는 가족의 성대한 환영을 받았다. 하지만 라하트와의 짧은 만남으로 인해 기운이 빠진 터라 건성으로 대하고 화장을 지우기 위해 올라갔다.

화장을 지우고, 가발을 벗고, 옷을 갈아입었다. 옷을 갈아입으면서 황자와의 만남이 아무래도 걸린 엘로라가 중얼거렸다.

"안 되겠어. 죽여야겠어."

"예?"

당황한 히나가 되물었다. 죽여 버린다니. 짐작 가는 것은 있었지만 평소보다 분위기가 살벌했다.

"로즈는 이번 오페라가 끝나면 화재로 죽여 버릴 거야."

이런 식으로 죽인 인물이 한둘이 아니었다. 엘로라의 손에서 태어난 가공의 인물은 그녀가 이만 역할을 그만두어야 되겠다고 생각했을 때 생명을 다한다.

자살한 사람, 화재로 불타 죽은 사람, 살해당한 사람, 마차 전복 사고 등등 사유는 다양했다.

유명하면 요란하게 증인을 남기는 편이지만, 유명하지 않으면 대충 아사했다고 치고 죽여 버렸다. 로즈는 얼굴이 드러났으니 시체도 남지 않게 화재로 죽이는 게 가장 안전했다.

벌써 로즈를 죽일 생각을 하는 엘로라의 모습에 히나가 고개를 갸웃거렸다.

"벌써요? 무슨 일이라도 있으셨어요?"

엘로라는 이 이야기를 꺼내야 할지 말아야 할지 잠깐 고민했다. 분명 라하트가 로즈에게 관심을 보였다는 얘기를 하면 걱정할 것이었다. 그리고 당장 로즈를 없애라고 할지도 몰랐다.

그들에게 있어 라하트의 이미지는 이 정도였다.

"……얼굴을 보이면서 활동하는 게 어색해서 그런가 봐."

"로즈로 변장해도 누구보다 아름다운 얼굴이시니 어색해하지 마세요."

"고마워, 히나."

"아직 공연이 많이 남아 있으니까 로즈에 대해선 천천히 생각하세요. 아가씨께선 항상 마지막을 생각하기보다는 당장 최선을 다하시잖아요."

"그렇지."

힘이 쭉 빠졌다. 있지도 않은 남편을 들먹이면서 상황을 무마했으니 상식이 있는 남자라면 다시는 질척거리지 않을 거라 믿었다.

상대는 황자였다. 수많은 여인이 뭐라도 떨어질까 싶어 그에게 달라붙는데 설마 공연을 보고 반하여 쫓아온다는 이야기는 있을 수 없다고 생각했다.

마음을 편히 먹으려고 노력하며, 히나의 말대로 평소처럼 현재에 집중하도록 노력했다.

달이 밝은 밤이었다.

오페라, 프라시아는 전례 없는 흥행을 기록했다. 주로 신화의 내용을 다루던 이전과 달리 개인의 삶을 그린 것도 파격적인데, 그 개인이 본디 자신의 삶을 탈피한 여성이라는 점에서 모두 주목했다. 또한, 깔끔하고 충격적인 서사와 묘하게 공감을 자극하는 대사로 인해 흥행을 이어 갔다.

특히 황자가 초연부터 쭉 오페라를 보러 온다는 얘기는 사람들의 호기심을 한층 유발했다.

……가 밖에서 나도는 얘기인데 프라시아 역을 맡은 엘

로라는 말 그대로 죽을 맛이었다. 때마다 자신에게 꽃과 선물을 보내오는 황자의 의도는 너무 노골적이었다.

이름을 로즈라고 지은 탓인지 주로 장미를 보내왔다.

관심 있어 하는 여성이 곧 결혼할 상대란 사실을 알면 아마 뒤로 넘어지지 않을까 싶었다.

유부녀라고 말했는데 자신을 붙잡으려고 하는 황자의 행태가 마음에 들지 않기도 했고, 깊은 관계를 맺어 봤자 득이 되는 게 하나도 없어 황자를 피하고, 피하고, 또 피했다. 하지만 너무 적극적으로 들이대서 피하는 것조차 힘들게 만들었다. 설상가상으로 황자가 오페라 가수에게 반했다는 소문이 아버지의 귀에까지 들어가 집안도 난리가 났다.

'그 고얀 놈이 보는 눈은 있어서 우리 딸을……!'

노한 아버지의 외침과 반역이나 황족 암살을 서슴없이 말하는 오라버니들의 모습이 선연했다. 또 한차례 식은땀을 흘린 엘로라는 어찌어찌 그들을 진정시켰지만 로즈가 죽기 전까지, 그리고 황자의 관심이 끊기기 전까지 계속될 논란이었다.

오늘도 성공적으로 프라시아 연기를 끝낸 엘로라가 집에 갈 준비를 했다. 황자 탓에 그녀의 빠른 귀가는 암묵적으로 동의돼 있었다.

내일 결혼 얘기로 황궁에서 오찬을 즐겨야 했기에 다른 때보다 일찍 잠자리에 들 생각으로 뒷문으로 나간 엘로라는 황자와 마주치지 않도록 주위를 살피며 살금살금 걸어갔다.

앞문은 너무 위험했다. 몇 번 그쪽으로 나갔다가 미리 대기하고 있던 황자에게 붙잡힌 이후로 뒷문을 이용하게 되었다. 아르미트 가문에서 미리 준비한 마차가 대기하고 있는 방향으로 걸어갔다.

거리에는 어둠이 깔려 있었다. 어둠을 사뿐히 밟고 간 엘로라는 코너를 돌았다. 그리고 누군가와 부딪쳤다.

"죄송합니다."

상대의 얼굴도 확인하지 않은 채 고개를 살짝 끄덕인 엘로라가 황급히 뛰어가려 했다.

"로즈!"

손목이 붙잡혔다. 익숙한 목소리에 당황한 엘로라가 그제야 상대의 얼굴을 제대로 보았다. 설마설마했는데 라하트 황자였다.

황자를 피하고자 얼마나 노력했던가! 여기까지 온 노력이 한순간에 물거품이 되었다.

"로즈, 기다렸어."

애인에게 할 법할 말이었다. 다정한 황자의 말에 인상을 찡그릴 뻔한 걸 겨우 참고, 무표정으로 미리 준비해 두었던 말을 쏟아 냈다.

"전하. 항상 말씀드리지만, 집에 토끼 같은 자식과 곰 같은 남편이 기다리고 있어서 빨리 가 봐야 합니다."

"잠시라도 시간을 내어 주면 안 돼?"

"네."

있지도 않은 토끼 같은 자식과 곰 같은 남편의 이야기를 하도 많이 들어서 그런지 이제는 놀라운 기색도 비치지 않았다. 오히려 시간을 내어 달라고 애걸하는 황자였다.

항상 그렇듯 단호하게 대답한 로즈는 그것이 무례라는 걸 알고 있었지만 자리를 뜨려고 했다.

"너와 대화를 나누고 싶어."

"……대화요?"

"그래. 대화."

엘로라는 의심스러운 표정으로 황자를 보았다.

"거듭 말씀드리지만 저는 토끼 같은 자식과 곰 같은 남편이 있는 여자예요."

"알아. 그런데 직접 찾아가 보니까 없더라고."

"……예?"

이게 무슨 뚱딴지같은 소리인가 싶어 바보 같은 소리를 내고 말았다. 직접 찾아가 보다니? 당황한 로즈에게 이때까지 없었던 진지한 표정으로 라하트가 내려다보았다.

"로즈, 넌 뭐야?"

안개에 둘러싸인 것처럼 흐릿하던 황자의 자색 눈동자가 날카롭게 빛났다. 지금 앞에 있는 사람이 그 소문의 망나니 황자라는 사실이 믿어지지 않았다.

속으로는 잔뜩 당황했지만 겉으로는 드러내지 않은 엘로라는 최대한 뻔뻔하게 나가기로 마음먹었다. 이미 없는 사람의 자식도 만들었는데 여기서 더 거짓말을 못할 리 없었다.

"전하, 무언가 착각하고 계시는 듯합니다."

"내가 무엇을 착각하고 있는데?"

"저는 애 딸린 평범한 유부녀랍니다. 제게 이 이상의 관심을 보이시면 시고 힘들어요."

슬슬 뒷걸음질 쳤다. 그런 그녀를 사냥감을 낚아채는 매처럼 서늘하게 보던 라하트가 불현듯 빙긋 미소를 지었다. 순식간에 바뀌는 분위기에 솜털이 쭈뼛 섰다.

"사실 내가 직접 찾아갔다는 건 거짓말이야."

"하하. 전하께선 농담도 잘하시네요."

"내가 찾아가지 않고 아랫사람들을 시켰거든. 도시에서 토끼 같은 자식과 곰 같은 남편과 함께 사는 로즈라는 이름의 여인을 찾아보라고."

황자를 얕보았다. 망나니라고 물불 가리지 않고 달려들기만 할 줄 알았는데 아랫사람을 시켜서 조사도 할 줄 아는 사람이었다.

물론 이런 경우를 대비하여 항상 가상의 인물에 대한 알리바이는 만들어 놓지만 이번에 만든 로즈는 시골에서 상경한 지 얼마 안 된 로즈이지 토끼 같은 자식과 곰 같은 남편이 딸린 로즈가 아니었다.

황자는 알고 있었다.

자식이 딸린 유부녀가 아니라는 사실을.

"안타깝게도 그런 여인은 없다고 하더라고. 그러면 다시 물을게. 로즈, 넌 뭐야?"

시간을 계속 지체해 봤자 좋을 것 없었다. 아예 바보인 줄 알았던 황자가 생각보다 영민한 듯하니 굳이 꼬투리를 잡힐 필요가 없었다. 침묵을 유지하던 엘로라가 힘겹게 입을 열었다.

"전하를 속여서 정말 죄송합니다."

"그렇지. 죄송하다고 느껴야지."

속인 것과 별개로 엄청난 뻔뻔함이었다. 표정 하나 바꾸지 않고 저런 말을 하다니. 조금 전의 날카로웠던 모습이 착각이었던 것처럼 느껴졌다.

하지만 엘로라는 자신이 두 눈으로 본 건 믿자는 주의였다. 우연이었다 하더라도 긴장을 늦추지 않아서 나쁠 건 없었다.

"사실……."

"사실?"

최대한 말을 끌었다. 몇 번이나 입술을 달싹인 엘로라는 다소 복잡한 심경으로 그다지 길지 않은 시간이 지난 후에야 힘겹게 입을 열었다.

"전하, 이건 정말 제 인생에 큰 비밀이라 누구에게도 말하면 안 됩니다."

"내 이름을 걸고 약속하지."

이름을 건 약속이라니. 다른 황족이면 몰라도 라하트가 말하니 무게감이 느껴지지 않았다. 이래서 평소 행실이 참 중요하다고 생각하며 엘로라가 힘겹게 비밀을 털어놨다.

"숨겨 둔 자식이 있습니다. 전하께만 털어놓는 말이니 꼭 비밀을 지켜 주시기 바랍니다."

가짜 비밀을 말이다.

이 정도로 막 나갈 생각은 없었는데 상대가 뻔뻔하니 엘로라도 뻔뻔하게 나가기로 결심했다.

엘로라의 말을 들은 황자의 표정이 기괴할 정도로 일그러졌다. 화를 참는 듯한 그의 표정에 너무 과한 거짓말을 했나 싶었지만 이미 돌이킬 수 없는 강을 건넌 후였다. 말은 이미 쏟아졌다.

"거짓말."

황자가 격하게 부정했다. 자신의 이름까지 걸며 비밀을 지켜 주겠다고 약조했건만, 엘로라의 입에서 나온 말은 황당하기 그지없었다.

"거짓말 같지만 진짜입니다, 전하."

흥분한 황자와 달리 엘로라는 침착했다.

"남편도 없이 여자가 아이 하나를 데리고 있다는 소문이 돌면 벌이조차 하기 힘들어서 비밀에 부친 것뿐입니다."

원래 말이 안 되는 말이라도 설득력이 있다면 진실처럼 느껴지는 법이다. 조곤조곤 제 할 말을 차분히 이어 가는 엘로라의 모습에 변명조차 들을 생각이 없었던 황자의 마음이 살짝 돌아섰다. 그리고 그녀가 얘기한 말 중 한 부분이 황자의 눈을 번득이게 했다.

"남편은?"

"아, 남편 말이십니까."

제기랄. 나름 유부녀 로즈 이야기를 잘 짰다고 생각했는데 이러면 유부녀 로즈가 아닌 미망인 로즈였다.

뜸을 들인 엘로라의 머릿속에 다양한 선택지가 떠올랐다. 아이의 아빠를 모른다거나 남편이 요절했다는 이야기가. 그 외에도 말도 안 되는 별별 이야기가 떠올랐지만 하나같이 그녀가 원치 않은 방향이었다.

유부녀에게 접근하면 인간 말종이지만 미망인은 다르지 않은가.

대답을 주저하는 시간이 길어질수록 의심을 산다는 생각에 마음이 급해진 엘로라는 결국 첫 번째 선택지를 골랐다.

"……사실 아이의 아빠를 모릅니다."

"그러면 결혼한 적이 없다는 말이네?"

"예, 예……."

대답하면서도 떨떠름했다. 그런 엘로라를 보며 황자가 빙긋 웃었다. 장난기 넘치는 표정이었다.

"내가 책임져 줄게."

"네?!"

"내가 네 아이까지 책임져 줄 테니 나와 함께하자."

로즈가 마음에 들었구나, 라고만 생각했지 방금 황자가 내뱉은 말은 너무 충격적이라 망치로 뒤통수를 두들겨 맞은 기분이었다.

함께하자니. 남자가 여자에게 함께하자는 의미는 하나밖

에 없지 않은가.

두 눈을 커다랗게 뜬 엘로라는 황자를 진정시킬 만한 말을 빠르게 고르고 골라 했다.

"하지만 전하께서는 아르미트 가문의 여식과 혼인할 예정이지 않습니까."

"아, 그거."

별거 아니라는 듯한 대답이었다. 시큰둥하기까지 했다. 그 결혼할 아르미트의 여식이 바로 앞에 있는데!

이러한 사실을 꿈에도 모르는 황자가 덤덤하게 말했다.

"서로 좋아서 결혼하는 게 아니잖아."

"전하께서 그런 낭만이 있으리라곤 생각 못했어요."

"몰랐어? 내가 이 시대의 사랑꾼인걸."

그렇게 말하며 은근슬쩍 엘로라의 허리에 팔을 감았다. 음흉한 손길에 반사적으로 손바닥으로 그의 팔을 때리자 아픈 시늉을 했다.

아파 봤자 얼마나 아프다고 과장되게 반응하는 황자를 보며 엘로라는 눈을 게슴츠레 떴다.

"전하께서 사랑꾼인지 호색한인지는 제 알 바 아닙니다."

"모르는 척하면서 정확히 알고 있었네. 내가 호색한인 거."

"……더 전하와 말장난할 시간 없습니다."

"아이 때문에?"

있지도 않은 아이가 엘로라의 발목을 붙잡았다.

"아이는 물론이고 너까지 호의호식하게 해 줄게. 원한다면 내 아이라고 해 줄 수 있어.”

“그러면 아르미트 가문의 영애는요?”

“그거야 좋아하는 사람이 생겼으니 결혼은 못한다고 말하면 되지.”

제국의 망나니다웠다. 황실에서 주선한 결혼을 제멋대로 파투 내려 하다니. 이 사람이 앞으로 형식상의 남편이 된다고 생각하니 머리가 지끈거렸다.

예상보다 더했다. 적어도 황실에서 교육받았으니 기본적인 상식은 있을 줄 알았는데.

여자 하나 데리고 와서 사랑하는 사람이 있어 안 된다는 말로 파투 낼 만한 결혼이 아니었다. 대중에게 알려지기 전이라면 몰라도 이미 작정하고 신문에도 나왔다. 아르미트 가문에게 엿 먹이고자 하는 말이라면 훌륭한 계획이었다.

딸아이가 결혼하는 건 싫지만 라하트 황자 주제에 딸아이를 찼다고 뒷목 잡고 쓰러지실 아버지를 떠올리니 조금 안쓰러워졌다. 아마 이런 식으로 결혼이 파투 나면 막내의 명성을 더럽혔다는 이유로 오라버니들이 작정하고 황자의 멱을 따러 갈지도 몰랐다.

제 잘난 얼굴을 받치고 있는 목이 달랑거리는 줄도 모르고 황자는 미소를 지으며 엘로라를 내려다보았다.

엘로라는 라하트가 그 많은 여자 중에 왜 자신을 선택했는지 이해하지 못했다. 이런 얼굴이 취향인가? 아니면 2부의 프라시아가 마음에 들었던 걸까. 덕분에 결혼 요청 방식은 다르지만 결국엔 한 남자에게 고백받은, 어처구니없는 상황에 놓였다.

"혹시 다른 분께도 이런 제의를 하셨나요?"

"아니. 네가 처음이야."

"제발 제가 처음이자 마지막이었으면 좋겠네요."

여자를 자주 만나는 게 티가 났다. 네가 처음이라니. 목소리를 깔고 속삭이는 황자의 말에 설레기는커녕 가슴이 답답했다. 힘없는 엘로라의 대답을 어떻게 해석했는지 황자가 밝게 웃으며 얘기했다.

"그럴 거야. 너만 한 여자를 본 적이 없거든."

"어느 부분에서요?"

무대에서 가수와 배우로서밖에 만나지 못했으면서 말은 번지르르했다.

"넌, 누구보다 반짝였어. 너만 보일 정도로."

잘 포장했지만 결국 엘로라 아르미트는 추녀라서 싫고, 로즈는 미녀라서 좋다는 의미 아닌가. 내면을 깊게 들여다보기에는 서로 얼굴을 마주한 시간이 적었다.

"그녀가 추녀라서 싫으세요?"

대답이 뻔히 정해져 있음을 알면서 물어보았다. 엘로라 아르미트가 추녀라서 결혼하기 싫은지. 어떤 대답이 나오든 상처받지 않을 자신이 있었다.

"아니."

"거짓말하지 마세요. 못생긴 여자를 좋아하는 남자를 본

적이 없어요."

단호한 황자의 대답을 속으로 비웃었다. 아르미트 가문에서 추녀로 살기로 결심한 순간부터 얼굴이 못생겼다는 이유로 모르는 사람에게까지 온갖 모진 말을 들어야 했던 그녀였다.

후에는 일부러 낸, 성격이 안 좋다는 소문까지 겹쳐 못난 사람의 대명사가 되었지만 아마 얼굴이 예쁘다는 사실을 알았더라면 상황은 조금 달라졌을지도 몰랐다.

외모의 중요성을 누구보다 잘 알고 있는 그녀 앞에서 빛 좋은 개살구 같은 말을 하다니. 황자는 상대를 너무 순진하게 보는 듯했다.

"들켰네."

냉정한 엘로라의 말에 황자가 순순히 수긍했다. 이럴 줄 알았다. 애초에 말도 안 되는 소리였다. 이럴 줄 알았다는 표정을 짓는 그녀를 보며 황자가 말을 이었다.

"그런데 말이야, 나는 그녀가 추녀라고 해서 싫어한 적이 없어. 애초에 관심도 없었지만. 아마 그녀가 아름다웠으면 더 부담스러웠을 거야."

"어째서요?"

"그녀는 태생이 화려하거든. 나와 어울리지 않아."

말도 안 되는 소리였다.

아르미트 가문이라서 안 된다는 뜻인가. 오히려 황족의 입장에서는 좋은 것 아닌가? 든든한 세력과 친인척이 되는 건데. 살짝 인상을 찡그린 엘로라가 반문했다.

"전하께서는 황족이시잖아요."

"아, 황족 안 하고 싶다. 그러니까 나랑 결혼하는 거야?"

진지한 대답을 할 생각이 없어 보였다. 건달이 지을 만한 표정으로 결혼을 독촉하는 황자의 모습에 엘로라가 콧방귀를 뀌었다.

"제가 언제 전하와 결혼한다고 했나요."

"아까 내 고백이 처음이자 마지막이었으면 좋겠다며. 허락했다는 뜻 아니야?"

"아니에요."

"왜 거절하는 거야? 나쁜 조건 아니잖아. 무려 황족이라고."

진짜 가진 것 없는 평민이라면 솔깃했을지도 모른다. 버려진다 하더라도 잠깐이나마 부를 얻을 수 있으니. 하지만 엘로라는 아니었다.

결국 그 사람이 그 사람이라니까! 이 말을 외치고 싶은 걸 꾹 참고 최대한 황자가 이해할 만한 거절을 쥐어짜 냈다.

"전하가 미덥지 않아요."

"왜?"

"길 가는 비렁뱅이에게 전하에 관해 물어도 답이 나올걸요."

애초에 고백을 이렇게 하는 사람이 어디 있냔 말이다. 어서 황자와 헤어져야 되겠다고 생각한 엘로라가 슬슬 뒷걸음질 쳤다.

"내가 믿을 만한 사람이라는 걸 증명하면 돼?"

"아니요. 일단 생각할 시간을 주세요."

그 사이에 로즈라는 존재를 지울 수 있도록.

"얼마나 주면 돼?"

"공연 마지막 날, 답을 드릴게요."

"너무 멀어."

황자가 살짝 인상을 찡그렸다. 내일 당장 황실과의 오찬이 준비돼 있으니 마음이 급한 모양이었다. 하지만 그건 엘로라가 알 바가 아니었다.

"그러면 어쩔 수 없죠. 기다림의 미덕을 모르는 남성을 어떻게 믿나요."

"알았어, 알았어. 그런데 로즈, 너 프라시아랑 많이 닮았구나."

"네?"

"아니야, 그래서 더 좋아."

칭찬 같은데 황자의 입에서 나와서 그런지 묘하게 욕 같았다.

"전 이만 갈게요. 따라오지 마세요."

"알겠어. 그러면 마지막 날 긍정적인 대답을 기대하고 있을게."

이미 답은 준비해 두었다. 황자가 내놓은 아르미트 가문을 엿 먹이는 새로운 방법은 참 신선했지만 함께할 대상을 잘못 고른 게 그의 실수였다.

뼛속까지 아르미트 가문인 엘로라는 황자와 헤어지고 준

비된 마차에 올라탔다. 혹 황자가 따라오지 않을까 뒤를 살폈지만 그런 기색은 보이지 않았다.

저택에 도착하여 자신을 맞이하는 아버지와 오라버니를 보았지만 황자와 만났다는 얘기는 일절 꺼내지 않았다. 대신 역으로 황자에게 엿을 먹일 방법을 고안한 엘로라가 차근차근 계획을 세워 갔다.

이때까지 황자에게 별다른 감정은 없었지만 아르미트 가문을 망신 주려 했던 황자를 가만둘 수 없었다.

절대 실패할 리 없는 계획이 세워지기 시작했다.

아침 일찍 일어난 엘로라는 식사하기 위해 내려가자마자 우울한 분위기의 남자들을 볼 수 있었다. 일방적인 혼인 발표 첫날은 도란도란 머리를 맞대고 암살 계획이라도 세웠지만 이젠 그럴 수 없었다.

눈에 띄게 저조한 분위기를 띄워 보려고 노력하지 않았다. 조용히 자리에 앉자, 그들의 시선이 엘로라에게 박혔다. 그런 관심을 모른 척하며 우아하게 포크와 나이프를 든 엘로라가 후작에게 확인 절차를 걸쳤다.

"아버지, 오늘 오찬 잊지 않으셨죠?"

"그, 그럼."

후작이 말을 더듬었다. 어지간히 싫은 모양이었다. 엘로라가 묻지 않았더라면 깜빡했다는 이유로 오찬에 참석하지 않았을 분위기다.

아버지답지 않게 유치한 모습을 보이자 엘로라는 작게 한숨을 쉬었다. 그런 엘로라를 조용히 지켜보고 있던 요제프가 요청했다.

"오찬에 나도 참석하면 안 돼?"

"응, 안 돼. 오라버니."

단호한 대답이었다. 웃으며 대답한 엘로라가 아무 일 없었다는 듯이 식사했다.

이리 단호하게 나올 수밖에 없는 이유는 한 명 가면 줄줄이 따라올 게 뻔했기 때문이었다. 결혼식장에 가는 것도 아니니 가족을 줄줄이 데려갈 필요가 없었다.

더불어 기정사실이 된 결혼이었다. 가서 결혼식 일정이나 방향에 대해 이야기할 게 뻔한데 아직 결혼도 못해 본 남자 셋을 끼워서 가 봤자 시간 낭비였다.

또한, 겉으로 드러내진 않았지만 그들을 데려가는 건 좀 위험했다. 황족 앞에서 대놓고 지랄을 떨지 않을 테지만 여동생의 문제 앞에서 그들은 고삐 풀린 망아지나 마찬가지였다. 셋이서 단합해서 파혼을 유도하면 답이 없었다.

굳이 황족과 아르미트 가문이 얼굴 붉힐 일은 없었으면 했다. 충성을 맹세한 사이인데 사사로운 감정으로 인해 가문의 체면이 깎이는 일을 보고 싶지 않았다.

"약속 시각 전까지 준비하고 갈게요."

"그래. 그러도록 하려무나."

"그리고 에곤 오라버니, 라엘 오라버니."

불현듯 스치는 불안감에 엘로라가 에곤과 라엘을 불렀다. 그들이 엘로라를 쳐다봤다. 한 번씩 눈을 마주친 그녀가 단호하게 말했다.

"엿듣는 것도 안 돼."

정곡을 찔렸는지 두 사람이 뜨끔했다. 혹 모를 가능성을 차단하기 위해 말을 꺼낸 건데 역시 갖가지 핑계를 대면서 엿들을 생각을 하고 있었다.

"끝나면 결혼이 얼마만큼 진행됐는지 얘기해 줄 테니까 다들 내 걱정은 하지 말고 자기 일에 집중해 줬으면 좋겠어."

누구보다 어른스러운 엘로라의 걱정에 남자들이 고개를 끄덕였다. 이를 만족스럽게 본 엘로라가 식사를 다시 시작했다. 반쯤 먹었을 때, 요제프가 문득 떠오르는 생각에 엘로라를 불렀다.

"그런데 엘로라."

"응?"

"너 성격 더럽다고 소문나 있잖아."

"윗사람에게 예의 없다는 소문은 안 냈어."

"그래도 그걸 이용해서 파혼을 유도하면……."

무슨 얘기를 하고 싶은 건지 바로 알아챘다. 유연하게 받아쳤던 엘로라는 결국 요제프의 말허리를 끊을 수밖에 없었다.

딸의 결혼을 가문을 위한 도구로 사용하지 않은 건 좋았으나 귀족인 만큼 가문에 대한 걱정도 해 줬으면 하는 바람이었다.

"오라버니. 나 이 결혼, 굳이 우리 가문 쪽에서 파혼 얘기가 나오도록 행동하고 싶지 않아. 나 하나 때문에 가문이 불명예를 짊어진다면 제대로 고개를 들지 못하고 다닐 거야."

"그러면 황실에서 먼저 말을 꺼내면 되는 거네."

"물밑 작업할 생각 하지 마."

"알았어. 아무 짓도 안 할게."

엘로라는 형제들의 행동 패턴을 모두 꿰고 있었다. 인상을 살짝 찡그리며 반대하자 요제프가 그제야 두 손을 들었다.

결혼하는 당사자가 저런 망나니는 싫다면서 울고불고 난리를 쳐야 도움을 주는데 엘로라는 그런 기색이 하나도 없었다. 그렇다고 평소 마음가짐을 보아 결혼 생활에 충실할 생각도 없어 보였다.

당최 무슨 생각을 하는지 모르겠지만, 만약 몰래 황궁의 담을 넘고 현재 생활을 유지할 예정이라면 언제든 도와줄 자신이 있었다.

황족 같지도 않은 놈과 어여쁜 동생이 결혼이라는 관계로 묶이는 건 끔찍하게 싫었으나 당사자가 강경하게 나오니 두 손 두 발 다 들고 구경할 수밖에 없어 요제프가 입을 다물었다.

"괜찮아?"

"뭐가?"

"쓰레기 새끼래."

라하트를 두고 하는 말이었다. 라엘은 요제프와 다르게 몇 마디 내뱉지 않았지만 묵직하게 진실을 꺼냈다. 언사가 거칠긴 했지만 아예 틀린 말도 아니었다.

"알아. 그리고 거듭 말하지만 난 괜찮아."

정말 괜찮았다. 상대방도 파혼하려고 작정했으니 얘기는 쉬웠다. 황실 빼고 누구도 원치 않은 결혼이다. 공식적인 발표만 하지 않았더라면 일찍이 깨어졌을 관계이니 황자는 엘로라의 거래를 마음에 들어 할 것이었다.

"어떻게 대처하려고."

"큰 오라버니, 날 너무 무시하는 거 아니야?"

"그건 아니지만……."

"나를 조금만 더 믿어 줘."

잔뜩 걱정하는 에곤과 눈을 마주쳤다.

진지한 엘로라의 표정에 에곤 또한 두 손을 들었다.

제 나름대로 생각이 있다고 하는 엘로라를 막을 자는 아무도 없었다. 결국 이대로 결혼을 진행하는 쪽으로 기울었다. 다들 못마땅한 표정이었지만 엘로라는 마치 태풍의 눈에 서 있는 듯 고요했다.

깔끔하게 식사를 마치고 출근하는 아버지와 오라버니들을 배웅했다. 후작이 정말 울 것 같은 표정을 지었지만 잘 타이른 덕에 제시간에 보낼 수 있었다.

엘로라는 한차례 전쟁을 치른 기분이었지만, 숨을 돌릴 틈도 없이 진짜 전쟁을 치를 준비를 하기 위해 방으로 올라갔다.

실제 전쟁에서 기사들이 갑옷을 전투복으로 입는다면 엘로라에게 전투복은 화장과 드레스였다. 이대로 황제와 대면할 수 없으니 전투복을 단단히 입어야 했다. 못난이 엘로라에게 딱 맞는 전투복을.

주근깨 개수와 위치까지 다 기억할 정도로 섬세한 화장이 끝나고, 엘로라는 혹여나 실수한 건 없는지 얼굴을 거울 가까이 대며 꼼꼼히 살펴보았다. 그러고 있으니 히나가 화려한 드레스를 들고 다가왔다.

"아가씨, 뭐 하세요?"

"실수한 건 없는지 확인하고 있었어."

"제대로 봐 주는 사람도 없을 텐데 그렇게 꼼꼼하게 확인하세요?"

"봐 주는 사람의 유무와는 별개로 화장한 내 얼굴은 하나의 작품이잖아. 완벽해야지."

히나는 엘로라의 말을 이해하지 못했다. 자신의 얼굴을 작품이라고 칭하는 것부터가 그랬다. 작품이라 하면 아름다운 것이 보통이었다. 만약 엘로라의 얼굴이 도화지고,

화장이 그 위에 그림을 그리는 것이라 하면 히나는 단호히 지금 작품을 괴작이라 칭할 수 있었다.

그리고 예전에 저 얼굴로 바깥에 나갔다가 다들 고개를 돌리는 걸 봤었기 때문에 신중에 신중을 기하는 엘로라의 행동이 조금은 유별나게 느껴졌다.

히나의 표정으로 자신의 말을 이해하지 못함을 눈치챈 엘로라가 그저 웃었다.

"히나."

"네, 아가씨."

"지금 나는 못생겼지?"

"……예."

엘로라가 어떤 변장을 하든 예쁘다고 칭찬해 주는 히나였지만, 이렇게 작정하고 못생긴 화장을 하면 빈말로도 예쁘다고 할 수가 없었다.

말하면서도 떨떠름해 보이는 정직한 히나의 대답에 엘로라가 만족스럽게 고개를 끄덕였다. 그런 그녀의 시선이 뒤늦게 히나의 손에 들린 드레스로 향했다.

보석이 알알이 박히고 레이스가 과할 정도로 달린 화려한 푸른색 드레스였다. 웬만하면 수수하게 입고 갔으면 좋겠건만, 눈치 없고 허영심이 많은 못된 여자로 소문이 나 있어서 그 역할에 충실하려면 어쩔 수 없었다.

히나의 도움을 받아 드레스를 입었다. 드레스가 워낙 풍성해 엘로라가 드레스를 입은 것이 아닌 드레스가 엘로라를 입은 꼴이었다.

시험 삼아 뒤뚱거리면서 걸어 보았다. 이를 본 히나가 차마 소리 내어 웃지 못하고 손으로 입을 가렸다. 제 꼴이 우스꽝스러워 보이는 건 잘 알았다. 그렇게 보이라고 걷기도 했고.

오랜만에 '못난이 엘로라'표 걸음까지 완벽하게 구사했으니 이제 머리 세팅을 할 차례였다.

엘로라의 주문에 따라 히나가 아름다운 은발을 포니테일로 묶었다. 그리고 그 위에 온갖 보석이 달린 장신구를 얹어 주었다.

치장을 마친 엘로라가 전신 거울로 전체적인 모습을 훑어보고는 직접 빚어낸 완벽함에 감탄했다.

"히나, 혹시 준비하느라 늦은 건 아니지?"

창밖을 보니 벌써 해가 중천에 떠 있었다. 이른 시간부터 준비했건만, 변신은 오래 걸렸다.

"지금 출발하시면 약속 시각에 딱 맞으실 거예요."

몇 번이고 제 얼굴을 확인한 엘로라가 드레스 때문에 넘어지지 않도록 조심하며 내려갔다. 저택 앞에는 후작이 미리 준비해 둔 마차가 대기하고 있었다. 얼마 만에 정문으로 나오는 건지. 못난이 엘로라 화장을 하는 것 또한 오랜만이었다.

"아가씨!"

히나의 다급한 부름에 뒤를 돌아봤다. 히나가 모자와 양산을 들고 헐레벌떡 달려오고 있었다.

"오늘 햇볕이 따가워요."

"깜빡했네. 고마워, 히나."

너무 오랜만이라 깜빡하고 말았다. 햇빛을 그대로 받으면 하얀 얼굴이 타, 보통은 양산을 쓰거나 챙이 넓은 모자를 쓰고는 했다.

평민으로 위장했을 때가 많아 큰 실수를 할 뻔한 엘로라가 양산을 펴는 대신 모자를 쓰고는 히나에게 미소를 지어주었다. 웃어도 못생긴 얼굴이지만 히나는 무언가 가슴이 찡하게 울림을 느꼈다.

"조심해서 다녀오세요."

고개를 끄덕인 엘로라가 마차에 올라탔다.

준비는 완벽했다. 이제 모든 걸 계획대로 진행하면 되었다.

규칙적인 말발굽 소리를 들으며 눈을 감았다.

잠깐의 평화였다.

못난이 엘로라로 있을 때 좋은 점이 딱 하나 있다면 굳이 가발을 쓰지 않아도 된다는 것이었다. 황궁에 들어온 엘로라는 예의를 지키기 위해 모자를 벗으며 이 생각을 했다.

아르미트 가문 대대로 내려오는 은발 덕에 가발을 쓸 필요가 없어 본인 머리 그대로였다. 덕분에 머리가 답답하지 않은 걸 즐겼다. 지금쯤 잔뜩 암울할 아르미트 가문의 남자들과 다르게 엘로라는 콧노래를 부르라면 부를 수 있을 정도로 기분이 좋았다.

"아르미트 가문의 영애가 도착했습니다."

"들라 하라."

시종의 안내에 따라 문 앞에 선 엘로라는 황제의 목소리를 들었다. 황제의 명에 문이 열렸다.

엘로라는 모여야 할 사람 모두가 착석 중인 걸 확인했다. 아니, 너무 자연스레 한 명을 빼고 생각했다. 아직 오지 않은 사람이 있었다.

라하트 황자. 그가 없었다.

확인을 끝낸 엘로라가 눈을 내리깔고 열린 문으로 천천히 걸어 들어갔다. 드레스가 무거워 일부러 뒤뚱대며 걷는 것을 잊지 않았다.

"앉아라."

"예, 폐하."

엘로라는 후작 옆에 앉았다. 맞은편 자리가 비어 있었다. 후작의 맞은편에 황후가 앉은 것으로 보아, 그 자리의 주인은 라하트 황자였다. 시간을 딱 맞춰 온 것이니 조금 늦을 수도 있겠다고 생각했다.

"흠, 이런 공적인 자리에서는 처음 보는군요. 아르미트 영애."

"편하게 엘로라라 불러 주셔도 됩니다."

웃어 봤자 못생겨 보인다는 걸 알기에 덤덤하게 대답했다. 워낙 사교계에 얼굴을 보이지 않다 보니 황제도 황후도 엘로라의 얼굴을 보는 건 아주 어릴 때 이후 처음이었다. 그들은 못생겼다는 악명만 왕왕 듣다가 직접 보니…… 진심으로 못생겼다고 생각했다.

가끔 소문이 과장되곤 했는데 엘로라에 대한 소문은 틀린 게 전혀 없었다. 오히려 소문이 덜하면 덜했지 더하지 않았다.

문이 열리고 엘로라가 들어오는 순간부터 얼굴이 잔뜩 굳은 황제와 황후는 저도 모르게 바로 옆에 앉아 있는 후작과 엘로라의 얼굴을 비교했다. 분명 저 머리카락 색은 제 아비를 쏙 빼닮았는데 얼굴은 누굴 닮았는지 의문이었다.

이미 이 세상 사람이 아닌 아르미트 부인은 제국에서 내로라하는 미인이었다. 미인에 대한 평이 박한 황후조차 그녀의 외모를 칭찬하곤 했다. 그런데 그 미인과 미남 사이에서 끔찍하다는 생각이 들 정도의 아이가 태어나다니. 은연중에 소문이 과장됐을 거라고 비웃었는데 오늘 차가운 현실과 마주하게 되었다.

"라하트가 바쁜 일이 있어 오늘 참석하지 못할 것 같군. 양해 부탁하지."

"이리 자리를 만들어 주신 것만 해도 영광입니다."

싹싹한 엘로라의 대답에도 그들의 표정은 풀어지지 않았다. 익히 예상하곤 있었지만 잔뜩 얼어붙은 분위기에 엘로라는 속으로 씁쓸한 미소를 지었다. 외모 탓에 결혼이 파투 나면 오라버니들과 아버지가 기뻐할 모습이 훤했다.

아르미트 가문이 불명예만 지지 않는다면 파투가 나도 상관이 없는 결혼인 터라 엘로라는 좋은 게 좋은 거라 생각했다.

누구도 먼저 입을 열지 않았다. 저택을 나서기 전까지만 해도 울먹거렸던 후작은 그런 적도 없다는 듯이 황제, 황후와 함께 표정을 굳히고 침묵을 유지했다. 겉으로는 딱히 사이가 좋지 않은 부녀였기에 엘로라 또한 시선을 내리깔고 조용히 있었다.

이들의 침묵을 깬 건 음식을 내오는 시종들이었다. 음식이 줄지어 올라왔다. 전혀 식욕이 돋지 않았지만 황제의 허락이 난 후에야 엘로라는 억지로 음식을 입에 댔다.

"식은 조촐하게 진행할 생각인데 의견이 있으신지요."

조용히 음식을 먹고 있으니 황후가 후작에게 물었다. 차라리 미망인으로 살아가라고 외치던 후작은 이 결혼이 아무렇지 않은 것처럼 망설임 없이 고개를 끄덕였다.

"저희도 요란스럽게 식을 진행하는 건 원치 않았습니다."

"의견이 맞아 다행이군요."

황후는 차라리 엘로라가 박색하여 다행이라 생각했다. 황태자인 아히발트를 낳은 이후 긴 시간이 흘러 낳은 막내

아들이 라하트였다. 그런데 자식이라고 있는 것이 누구도 그렇게 가르치지 않았건만 말도 듣지 않고 속만 썩였다. 제 형을 반만이라도 닮았더라면 안심할 텐데 판이했다.

어느새 제국의 근심이라 부른 정도로 통제 불가능한 사고뭉치가 된 라하트를 보며, 황제와 황후는 억지로 결혼이라도 시켜야 인간 구실이라도 할 거라 판단했다. 하지만 고위 귀족 중에 라하트 나이 또래의 영애를 찾기 힘들었다. 혼기가 차면 가문을 위해 팔려 나가는 결혼을 했기에 남는 영애가 있을 리 없었다. 있다 하더라도 망나니라는 소문이 날 대로 난 라하트와 혼인을 원하지 않았을 거였다.

또 아무리 남이라 하지만 멀쩡한 여자 인생 하나 망치는 기분이라 선택하기 어려웠다. 그 와중에 발견한 사람이 엘로라였다.

가문? 완벽했다. 황족과 인연을 맺기에 흠잡을 데 없었다.

비록 평판이 라하트와 마찬가지로 바닥을 나뒹구는, 흠집이 있는 여자였지만 그랬기에 황제와 황후는 양심의 가책을 덜 받을 수 있었다.

어차피 아무도 데려가지 않을 여자다. 그런 여자에게 아무리 망나니라지만 황족의 피를 이은 라하트는 과분하다고 생각했다.

아르미트 후작이 계속 딸아이의 단점을 호소하며 결혼을 재고해 보라 한 게 찜찜하긴 했지만 어디서 나뒹굴었는지도 모를 근본 없는 여자를 데려와 임신시켰다는 말을 들을 바에 그래도 근본이라도 있는 엘로라가 나았다.
“날은 되도록 빨리 잡고 싶은데 괜찮으신지요.”
엘로라는 보았다. 후작이 주먹을 잠깐 쥐었다 편 것을.
다행히 표정은 고요했다.
“그것도…… 괜찮습니다.”
“혹 걸리시는 거라도 있으신지.”
표정만 괜찮았지 대답이 한 박자 느렸다. 아마 지금쯤 후작의 머릿속에는 온갖 상스러운 욕이 도배돼 있을 것이었다.
제 예쁜 딸을 못난 놈한테 팔아넘기듯이 결혼시키는 것도 못마땅한데 식을 빨리 치르고 싶다니. 라하트 황자를 빨리 처리하고 싶은 황실의 마음이 훤히 보였다.
“……저희 딸이 부족하여 이른 결혼이 폐가 되지 않을까 잠깐 걱정한 것뿐입니다.”
후작이 힘겹게 답을 내어 왔다. 정중하고도 썩 괜찮은 대답이었다. 원래 오는 말이 있으면 가는 말이 있다고, 이때쯤 슬슬 황후가 엘로라에 대한 칭찬을 해 줘야 하는데 딸을 훌륭하게 키웠다는, 입에 바른말은 차마 하지 못했다. 대신 그린 듯한 미소만 지었다.
다들 웃으면서 포크와 나이프를 들고 있지만 각자 다른 이유로 속이 꺼멓게 썩어 가고 있음을 아는 엘로라는 그저 관조적인 태도로 묵묵히 식사했다. 마치 제 결혼 얘기가 아닌 듯이.
“식을 단출하게 할 예정이니 한 달 뒤는 어떠신지요.”

황후의 말에 겨우 무덤덤한 낯을 유지하던 후작이 움찔했다. 이를 눈치챈 엘로라가 아무도 모르게 후작의 다리를 꼬집었다. 덕분에 정신 차린 후작이 괜찮습니다, 라는 마음에도 없는 말을 덤덤히 내뱉을 수 있었다.

한 달 뒤. 규모가 작다 하더라도 너무 일렀다. 그들은 진정 라하트 황자를 해치워 버릴 생각밖에 하지 않는 것이었다.

겉으로는 내다 버린 자식들의 결혼이었기에 얼마나 대충 이루어질지 보지 않아도 선연했다.

엘로라는 차라리 이러는 편이 낫다고 생각했다. 조용히 식을 진행하고, 대중에게 빠르게 잊혀지면 타인의 삶을 살기 편할 거였다.

엘로라에게 있어 결혼은 인생의 종점이 아니었다.

문득 시선이 느껴졌다. 엘로라가 침착해도 너무 침착하니 이상하게 느껴지는 모양이었다. 아무리 상대가 황족이고 얼굴이 번지르르하다지만 머리가 있다면 이 결혼이 제대로 된 결혼이 아님을 눈치챘을 거였다.

황족의 결혼식 준비가 한 달이면 그냥 드레스 대충 입혀 놓고 맹세하고 끝내겠다는 의미였다. 여자의 인생에 딱 한 번뿐인 결혼을 이런 식으로 망쳐 놓겠다는데 묵묵히 앞에 있는 음식이나 입에 넣고 있는 엘로라가 괴이하게 보일 법했다.

난리라도 쳐 줘야 할까, 고민하고 있는데 조용히 있던 황제가 입을 열었다.

"아르미트 영애."

"예, 폐하."

"혹 원하는 거라도 있느냐."

"원하는 것이라니. 가당치도 않아요. 멋진 황자 전하와 결혼한다는 사실만으로 저는 이 세상의 기쁨을 모두 움켜쥔 것 같답니다."

입에 발린 소리가 절로 나왔다. 엘로라의 대답에 오히려 질문한 황제가 당황한 기색을 보였다.

사실 말해 놓고 너무 멍청한 대답이라 자조하게 되었다. 하지만 엘로라는 겉으로 드러내지 않았다. 오히려 행복이 가득 담긴 못생긴 미소를 지어 주었다. 황제와 황후가 엘로라의 못난 얼굴을 보지 않기 위해 슬슬 시선을 피했다.

"……그리 생각한다니 다행이군."

아무리 내놓은 자식이라 해도 내심 걱정하던 차였다. 그런데 아무 생각 없어 보이는 엘로라를 보니 도리어 안도감이 들었다.

"혹, 결혼 전에 전하를 만나 뵐 수 있을까요?"

아무도 제 얼굴을 똑바로 바라보지 않았지만 엘로라는 작은 눈을 반짝였다. 목소리로 그녀의 흥분을 읽어 낸 황제가 허허, 웃으며 이를 허락했다.

백 번을 만나든 천 번을 만나든 라하트가 황궁에 붙어 있는 날이라면 상관없었다. 그 날을 찾기 힘들어서 황제와 황후도 얼굴 보기 힘든 아들이지만. 굳이 그 말을 꺼낼 필요는 없었다.

"감사합니다!"

대답 한번 명랑했다. 엘로라가 예상했던 것보다 더 밝고 생각 없어 보이니 황제와 황후는 살짝 죄책감이 들었다. 물론 죄책감 때문에 결혼을 물릴 생각은 없었다. 뒤로 물러서지 않기 위해 기사까지 내보낸 그들이었다. 공식적으로 발표하면 둘 다 결혼을 취소하기엔 입장이 애매해진다는 걸 알고 있었다.

이미 구체적으로 결혼 계획을 짜 놓은 황후가 결혼식에 대한 이야기를 후작에게 꺼냈다. 아무 생각이 없어진 후작은 황후의 모든 의견에 동의했다.

어차피 막을 수 없는 결혼식, 될 대로 되어라 싶었다.

원래라면 엘로라도 함께 이야기를 나눠야 하지만 너무 충격적인 얼굴을 하고 있어서 황후가 눈을 마주치지 못하는 탓에 황후와 후작의 대화만 이루어졌다.

그저 구색을 갖추기 위해 자리에 앉은 거나 마찬가지인 엘로라는 아무도 자신을 신경 쓰지 않았지만 황후의 말을 귀담아들었다.

"입궁은 바로 하는 게 좋겠지요."

"그 사항은 제가 전하와 따로 얘기하는 게 좋을 것 같아요."

아버지는 입궁 시기만은 양보할 수 없다는 입장일 것이었다. 사이좋지 않은 부녀인데 붙잡아 두는 모습이 의문스러워 보일까 봐 듣고 있던 엘로라가 먼저 선수 쳤다. 같이 사는 날짜를 당사자가 정하겠다고 하니 황후도 수긍하는 눈치였다.

그 뒤로 대화가 쭉 이어졌다.

이야기가 마무리될 때쯤에는 오찬도 끝이 났다. 예의에 어긋나지 않게 인사한 엘로라와 후작이 먼저 밖으로 나왔다. 사이가 좋지 않은 걸 뻔히 알면서 그래도 부녀이니 배웅해 주고 오라고 황후가 등 떠밀어 준 덕에 두 사람이 함께할 시간이 생겼다.

“아버지, 고생하셨어요.”

“……안 된다고 몇 번이나 소리를 치고 싶던지.”

보는 눈이 있었기에 일정 거리를 유지하며 작은 소리로 얘기했다. 두 사람의 표정만 보면 무뚝뚝함이 흘러넘쳤다.

“잘 참으셨어요.”

“널 정말 구색 맞추기로 생각하더구나. 자식 농사 잘못한 사람이 책임져야지 너한테 떠맡기려 하다니. 허, 참. 폐하께서도 너무하시지.”

“오라버니들이 있었다면 분명 테이블이 엎어졌을 거예요.”

굳이 오려는 걸 막아서 다행이었다. 대화를 듣다가 상대가 황족인 것도 잊고, 셋이서 합공하였을 오라버니들을 생각하니 잠깐 머리가 아파졌다. 오늘 아침에 오겠다고 달려드는 것을 막은 건 정말 현명한 판단이었다. 하지만 후작은 그러지 않은 게 못내 아쉬운 모양이었다.

“차라리 그랬더라면 좋았을 텐데.”

"거듭 말하지만 전 아르미트 가문에 흠집 나는 일은 하고 싶지 않아요. 상대가 감당할 수 없는 위치에 있다면 더 더욱이요."

"황제가 벼슬이시."

"아버지."

문제가 될 만한 발언이었다. 아무리 작게 말했다 하더라도 여긴 황궁이었다. 엘로라가 엄하게 후작을 불렀지만 밖에 나오니 화가 많이 났는지 말을 멈추지 않았다.

"이럴 줄 알았다면 차라리 널 남자라 속이고 키우는 게 나았다."

"그건 공감해요."

라하트가 어지간히 싫은 듯했다. 표정은 아무렇지 않으면서 잔뜩 성이 난 아버지의 목소리에 엘로라가 쓰게 웃으며 답했다.

하지만 남성이라 속이고 살기에는, 이미 아르미트 가문이 삼남 일녀라고 소문나 있던 터라 불가능한 일이었다. 아름다운 얼굴을 숨기는 것이 최대한의 타협 지점이었다.

"아버지. 여기서부터는 알아서 갈 수 있으니 이만 돌아가세요."

"하지만……."

"여지를 남기고 싶지 않아요."

이럴 때는 한없이 냉정한 딸이었다. 가문에서 터부시되는 딸 연기를 위해 거리마저 좁힐 수 없건만, 끝까지 배웅도 못하게 하는 딸을 보니 마음이 아팠다.
"그래. 들어가렴. 오늘, 수고했다. 엘리."
"아버지도요."
엘로라의 입꼬리가 살짝 허물어졌다. 이를 본 후작은 아비로서 마음이 편치 않았다.
등을 돌린 엘로라가 빠르게 걸어갔다. 그 뒷모습이라도 보고 싶었지만 어쩔 수 없이 엘로라에게 등을 돌렸다. 지금 헤어져서 영원히 못 보는 것도 아닌데 왠지 심장이 갈기갈기 찢어지는 것만 같았다. 앞으로 내디디는 발이 천근만근 무겁다.
"아버지. 엘로라는……."
"조금 전에 갔다."
웬일인지 이 시간에 여기에 있는 첫째 아들, 에곤과 마주쳤다. 묻지 않아도 엘로라가 걱정되어 서성거리는 걸 알 수 있었다.
"이야기는 어찌 되었습니까."
"한 달 뒤에 식을 올리자 하더구나."
"……그게 말이 됩니까?"
충격으로 에곤이 두 눈을 크게 떴다. 분노가 느껴졌다. 그건 후작 또한 마찬가지였지만 엘로라를 보내고 나니 매우 지친 기분이라 함께 분노할 수 없었다.
"이건 정말 아니라고 생각합니다."
"나 또한 그리 생각한다."

제멋대로 결정 난 결혼 소식을 듣고 나서 몇 번이고 그리 생각했다. 그렇지만 적극적으로 결혼을 막을 수 없었다.

"하지만 당사자가 괜찮다고 하니 어쩌겠니."

후작의 낯빛이 어두워졌다. 그 모습을 바라보는 에곤 또한 마찬가지였다.

'이럴 줄 알았다면 차라리 널 남자라 속이고 키우는 게 나았다.'

'그건 공감해요.'

자신의 말에 쓰게 웃던 엘로라가 떠올랐다.

예쁜 딸이 다른 얼굴로 생활할 때마다 마음이 좋지 않았지만 요즘 따라 더욱더 가슴이 갑갑할 일이 많아진 듯했다.

"이만 들어가자꾸나."

"아버지. 저는 납득할 수 없습니다."

"에곤. 너만 그런 게 아니다."

그리 말하며 후작이 에곤을 뒤로하고 먼저 제 갈 길을 갔다. 그는 항상 엘로라의 의견을 지지해 주었다. 그 영특한 아이가 꼬꼬마일 때, 제 서재로 쪼르르 달려와 어여쁜 얼굴로 살지 않겠다고 선언했을 때도 마찬가지였다.

우두커니 선 에곤은 아버지의 뒷모습을 보았다. 아직 어리게만 보이는 제 동생이 한 달 뒤에 망나니와 결혼하는 게 믿기지 않았다. 그렇다고 아버지에게 화를 내기에는 그 등이 야위어 보여 침묵했다.

만감이 교차하는 날이었다.

❦

세 역할을 한꺼번에 감당하다 보니 엘로라는 눈코 뜰 새 없는 하루를 보내게 되었다.

못난이 엘로라로서 결혼식 준비를 해야 했고, 오페라 가수 로즈로서 프라시아를 마무리해야 했으며 화가 로이스로서는 전시회 준비를 해야 했다.

다행히 결혼식 준비는 황실에서 거의 다 해 놔서 그들이 보내 준 목록에서 결정만 하면 됐다. 한 달이라는 결혼식 준비 기간은 빠듯했지만 규모도 작고, 준비된 게 있다 보니 감당하기에 힘이 들지 않았다. 덕분에 남은 시간은 오페라 가수 로즈의 삶을 마무리하는 데에 쓸 수 있었다.

로이스야 평소 하던 대로 하면 됐으니 바빠서 세 삶에 실수하는 일은 없었다.

그 와중에도 황자는 아직 파혼에 대한 미련을 버리지 못했는지 오페라에 참석하는 걸 멈추지 않았다. 장미꽃도 미련하다 할 정도로 계속 보내와서 그득히 쌓인 꽃을 처치하는 게 더 힘들었다. 불행 중 다행이라고 부를 만한 건 그날의 대화 이후로 따로 만나려고 쫓아오지 않았다는 것이었다.

황자는 쫓아오지 않았으나 하루 계획을 분 단위로 짜야 하는 건 아닐까 싶을 만큼 바빠서 엘로라는 오페라가 끝나면 황자를 핑계로 도망치듯이 오페라 하우스를 빠져나왔다.

폭풍 전야였다.

한 달 뒤 결혼이라는 말에 길길이 날뛸 줄 알았던 아르미트 형제들은 이상할 정도로 고요했다.

인간으로서 이성이 남아 있으니 결혼식 당일 날 깽판을 치지는 않겠지만 묘하게 불안했다. 그도 그럴 것이 그동안 결혼을 반대한다고 고삐 풀린 망아지처럼 굴던 오라비들이었다. 아르미트 후작까지 한 달 뒤 식을 올리자는 이야기를 듣고 화를 냈는데 그 아르미트 형제들이 별말 없는 게 수상했다.

혹 뒤에서 무슨 꼼수라도 쓰나 싶어 그들을 눈여겨봤지만 그런 기색도 없다. 왜 이렇게 얌전하게 구는지 묻기도 애매하고, 그렇다고 신경을 쓰지 않자니 찜찜했다. 세 개의 삶을 관리하느라 바쁜 와중에도 오라비들의 표정이나 행동거지를 꼼꼼히 살폈지만, 너무 평소처럼 잘살고 있어 엘로라는 본인이 자의식 과잉에 빠진 것처럼 느껴졌다.

시간은 계속 흐르고 오라버니들의 이상할 정도로 고요한 반응에 익숙해지다 보니 이제는 결혼을 받아들였다고밖에 생각할 수 없었다.

식이 한창 진행되는데 벌떡 일어나 '이 결혼은 반대요!'와 같은 미친 짓을 할 리는 없을 듯했다.

사람이 체면이 있지. 황제와 황후가 두 눈 시퍼렇게 뜨고 있는 앞에서 그들이 주최한 결혼을 망치는 짓을 할 정도로 오라비들은 멍청하지 않았다. 라하트 황자라면 몰라도.

그리고 그 멍청하게 보이는 라하트 황자가 엘로라 앞에 있었다.

한동안 뒤쫓아 오지 않아 방심했다.

엘로라는 낭패한 얼굴로 자신의 앞을 떡 가로막고 있는 황자를 올려다보았다.

프라시아의 마지막 회 직전 공연이 끝난 날이었다.

"로즈."

"기다려 주시라고 했잖아요. 벌써 인내심이 바닥나신 거예요?"

어차피 오늘이 지나면 로즈로서 볼 일이 없는 사람이었다. 꽤 날이 선 로즈의 말에 황자는 헛헛 웃기만 했다.

나사 빠진 얼굴로 사람 좋은 척하고 있지만 잊지 말아야 했다. 저 남자는 아르미트 가문에 엄청난 엿을 먹일 계획을 짜고 있는 사람이었다.

"아니. 그냥 손 놓고 구경하는 건 적성에 맞지 않아서 얼굴 보러 왔어."

"제 앞에 배달된 무수히 많은 장미는 전하의 손을 거치지 않았나 봐요."

"그건 너무 당연한 거라 셈하지 않았지."

엘로라는 기가 찼다. 여자를 얼마나 많이 만나면 저런 말이 숨 쉬듯 자연스럽게 나오는지. 내심 못난이 엘로라에게도 저런 말을 할 수 있을지 궁금했다.

엘로라가 몇 번이고 간청한 탓에 며칠 전에 황후가 라하트와 만날 날짜를 정해 주었다. 공교롭게도 프라시아의 마지막 공연이 끝난 다음 날이었다.

그때도 지금과 같은 표정으로 꿀이 듬뿍 들어간 대사를 건넬 수 있을까.

"마음은 좀 정했어?"

"네."

"그러면 지금 대답을 들려주는 건 어때?"

"독촉하시면 원하는 답도 안 나와요."

새초롬한 대답에 라하트가 피식 웃었다.

"내가 일정이 급해서."

"아르미트 영애와의 결혼식 날짜라도 잡히셨어요?"

라하트가 눈에 띄게 뜨끔했다. 정곡을 찌른 탓이었다. 흐릿했던 보랏빛 눈동자가 잠시 맑아졌다. 그걸 어찌 알았냐는 듯한 시선에 엘로라는 그저 어깨를 으쓱했다.

날짜를 잡는 자리에 앉아 직접 황후의 말을 들었는데 모를 수가 없었다. 하지만 그건 못난이 엘로라고, 지금의 그녀는 로즈였다. 대충 때려 맞혔다는 듯한 반응을 보이자 "역시 여자의 촉은 대단하네."라고 말한 라하트가 쓰게 웃었다.

"식이 코앞이야."

"그래서 하루를 못 기다리시는 건가요?"

"비록 하루일지라도 서로에 대해 조금 더 알아 갈 필요를 느낀 것뿐이지.”

말은 저렇게 해도 결국 발등에 불 떨어졌다는 의미밖에 되지 않았다.

어지간히 결혼하기 싫은 모양이었다. 엘로라는 만약 신문 기사가 나기 전에 라하트가 제 오라비들과 아버지를 만나 합심했다면 이런 기구한 일을 꾸미지 않아도 됐을 것이라고 생각했다.

첫째 오라비인 에곤과 황태자 아히발트가 죽마고우이건만, 황태자와 친하지 않은 것인지 안타깝게도 라하트와 직접적으로 아르미트 가문에 연이 닿는 사람이 없었다.

“로즈, 잠시 시간을 내어 줄 수 있을까?”

말투는 장난스러운데 행동거지는 정중하기 그지없다. 일개 평민에게 살짝 허리를 굽히고, 귀한 레이디를 다루듯 그 큰 손을 내밀었다.

대충 장난식으로 때울 거라 생각했는데 그게 아니라서 당황했다. 하지만 티는 내지 않았다. 아무런 감정이 담기지 않은 얼굴로 황자의 손을 보았다. 이대로 거절하는 것도 예의가 아니지만, 딱히 황자와 가까워지고 싶은 마음이 없었다.

“제 시간을 드리면 전하께서는 제게 무엇을 주실 거죠?”

당돌한 물음이었다. 황자가 고개를 들어 엘로라를 보았다. 너무 생각했던 그대로라 웃음이 절로 나왔다. 엘로라는 실없이 웃는 황자를 보고 이 남자가 진짜 미쳤나 싶어서 조금 걱정스러운 마음이 들었다.

"무엇을 원하지?"

얼굴에 돈이라도 던질 줄 알았다. 그런데 순순히 아무 선택지나 고르라 안나. 이 기회를 놓치지 않고 엘로라가 잽싸게 대답했다.

"아무것도 원치 않아요."

"아이 때문에 발을 동동 구르고 있는 거지?"

있지도 않은 아이가 계속 거론되니 입 안 가득 모래를 쑤셔 넣은 듯이 껄끄러웠다. 엘로라의 표정이 어두워지자 그걸 또 어떻게 해석한 건지 라하트가 조심스레 그녀의 손을 잡았다.

"잠깐이면 돼. 내게도 기회를 주어야지. 안 그래?"

"……전하에게 기회라니요."

"내가 아무리 멍청해도 말이야, 사람의 마음은 어느 정도 꿰뚫어 볼 줄 안다고. 예를 들면 네가 어떤 선택을 하려는지 같은 것들 말이야."

"다른 여자를 찾아보시면 되잖아요. 도시에 깔린 게 여자인 걸 누구보다 잘 아시잖아요."

"너 아니면 안 돼."

단호한 대답이었다. 이쯤 되면 의문이 들었다. 세상에 널리고 깔린 게 여자인데 그중 아무나 골라 아르미트 가문을 엿 먹이면 되는 것 아닌가? 그런데 굳이 왜 자신에게 집착하는지 이해할 수 없었다.

지금 '로즈'는 얼굴이 좀 반반한 오페라 가수일 뿐이었다. 이 정도 얼굴이야 라하트가 자주 드나드는 유흥가에 발만 내디뎌도 볼 수 있을 거였다. 그들은 로즈와 다르게 두 팔 벌려 라하트를 환영할 것이다.

특히 자신의 아내가 돼 달라고 한다면 벌떼처럼 모여들 여자들이었다. 수많은 위험이 있더라도 살면서 넘보지도 못할 부를 쥐여 주겠다는데, 눈 돌아가지 않을 리 없다.

비록 출신 때문에 눈치는 보이더라도, 제멋대로 사는 라하트 같은 특이한 황자의 옆에 있으면 돈 때문에 아등바등 살 필요는 없었다. 라하트와 결혼하게 된다면 얻을 수 있는 유일한 이점이었다. 하지만 중요한 건 엘로라에게는 그 돈이 필요 없었다.

"라하트호, 출발합니다."

'너 아니면 안 돼.'

마치 제 심장이라도 내어 줄 듯, 달콤한 라하트의 속삭임이었지만 거기에 속지 않은 엘로라는 그의 머릿속을 셈하기 위해 잠시 넋을 놓았다.

그새를 놓치지 않고 라하트가 엘로라의 팔을 덥석 잡고 끌어당겼다. 그리고 웃기지도 않는 시늉을 하며 달렸다.

"전하! 이거 놓으세요!"

"이미 출발해서 중간에 멈출 수 없는데?"

이건 또 무슨 신박한 미친놈이란 말인가.

꼴에 남자라고 힘은 더럽게 세서 내치지도 못했다. 결국 엘로라는 라하트와 보폭을 맞출 수밖에 없었다. 그녀가 구두를 신고 있는 걸 모르는지 빠르게 달리는 그의 뒤를 따라가기 힘들었다.

고꾸라지지 않고 속도를 맞추는 것도 가상했다. 이대로 제 발걸음이 느려지면 넘어질까 봐 일단 같이 달리고 있긴 한데 아무래도 일이 제 생각과 다르게 흘러가는 기분이었다.

"전하, 제발. 멈춰 주세요!"

몇 번이나 애원했다. 귓등으로도 듣지 않고 달리던 라하트가 갑자기 우뚝 섰다. 예고도 없이 섰던 터라 엘로라는 그의 등에 코를 박을 수밖에 없었다.

그게 또 꼴사나웠다. 재빠르게 뒷걸음질 쳤지만 잡힌 손목을 놓아주지 않아 몇 발자국 못 걸었다.

"평소에 운동을 많이 하나 봐."

"예?"

부질없다 느껴질 정도로 멀어진 거리만큼 라하트가 성큼 다가왔다. 엘로라의 손목을 쥐지 않은 라하트의 손이 가까워졌다. 무슨 짓을 하나 싶어 지켜보니 그가 손가락을 엘로라의 코밑에 갖다 댔다.

"숨찬 기색도 안 보이네."

고른 숨이 라하트의 손가락에 닿았다. 제법 뛰었는데 숨이 찬 기색도 보이지 않아 엘로라를 신기하게 쳐다보았다. 그가 아는 보통 여자들은 이쯤 뛰면 얼굴이 벌겋게 달아올라 헉헉대고는 했다. 하지만 엘로라는 뛴 것 같지도 않았다.

라하트의 멍한 눈동자가 엘로라의 가슴이 오르내리는 걸 유심히 살폈다. 음흉하진 않았지만 남자가 여자의 가슴을 아무렇지 않게 보는 건 좀 아닌 터라 엘로라는 자신의 손목을 잡고 있는 라하트의 팔을 짝 소리 나도록 때렸다.

"아야."

"엄살 부리지 마세요."

"그런데 하나도 안 힘든가 봐."

왜 이런 데에 관심을 보이는지 모르겠다. 일부러 숨찬 척을 해 줘야 하나 싶을 정도로 이상한 대화의 흐름이었다. 되돌리기에는 늦었기에 엘로라가 그럴싸한 변명을 들었다.

"원래 오페라 가수를 하려면 폐활량이 좋아야 하잖아요."

"그건 그렇지."

정말 그럴싸한 변명이라서 라하트가 쉽게 수긍했다.

진실은 한때 '제국의 검'이라 불리는 라엘의 밑에서 검술을 배운 탓에 체력만큼은 누구에게도 뒤지지 않는다는 거였다. 그녀가 좀 뛰었다고 숨이 찰 만큼 건강하지 않았다면 이중생활을 하자마자 강제로 침대에서 앓아누웠을 것이었다.

엘로라는 이 삶을 영위하기 위해 무엇이 필요한지 누구보다 잘 알고 있었다. 건강은 삶에 있어 빼놓을 수 없는 중요 요소였다.

고른 숨을 쉬며 엘로라가 주위를 둘러보았다. 어딜 그리 급하게 끌고 오나 했더니 사람이 붐비는 평범한 거리였다.

눈에 익는 주위 풍경 중 이렇다 할 특별한 점은 없었다.

쭉 이어진 가게와 행상, 그리고 각자의 사정으로 이 길을 걷는 사람들. 기회를 달라기에 단시간에 스스로를 어필할 수 있는 무언가를 거창하게 준비한 줄 알았더니 그것 또 아니었다.

라하트는 이런 엘로라의 마음을 아는지 모르는지 조용히 그녀의 손목을 잡고 걸었다. 감언이설이라도 할 줄 알았는데 그것도 아니다.

조용했다. 지나치게 조용했다.

활기 넘치는 거리와 다르게 둘 사이에는 막이라도 덮어쓴 듯 고요했다. 느릿한 그의 걸음은 따라가기 힘들지 않았다.

라하트와 나란히 걷기 시작한 엘로라는 힐끔힐끔 그의 얼굴을 흘겨봤다. 시선이 느껴질 텐데 굳게 닫힌 입술은 열릴 생각을 하지 않고, 흐리멍덩한 눈동자도 그대로였다.

무슨 속셈인가 싶어 군말 없이 걸었다. 얼마나 걸었는지 광장의 분수대가 보였다. 분수대의 뒤편에는 시계탑이 우뚝 솟아 있었고 근처 벤치에는 연인이나 가족이 삼삼오오 모여 얼굴에 미소를 만개한 채 앉아 있었다.

쭉 아무 말이 없던 라하트는 그중 비어 있는 벤치에 앉았다. 엘로라는 손목이 잡혀 있던 탓에 얼떨결에 옆에 앉았다.

그리고 침묵.

결국 엘로라가 참지 못하고 먼저 입을 열었다.

"뭐 하시는 거예요?"

"뭐가?"

"계속 전하의 손에 질질 끌려다니기만 하고 있잖아요. 아무것도 안 하고."

"아무것도 안 한다니. 잔뜩 하고 있는데."

"네? 전 아무 생각 없이 걸은 것밖에 기억이 나지 않는데요. 말을 거창하게 하시더니 도대체 무슨 의미예요?"

잔뜩 하고 있는 걸 굳이 꼽자면 걷는 것과 숨 쉬는 것이었다. 도통 이해할 수 없는 라하트의 말에 엘로라가 의문을 제시했다. 그러자 뻔뻔한 대답이 그의 입에서 나왔다.

"내 얼굴 잔뜩 보라고 걸은 거지. 그래서 볼흐라스의 명소인 내 얼굴은 잘 봤어?"

"……허?"

어이가 없어서 이상한 소리가 입 밖으로 나왔다. 표정도 꽤 심상치 않았는지 그녀의 얼굴을 본 라하트가 눈꼬리가 휘어지도록 웃었다.

실실 웃는 라하트의 얼굴을 보며, 엘로라는 두근거림에 얼굴을 붉히지도 않았고 같이 헤벌쭉 웃지도 않았다. 그저 이 황자가 드디어 미쳤나 싶었다.

"흔들려서 제대로 못 봤으면 지금이라도 실컷 봐. 명소는 아직 지나친 게 아니니까."

아, 이 인간 진짜 미쳤나 보다.

술이라도 거하게 한 사발 마시고 온 걸까. 눈을 보니 취한 것 같은데 주정을 자신에게 떠넘기지 않았으면 했다.

로즈의 인생은 마무리되어 가는 중이었고, 얼마 남지 않은 그와의 결혼 준비로도 충분히 바빴다. 어느 계획에도 미친 듯한 황자의 뻔뻔함을 받아 주는 사항은 없었기에 자리에서 일어났다.

황자라 하여 더 들어 줄 가치를 느끼지 못했다. 지위를 고려하여 참아 주는 것도 여기까지였다.

"어디 가려고?"

"집에요."

"왜?"

너무 순수한 물음이라 목이 턱 막혔다. '왜?'라니. 방금 자신이 한 장난 같지도 않은 말을 의식하지도 않는 걸까. 아니면 얼굴에 자신감이 넘쳐서 저런 반응이 나오는 걸까.

피로감이 몰려왔다. 제 손목을 잡은 황자의 손을 떨쳐 내기 위해 팔을 흔들며, 엘로라가 차분하게 대답해 주었다.

"전하 같으면 그 말을 듣고서도 자리에 궁둥이 붙이고 싶겠어요?"

"내 얼굴이 뭐 어때서."

"……그 뜻이 아니잖아요."

대화가 통하지 않는 상대다.

서로 인간의 언어를 하고 있는데 의사소통이 제대로 되고 있지 않았다. 아무리 망나니라도 황실 교육을 받았으니 기본적인 머리는 있을 거라 생각했는데, 갑자기 이렇게 나오니 미래에 대한 계획도 살짝 걱정됐다. 모두 황자가 '최소한의 인간'이라는 가정하에 짜인 계획이었으므로.

"성에 안 차?"

라하트는 엘로라를 놓아줄 생각이 없었다. 서 있어 봤자 다리만 아파서 결국 벤치에 털썩 앉은 엘로라가 라하트를 보았다. 대충 대화를 마무리 짓고 어서 저택으로 돌아갈 생각이었다.

"응?"

답지 않게 재촉했다. 엘로라는 고민하는 척, 그의 외모를 꼼꼼히 뜯어보았다. 솔직히 말해 라하트의 외모는 스스로 볼호라스의 명소라고 칭할 만큼 잘생기긴 했다.

돈과 명예가 있으면 미인을 차지한다고, 황족이나 고위 귀족이나 첫 대에서는 어떨지 몰라도 미인만 골라 결혼하다 보니 외모가 평균 이하인 경우가 드물었다.

그런데 그는 제국, 그 자체라고 할 수 있는 황족이었다. 황후만 해도 미인인데 라하트의 외모가 빠질 리 없었다.

수도에서 미남이라고 소문이 자자한 세 오라비의 얼굴을 보며 자라 온 엘로라였다. 그런 그녀의 눈에도 라하트의 겉가죽은 제법 근사했다. 머리에 나사가 살짝 빠진 듯했지만 그마저도 본인의 매력으로 승화시켰다.

그렇게 평판이 좋지 않으면서도 여자들이 라하트에게 끊임없이 달려드는 이유에는 지위도 지위지만 외모도 큰 비중을 차지할 것이었다. 하지만 엘로라는 이 사실을 굳이 입 밖으로 내뱉고 싶진 않았다. 본인의 외모를 알고 써먹는 것까진 좋았지만, 이런 말도 안 되는 상황에서 그의 자존심을 세워 줄 필요는 없었다. 그녀는 솔직할 때와 침묵한 때를 구분할 줄 알았다

제 얼굴만 꼼꼼히 뜯어보고 입술을 앙다물고 있으니 라하트로서는 이 여자가 무슨 생각을 하고 있는지 궁금했다. 물어보니 얼굴을 뚫어져라 보고 있긴 한데 새삼 반한 얼굴은 아니었다. 그래서 굳이 물고 늘어지지 않았다.

성격 같아서는 살살 꼬드겨 대답을 들어 볼 법했지만, 그녀의 얼굴을 보고 있으니 그럴 마음이 들지 않았다.

소설에서 나올 법한 로맨스를 제시했건만 여자는 첫 만남 때도 그렇고 지금까지 이성적이었다. 여기서 더 선을 넘는다면 거칠게 그를 뿌리치고 도망칠지도 모른다는 생각이 들었다.

"전하."

"왜?"

라하트가 빙긋 웃으며 엘로라를 보았다. 장난기 가득한 어린아이의 얼굴이었다. 그와 반대로 엘로라의 표정은 진지했다.

"왜 저를 고르신 거예요?"

"프라시아를 닮았으니까."

생각할 필요도 없었다. 즉답이었다.

어느 정도 예상은 하고 있었지만 프라시아와 저를 동일

시하는 황자의 환상을 깨 주기 위해 반박하려던 엘로라는 이어지는 그의 말에 입을 다시 다물었다.

"넌, 내게 아무것도 바라지 않잖아."

또다. 또 황자는 엘로라를 헷갈리게 했다.

아무 생각 없이 제멋대로 사는 남자의 얼굴이 아니었다. 가면을 벗어 던지듯, 황자의 입술은 여전히 웃고 있었지만 눈동자에는 장난기라고는 찾아볼 수 없었다. 하지만 그것도 찰나의 순간이었다. 보랏빛 눈동자가 잠시 날카로운 빛을 띠다가 다시 흐리멍덩해졌다.

"처음 제의했을 때, 네가 바로 승낙했으면 내가 싫다고 했을 거야."

이건 또 무슨 소리람.

엘로라는 저도 모르게 관자놀이를 문질렀다. 방금 라하트의 말은 그냥 평범하게 좋다고 따라다녔으면 이 사달이 나지 않았다는 뜻이었다.

돈에 눈이 먼 사람처럼 그냥 알겠다고 할걸. 그러나 이미 지나간 일이었다. 시간은 되돌릴 수 없었다. 저 머리통을 반으로 쪼개어 머릿속을 관찰하지 않는 이상, 황자가 저런 생각을 했다는 건 알지 못하는 게 당연했다. 그걸 알면서도 막상 이런 얘기가 나오니 입 안이 썼다.

"넌 내게 원하는 것도 없고, 순종적이지도 않지. 그게 너 아니면 안 되는 이유야."

결혼하자 구걸하지 않아도 이미 제 미래의 남편이라 미

련 없이 굴었던 게 오히려 황자를 자극한 것 같았다. 정말 괴팍한 취향이다. 저 좋다는 여자는 내버려 두고 싫다는 여자를 붙잡다니. 상대가 그런 여자야 뒤끝 없다는 걸 알지만, 아무리 생각해도 라하트 황자는 소문보다 더 이상한 사람이었다.

"전 매우 순종적인 여자예요."

"유부녀라서 남편을 보러 가야 한다는 발칙한 거짓말을 하고서도?"

황자가 말한 호감 가는 사항에 반하고자 거짓말을 했지만 역시 통하지 않았다. 오히려 재미있는 농담이라도 들은 것처럼 웃음을 터트리는 라하트를 보고 어떤 거짓을 고해도 그의 마음을 돌리기 힘들 거라는 걸 깨달았다.

엘로라가 라하트에게서 시선을 떼어, 맞은편에 있는 분수대를 보았다. 어차피 오늘이 지나면 다신 이런 관계로 보지 못할 사람이었다. 뒤늦게라도 아등바등 마음을 돌릴 필요가 없었다.

"배고파?"

"아니요."

"뭐 사 줄까?"

"아니요."

거듭 부정했건만 제 말을 귓등으로도 듣지 않는 황자가 벌떡 일어났다. 그리고 한달음에 근처에 있는 행상에서 군것질거리를 사 왔다.

어디 도망칠까 걱정됐는지 급하게 벤치로 달려온 황자가 엘로라에게 꼬치구이를 건네주었다. 별로 먹고 싶은 생각은 없었지만 양손에 꼬치구이를 들고 있는 황자를 보니 일단 받아 둬야 할 것 같았다.

이렇게 억지로 쥐여 줄 거면 왜 물어봤는지 모르겠다. 꼬치구이를 작게 한입 베어 문 엘로라는 힐끗 라하트를 보았다. 아주 잘 먹고 있었다. 동시에 의문이 풀렸다. 본인이 먹고 싶어서 억지로 쥐여 준 듯했다. 배고프면 그냥 배고프다고 하면 될 것이지. 정말 골 때리는 황자였다.

둘은 별다른 대화를 나누지 않고 조용히 꼬치구이를 먹었다. 물이 콸콸 샘솟는 분수대 구경, 오순도순 저들끼리 걷고 있는 사람 구경, 밤하늘에 수없이 박힌 별 구경을 하면서.

대화하지 않는데도 이상하게 침묵이 어색하지 않았다. 다양한 사람을 만나 봤지만 라하트 황자 같은 사람은 또 처음이었다. 너무 신기한 사람이라 힐끔힐끔 그의 얼굴을 흘겨보자, 또 나사 빠진 미소를 지으며 "반했어?"라고 묻기에 아예 황자 쪽은 보지도 않았다. 이런 엘로라의 반응에 황자는 가타부타 말없이 엘로라의 시선이 향하는 곳을 똑같이 보았다.

그녀가 손님과 흥정하고 있는 행상을 보면 똑같이 행상을 보고, 부모님 손을 맞잡고 아장아장 걷는 아이를 보면 똑같이 그 아이를 보고, 사람들이 몇 번을 짓밟아도 조용한 바닥을 내려다보면 똑같이 바닥을 보았다.

“시간이 늦었어요. 가 볼게요.”

엘로라가 자리에서 일어나자 라하트가 따라서 일어났다.

“데려다줄게. 너희 집 어디인지 알아.”

아랫사람을 시켜 ‘로즈’에 대해 알아보라 한 사람이었다. 새삼 로즈의 집을 아는 것에 대해 놀라울 거라곤 없었다.

“……됐어요. 피곤하니까 혼자 갈게요.”

“그러면 집에 가서 재고해 봐.”

재고할 것도 없었다. 그저 미래의 법적 남편이 생각보다 미친놈이라는 걸 깨달았을 뿐이다. 이를 모르고 엘로라의 얼굴을 빤히 쳐다보던 황자가 무언가를 꺼내 건네주었다.

“그리고 여기.”

사탕이었다. 뜬금없는 물건에 고개를 갸웃거리자 라하트가 별거 아니라는 듯이 대답했다.

“아이한테 줘.”

“아. 감사합니다.”

제 배 아파 낳은 자식은 존재하지 않았다. 아무래도 히나에게 줘야 할 것 같았다. 저번에 라하트와 부딪쳐 히나에게 줄 사탕이 깨졌으니 의도하지 않았지만 모든 것이 제자리로 돌아가는 기분이었다. 엘로라는 묘한 감정으로 잠시 사탕을 보다가 챙겼다.

“조심히 들어가.”

“예.”

황자의 시선을 느끼며, '로즈'의 집 방향으로 걸어갔다. 황자의 시야에서 벗어날 때쯤에 마차를 타고 저택으로 갈 심산이었다. 그러면서도 혹 그가 따라오지 않을까 긴장을 늦추지 않았는데 이번에도 역시 따라오지 않았다.

이미 집을 알고 있으니 귀찮은 짓 할 필요는 없다는 의미겠지. 한숨을 쉰 엘로라가 피곤한 몸을 이끌고 아르미트가의 저택으로 갔다.

"엘로라, 왜 이렇게 늦었어. 걱정돼서 가 보려던 참이었어."

저택에 들어서자마자 그녀를 반긴 건 요제프였다. 매일 비슷한 시간에 집에 도착하던 엘로라가 예상 시간을 훌쩍 뛰어넘자 발을 동동 구르고 있던 차였다.

조금만 더 늦었으면 길이 엇갈린다 하더라도 오페라 하우스에 쳐들어가 제 동생을 찾았을지도 몰랐다. 이런 요제프의 머릿속을 들여다보았다면 엘로라는 분명 '로즈는 아르미트 가문이랑 상관없다니까!'라고 외쳤을 테지만 그에게는 동생의 안전이 최우선이었다.

"생각할 게 많아서 근처에서 산책하고 왔어. 계속 기다리고 있었던 거야?"

요제프에게 굳이 라하트에 대해 얘기할 필요 없었다. 제 아버지와 오라버니들은 황자가 그런 발칙한 계획을 짜고 있는지도 몰랐다.

"응."

"아버지랑 오라버니들은?"

"일이 많아서 늦나 봐. 내가 제일 먼저 왔어."

요제프의 대답에 엘로라가 부드럽게 미소를 지었다. 아버지와 오라버니들의 귀가가 늦어서 다행이었다. 안 그래도 바쁜 가족들인데 걱정을 끼치고 싶지 않았다.

"저녁은 먹었고?"

"……아직."

동생 걱정에 음식이 입에 들어갈 리 없었다. 이를 예상하고 질문한 엘로라가 요제프에게 어서 식사하자고 했다. 아무리 바빠도 다 함께 저녁 식사하기 위해 칼같이 집에 들어오는 가족들이었다. 이 시간까지 귀가하지 못한다는 건 밤늦게 들어온다는 뜻이었다. 오랜만에 둘이서 식사해야 했다.

안절부절못하던 요제프가 차분한 엘로라의 대응에 진정했다. 혹시 낯선 사람에게 해코지라도 당했을까 걱정했는데 별일 없어 보이니 다행이었다.

요제프와 엘로라의 나이 터울은 무려 8년이었다. 지금보다 더 작을 때도 다 컸다고 뽈뽈 돌아다니는 모습을 지켜보았지만 항상 조마조마했다. 제 눈에는 아직 '오빠, 오빠.'

하며 달려오다가 엎어지던 소녀가 선연했다. 그건 요제프 뿐만 아니라 에곤과 라엘도 마찬가지일 터였다.

이런 오라비들의 걱정 탓인지 아무 말 없이 늦거나 외박하는 일은 없었다. 아무리 변장을 한다 하더라도 여성의 몸임을 정확히 인식하고 있는 엘로라는 밤이 늦으면 알아서 몸을 사렸다. 남성으로 변장해도 체격이 크지 않아 괜히 시비라도 걸리면 낭패였다.

사리 분별이 명확한 그녀가 늦은 시간까지 산책한 건 역시 곧 있을 결혼 때문인가 싶었다.

엘로라의 결혼. 생각만 해도 끔찍했다. 아버지가 조용히 형제들을 불러내 그 망나니 놈에게 팔려 나가듯이 하는 결혼을 함구하라 명하지 않았으면 길길이 날뛰고도 남았다. 장남인 에곤 또한 지친 기색으로 평소처럼 엘로라의 의견을 존중하자 하여 가만히 있는 것이었다.

그것도 모르고 저 쪼끄마한 것은 결혼 일정을 알린 뒤에 살살 눈치를 보았다. 티 나지 않는다 생각할 테지만 에곤도, 라엘도, 요제프도, 심지어 아버지마저 엘로라가 그들의 눈치를 보고 있는 걸 알았다.

결혼 얘기가 나올 때마다 형제들이 벌떡 일어나지 않을까 조심하는 게 보였다. 그들이 계속 얌전히 있으니 요즘은 눈치를 보는 게 덜했지만, 덜하다 했지 아예 안 한다고는 안 했다.

마음 같아서는 죽여도 시원찮은 놈인데. 아버지와 장남

의 우울한 기색을 알아본 요제프는 의견을 따르기로 했다.

요제프의 눈에는 아직 어려도 엘로라는 제 손으로 돈도 벌 줄 알고, 재능도 넘쳐 이런저런 곳을 쏘다녔다. 제 앞가림 정도는 스스로 할 줄 알았다.

엘로라의 얼굴을 보자마자 한시름 놓은 요제프가 저녁 식사를 했다. 상단을 운영하는 요제프는 이야기보따리였다. 오늘 있었던 일을 재미있게 풀어놓아, 잠깐이나마 라하트 때문에 피곤했던 걸 잊게 해 주었다.

"아가씨, 출판사에서 인세를 보내왔습니다."

식사가 끝날 때쯤, 기다리고 있던 집사가 엘로라에게 봉투를 건네주었다. 날짜를 확인한 엘로라가 봉투를 받았다. 그런데 봉투가 평소보다 두툼했다.

"출판사?"

"벤더티."

"아아."

그제야 요제프가 아는 체했다. 벤더티는 이미 죽은 엘로라의 흔적이었다.

직업이 뭐였더라. 출판사라 했으니 작가였겠지. 워낙 많은 삶이 엘로라를 스쳐 지나간 터라 '벤더티'로서의 그녀가 무엇을 했는지 골똘히 생각했다.

엘로라가 무슨 일을 했는지 일일이 기억하고 있던 요제프는 차근차근 그녀의 삶을 떠올리다가 정답을 내놓았다.

"프라시아?"

"정답이야."

오페라 프라시아의 원작 소설, 「순수와의 결별」의 저자가 벤더티. 즉, 엘로라였다.

벤더티는 썩 성공한 인물이 아니었다. 상업적으로 팔릴 소설보다는 쓰고 싶은 대로 휘갈겨 썼기 때문이었다. 쓰고 싶은 걸 왕창 썼기에 수익은 신경 쓰지 않았지만, 출판사가 힘들어 보여 「순수와의 결별」을 유작으로 남기고 벤더티는 죽었다.

죽기 전에 우연히 기회가 닿아 원작을 오페라화하는 논의를 했는데 일이 잘 풀려서 정말 오페라로 만날 수 있게 되었다. 오페라 가수를 캐스팅한다는 광고를 보았을 때 얼마나 떨렸는지 모른다.

막연히 머릿속에 남아 있던 인물을 현실로 꺼내 놓다니. 작가로서 영광이었다. 하지만 프라시아를 맡을 만한 가수를 찾지 못했다는 소문을 듣고 덜컥했다. 이대로 아무 배우나 세워 놓고 오페라 막을 올리거나 아예 오페라가 무산될지도 모른다는 불안감 탓이었다.

마침 2부의 프라시아를 아끼기도 했고, 한 번쯤은 오페라 무대에 서 보고 싶기도 하여 오디션을 봤는데 운 좋게도 캐스팅됐다. 무대에 오를 수 있다고 확정되었을 때 제자리에서 껑충 뛰었을 정도로 기뻤다.

원작자인 엘로라는 그 누구보다 더 프라시아를 이해하고, 사랑하고, 아꼈다. 그래서 어느 때보다 열과 성을 다해 오페라를 준비했다.

첫 공연의 설렘은 죽어서도 그녀의 심장에 남아 있을 것이다. 너무 심취한 나머지 대본에 없던 대사를 내뱉고 말았지만 반응이 좋아 질타받지 않았다. 오히려 엔딩은 쭉 그녀가 즉흥적으로 말한 대사로 마무리되었다.

비록 원작자인 벤더티는 썩 대중에게 호평을 받지 못했지만, 로즈는 화려한 스포트라이트 아래에서 영원히 프라시아로 남아 있을 거였다. 그러면 되었다.

"이번에 많이 벌었나 보네."

"오페라 덕이지."

돈 냄새를 맡은 요제프가 힐끔 봉투를 봤다. 귀족 가문에서 태어났는데 저런 모습을 보면 천성이 장사꾼이었다. 눈꼬리가 휘어질 정도로 웃은 엘로라가 봉투를 요제프에게 건네주었다. 얼떨결에 돈이 든 봉투를 받은 요제프가 두 눈을 깜빡였다.

"오라버니가 대신 세어 줄래?"

어려운 일은 아니었다. 요제프가 돈을 꺼내 능숙한 솜씨로 셌다. 그 모습을 확인한 엘로라가 집사에게로 고개를 돌렸다. 그리고 귀를 대 보라고 손짓하자 노년의 집사가 허리를 살짝 숙였다.

"준비는 잘 돼 가고 있어?"

"예, 아가씨. 오늘 새벽에 말씀하신 대로 일을 진행할 예정입니다."

"고생했어."

"아닙니다. 이 일이야 익숙하지요."

요제프에게 돈을 세는 일이야 누워서 수프 먹는 것만큼 쉬웠다. 그런데 저에게 돈을 세라 맡기고, 둘이서 무슨 비밀 이야기를 하는지 속닥거리는 꼴을 보니 귀가 절로 쫑긋 세워졌다. 집사와 엘로라가 비밀을 만들 만한 게 없어 더 그랬다.

열심히 돈을 세는 척하면서 그들의 대화에 귀를 기울였지만 어찌나 작게 속삭이는지 무언가 작당한다는 것 외에는 건진 게 없었다. 물어보고 싶지만, 알려 줄 생각이었다면 애초에 속닥거리지 않았을 터였다. 궁금해 미치겠는데 물어볼 수 없어 요제프가 살짝 인상을 찡그렸다.

이를 본 엘로라가 웃음을 터트렸다. 집사는 아무 일 없다는 듯이 고개를 꼿꼿이 세운 지 오래였다.

"오라버니. 다 세었어?"

"응."

"그러면 그 돈, 오라버니가 가져."

"……뭐?"

돈을 얼마나 벌었는지 알려 주려고 했던 요제프가 되물었다. 그런 요제프를 보며, 엘로라는 웃음기가 지워지지 않은 얼굴로 태연히 말했다.

"그 돈으로 과자라도 사 먹어."

"지금 애 취급하는 거야?"

이 쪼끄마한 게. 돈 좀 벌었다고 오라버니를 오라버니 취급 안 하다니. 요제프가 짐짓 화난 표정을 짓자, 무엇이 그리 웃긴지 엘로라가 크게 소리 내어 웃었다.

"농담이야."

"돈 가지고 농담하는 거 아니야."

이상했다. 그동안 돈을 벌었지만 한 번도 이렇게 건네준 적이 없었다. 주위에서 탐을 낸 적 또한 없었다.

엘로라가 자신의 힘으로 번 돈이니 누구도 신경 쓰지 않았다. 후작이 억지로 용돈까지 쥐여 주어 부족함 없이 자란 그녀는 가끔 제가 번 돈으로 가족들이나 고용인들에게 선물을 주곤 했다. 받아도 부담 없을 만한 선물이지 돈 그 자체는 아니었기에 요제프는 잔뜩 당황했다.

"난 돈 가지고 농담한 적 없어. 과자 사 먹으라는 건 농담이고, 준다는 건 농담이 아니거든."

요제프는 동생이 무슨 농담 따먹기를 하자는 건지 알 수 없었다.

"이 푼돈으로 무엇을 하라고?"

"무엇이든. 상단에 보탬이 되어도 좋고, 오라버니가 그동안 사고 싶었던 것을 사도 좋고, 아니면 오라버니에겐 푼돈이니 불쏘시개로 써도 좋아."

장난이 아니었다. 갑자기 동생이 왜 이러는지 알 수 없었다. 이 돈이 두렵게 느껴졌다. 요제프가 돈을 봉투에 넣어 살살 엘로라 쪽으로 밀었다. 하지만 엘로라는 단호하게 봉투를 들어서 요제프 앞에 두었다.

"오라버니 덕에 오페라 프라시아의 막이 오를 수 있었던 거니까."

"……무슨 소리야!"

제대로 당황한 요제프가 빼액 소리를 지르고 말았다. 그의 강한 부정에 엘로라의 미소가 씁쓸해졌다.

"알아. 세상에 우연은 없다는 걸."

"도와준 적 없어."

"알았어. 오라버니가 도와준 적 없다고 믿고 있을게. 하지만 그 돈을 돌려받지 않을 거야."

엘로라는 한 치의 양보도 없이 강하게 나갔다. 단호한 그녀의 의지에 몇 번 부정하고 거절했지만 결국 막냇동생을 이길 자는 아르미트 집안에 아무도 없었다.

아르미트라는 성을 가진 사람 중 누구도 엘로라를 이겨본 적이 없다. 아마 어머니가 살아 있다 하더라도 상황은 비슷했을 것이다.

"알았어. 일단 이 돈을 받을게. 그런데 나 진짜 너 도와준 적 없어. 알겠지?"

"응, 알겠어."

씨알도 먹히지 않을 거짓말이었다. 일찍이 요제프의 도움을 알면서도 모른 척했었다. 괜히 빚진 것 같아 내색은 안 했지만 마음이 편한 적이 없었는데, 이번 기회로 조금이나마 빚을 갚은 것 같아 홀가분해진 표정으로 요제프를 보았다.

엘로라의 심경 변화를 눈치챈 요제프가 허탈하다는 듯이 한숨을 내쉬었다.

"이 돈, 정말 내 마음대로 한다?"

"응, 이제 오라버니 돈이야."

생각보다 많이 벌어서 다행이었다. 오페라가 대박 났는데 책이 많이 팔리지 않았으면 요제프에게 돈을 주면서도 껄끄러움이 남았을 것이다. 물론 저 돈도 상단을 운영하는 요제프에게는 푼돈이었지만 적어도 구색은 맞추었으니 의미 있다 생각했다.

"그러면 먼저 올라갈게. 오늘 피곤해서 일찍 잘 것 같아. 아버지랑 오라버니들 오면 대신 인사 부탁해."

식사가 끝나고, 자리에서 일어난 엘로라가 총총 걸어갔다. 요제프는 엘로라가 제 시야에서 사라지고 나서 거칠게 머리를 쓸어 올렸다.

"……내 동생이지만 하나부터 열까지 대단하단 말이야."

한 방 먹은 기분이었다. 몰래 수작을 부렸건만 언제 어떻게 눈치챘는지 모르겠다. 하는 행동거지를 보니 오래전에 눈치채고 행동한 것 같은데. 정작 이쪽에서 낌새도 못 느꼈으니 대단하다고밖에 할 말이 없었다.

"제기랄, 이런 내 동생을 하나부터 백까지 못난 망나니한테 보내야 한다니."

황태자를 갖다줘도 성에 안 찰 판인데 망나니 황자라니.

무슨 속셈이 있는지 엘로라는 개의치 않아 했지만, 법적으로라도 부부로 묶이는 것이니 몹시 신경 쓰였다. 아버지의 의견대로 일단 엘로라의 의견을 존중해 주겠지만 엘로라가 행복하지 않다 느껴지면 바로 깽판을 부릴 생각이었다.

요제프가 답지 않게 욕지거리를 중얼거리며 머리칼을 뜯고 있는 것도 모르고 방으로 들어간 엘로라는 설렁줄을 당겨 히나를 불렀다. 그저 옷을 갈아입겠다는 의미로 부른 줄 알았던 히나는 갑자기 내밀어진 사탕에 멀뚱히 두 눈을 껌뻑였다.

"선물이야, 히나."

"어머, 아가씨. 이게 웬 사탕이에요."

"오다가 네 생각이 나서 사 왔어. 사탕 좋아하잖아."

"아가씨가 주시는 거면 모두 좋아요."

제 아가씨는 누구보다 정 많은 사람이었다. 얼굴만큼이나 말도 참 곱게 하시고. 히나는 엘로라를 모시는 걸 항상 자랑스러워했다.

외출 후에 가끔 선물을 챙겨 오곤 하는 엘로라였기에 함박웃음을 머금고 사탕을 받았다. 그게 라하트가 준 것이라고는 꿈에도 생각하지 못했다.

엘로라는 기뻐하는 히나의 모습을 보니 저도 빙긋 미소가 지어져 아무 말 하지 않았다. 굳이 말할 필요도 없었다. 아르미트 저택에서 '라하트'나 '황자'라는 단어는 분위기를 험악하게 만드는 최고의 단어였으니.

히나의 도움을 받아 잠옷으로 갈아입고 침대에 누웠다. 너무 피곤해서 일찍 잔다고 말하자 히나가 나가기 전에 불을 다 껐다.

어둠이 진다. 유일한 빛은 창문 사이로 새어 들어오는 달빛이었다.

피곤해서 일찍 잔다고 떠들고 다녔지만 엘로라는 일찍 잠들 상태가 아니었다. 심장이 빠르게 뛰었다. 이대로 심장이 터지는 건 아닐까 싶을 정도로.

두 눈을 감고 조용히 누워 있다가 결국 참다못해 자리에서 일어난 엘로라가 창가로 걸어갔다. 교교한 달빛이 그녀의 창백한 피부에 내려앉았다. 두 눈을 깜빡이자 부채처럼 예쁘게 펴진 은빛 속눈썹이 반짝였다.

그런 그녀의 모습이 창문에 반사되었지만 푸른 눈동자는 창밖의 세계를 주시했다. 너무나 조용하여 평화로워 보이는 바깥세상을.

흥분으로 인해 당장에라도 창문을 열고 바깥으로 뛰쳐나가고 싶었다. 그녀가 벌인 일을 직접 확인하고 싶은 충동이었다. 이 두 눈으로 똑똑히 본다면 쿵쾅대는 심장 소리가 잦아들지도 몰랐다. 또다시 찾아온 죽음으로 긴장과 초조, 불안이 가득한 마음이.

집사가 워낙 꼼꼼하여 아마 그녀가 상상한 모습 그대로일 거다.

항상 완벽한 생의 끝이었다.

로즈는 타인이지만 완벽한 타인이 아니었다. 엘로라의 일부분이었다. 한 조각이 떨어져 나갈 때마다 엘로라는 기묘한 감각을 받곤 했다. 바로 오늘 밤이 그러했다.

이곳에서 로즈가 사는 집이 보이진 않지만 엘로라는 오랫동안, 아주 오랫동안 그 자리에 서서 바깥을 보았다. 마치 로즈의 마지막을 엿보듯이. 그것은 삶을 끝낼 때마다 행하는 하나의 관례였다.

그날 새벽, 어느 허름한 집에서 화재가 일었다. 모두가 잠든 시간이었다. 뒤늦은 신고로 인해 화마는 걷잡을 수 없이 용솟음쳤다. 다행히 멀리까지 번지지 않아 집 한 채만 꺼멓게 타 버렸다. 그리고 그 집에 사는 사람도.

얼마나 지독한 불길이었는지 집도 시체도 형체를 알아보기 힘들었다. 동이 트자, 햇빛 아래 시꺼멓게 죽어 버린 집터가 적나라하게 드러났다. 그곳으로 사람이 몰렸다.

이웃집에선 자신이 저 꼴이 나지 않아 다행이라 안도했고, 지나가던 사람은 그 흉한 꼴에 혀를 끌끌 찼다. 시체는 겨우 사람이라는 것만 알아볼 수 있었기에 조사 끝에 집에 살던 사람은 한창 인기를 끌고 있는 오페라, 프라시아의 주연 가수임이 드러났다.

오페라 프라시아의 마지막 공연을 앞둔 날이었다.

그녀의 행방이 불분명한 것으로 보아 시체를 더 조사할 필요는 없었다. 사람들이 마지막 남은 그녀의 뼈를 수습했다. 단지 하나, 의문이 남는 건 같이 있던 작은 뼈가 누구의 것인지 알 수 없다는 점이었다.

날이 밝았다. 오페라 프라시아를 좋아했던 사람들은 소식을 듣고 짧게 조의를 표했다. 그들에게는 '로즈'라는 이름보다 '프라시아'라는 이름이 더 익숙했다. 그리고 모두 '로즈'의 죽음이 아닌 '프라시아'의 죽음이라 받아들였다.

로즈.

그녀가 프라시아와 함께 짧은 인생의 마침표를 찍었다.

03. 계약 결혼

03. 계약 결혼

못난이 엘로라로서 황자를 만나기로 한 아침, 그녀의 일정을 아는 아르미트 남자들은 침묵했지만 불편한 기색을 감추지 않았다. 만나자고 한 건 엘로라이건만 마치 라하트가 해코지를 하기 위해 엘로라를 부른 듯한 분위기였다.

가족들의 과보호를 익히 알고 살아온 그녀는 이런 반응에도 아무 일 없다는 듯, 평소처럼 행동했다. 가족들이 그녀를 말리진 않을 테지만 만약 말린다 하더라도 귓등으로도 들을 생각이 없었다.

이미 모든 일이 계획대로 진행되고 있었다.

오늘 자 신문에는 로즈의 죽음이 다뤄져 있었다. 모두 타버려 터만 남아 버린 그곳 대신 프라시아 포스터가 찍혀 있었다.

놀랄 것도 없었다. 주연 가수가 없어 오페라 프라시아의 마지막 공연을 하지 못했으니 로즈의 죽음은 한 인간의 불운한 죽음이 아닌, 프라시아의 죽음으로 받아들여졌다.

이런 반응 또한 예상했다. 예상하고 일을 과감하게 진행한 거였다. 만약 라하트가 찝쩍대지만 않았으면 마무리를 잘 맺고 조용히 사람들의 기억에 잊혀지는 방법을 택했겠지만 라하트가 끼어들어 조금 과격한 방법을 쓸 수밖에 없었다. 그리고 과격한 만큼 강렬했다.

엘로라가 라하트를 만나러 가 마음이 불편했던 아르미트 남자들은 신문 2면에 찍힌 로즈의 죽음에 충격을 금할 수 없었다.

엘로라는 시작과 끝이 깔끔한 사람이었다. 수많은 일생을 거쳤지만 중도 포기는 결코 하지 않았다. 벤더티만 해도 작가로서 썩 성공한 삶은 아니었지만 마지막에 집필하던 책까지 무사히 마무리 짓고 죽음을 맞이했다.

그런 그녀가 혼자만의 작품이 아닌 오페라를 마지막까지 하지 않고 죽음을 선택하다니. 그녀에 대해 알고 있다면 매우 놀라운 끝이었다.

사람은 자신의 죽을 날을 알지 못한다. 그러니 로즈가 죽을 거라고 오페라 관계자에게 말하지 못했을 거다. 반응을 보니 비슷한 언질도 받지 못한 듯했다. 갑작스러운 오페라 상연 중단으로 인해 표를 샀던 관객에게 환불해 줘야 했고, 마지막 공연이라 만반의 준비를 했던 다른 가수들도 허망하게 발길을 돌려야 했다.

피해액이 얼만지 정확히 알리지 않았지만 그동안 짭짤한 수입을 보다가 로즈의 죽음으로 인해 뒤통수를 맞은 듯이 엄엄할 것이다. 오페라 관계자도, 가수도, 관객도 모두 큰 충격을 받은 죽음이었다.

엘로라가 대담한 건 남에게 피해를 주지 않는 범위 내에서였다. 제대로 마무리 짓지 않고 끝을 맺어 많은 이들에게 당혹을 안겨 줄 이가 아니었다. 평소와 다른 그녀의 대처에 무슨 일이 있느냐고 물을 법도 했지만 아무도 선뜻 입을 떼지 않았다.

결국 그녀의 삶이었다.

죽이고 살리는 건 그녀의 관할이었다.

그녀가 신은 아니지만 그녀의 삶에 있어선 선택이 자유로웠다.

선택으로 인한 결과는 모두 책임진다는 전제하에 모두 그녀의 마음이었다.

어젯밤, 엘로라는 가족들에게 오페라가 취소된 걸 내색하지 않았다. 원래라면 오페라 공연을 할 시간에 로즈와 전혀 관계없는 이의 변장을 하고 다 타 버린 로즈의 집으로 갔다.

의심받지 않을 선에서 주위를 서성이다 저택으로 돌아왔다. 그러는 동안 그녀를 스쳐 지나간 그 누구도 그녀가 죽어 버린 로즈임을 눈치채지 못했다. 일상의 고독이었다.

로즈가 죽지 않았다면 화려한 대미를 장식했을 오페라가 끝날 시간에 저택에 도착해 도망치듯 방에 올라가 화장을 지웠다. 맨얼굴이 드러나자 숨통이 트였다.

하나 내색하지 않았다. 평소처럼 가족과 저녁 식사를 즐기고, 웃고, 떠들고, 즐겼다. 상황이 이러하니 아르미트 남자 중 누구도 로즈가 죽고 오페라가 취소되었을 거라 생각하지 않았다. 그들은 바빴고, 초연을 구경한 뒤로 더는 로즈에게 신경 써서는 안 되는 입장이었다.

엘로라의 입을 통해서도 아닌 신문을 통해 처음으로 그 소식을 접하니 당황했던 가족들이 표정을 갈무리했다. 보지 않는 척했지만 그들의 심정을 모두 꿰뚫고 있는 엘로라는 그저 웃었다. 아무 말 없이 받아 주는 가족들이 고마웠다.

"다녀오세요."

그들의 입에서 끝까지 로즈에 대한 이야기는 나오지 않았다. 평소와 같이 가족들을 보낸 엘로라는 라하트와 만날 준비를 시작했다. 못난이 엘로라로 변신할 시간이었다.

화려하게 치장하되 얼굴이 압도당해서는 안 됐다. 엘로라는 어떻게 해야 이 얼굴을 더 잘 살릴 수 있는지 알고 있었다.

고민 끝에 선택한 드레스를 입고, 장신구를 착용했다. 이제 머리 손질만 하면 끝이었다. 몇 번이나 제 머리칼을 만지작거리던 엘로라는 지금 차림과 어울릴 만한 헤어스타일이 떠올라서 히나에게 머리끈을 건네주며 말했다.

"오늘은 양 갈래로 땋아 줘."

"네, 아가씨."

히나가 정성스레 머리를 땋아 주었다. 결과물을 본 엘로라는 만족스레 고개를 끄덕였다.

"수고했어."

준비는 끝났다. 이제 실연에 빠진 남자를 만날 일만 남았다.

지금쯤 황자는 어떤 상태일지 조금 궁금해졌다. 사랑하는 이가 죽어 울고 있을 거라고는 생각하지 않았기 때문에 더 궁금했다.

그가 정말 로즈에게 사랑을 느꼈을 거라 믿지 않았다. 제 입으로 아무것도 바라지 않을 여자를 골랐다 하였다. 감성보다는 이성을 따른 결정이란 말이었다.

아무리 평민들 사이에서 시간을 보내고 코가 삐뚤어지도록 술을 마신다고 하더라도 황자는 황자였다. 그의 피부 아래에는 푸른 피가 흐르고 있었다.

태생이 화려하여 어울리지 않는다고 했던가. 그렇다면 공론화되기 전에 알아서 잘 대처했어야 했다. 그가 의도하지 않았다 하더라도 이미 아르미트 가문을 건드렸다. 뒤늦게 수습한다고 깽판을 치려 했으니 대가는 받아야지.

황자가 망연자실하고 있거나 그 비슷한 감정으로 동요하고 있다면 성공이었다. 그렇지 않더라도 한 방 먹였다는 사실은 변치 않았다.

한 삶을 끝맺음으로써 말도 안 되는 계획을 막았다.

비록 프라시아의 마지막 무대에 오르지 못했지만, 그로 인해 로즈는 완벽한 프라시아가 되었다.

썩 나쁘지 않은 결과물이었다.

이제 영원히 기억 속에 남을 로즈를, 프라시아를 떠올리며 마차에 올라탔다. 이번에는 모자와 양산을 잊지 않고 챙겼다.

“다녀오세요, 아가씨.”

인사하는 히나가 멀어졌다. 엘로라는 창문 너머로 펼쳐진 바깥 풍경을 보았다. 앞으로 익숙해져야 할 풍경이었다. 황궁으로 향하는 길을 통해 엿볼 수 있는 모든 광경이.

그녀의 푸른 눈동자가 차갑게 빛났다.

마차는 그녀를 태우고 빠르게 황궁으로 향했다.

양산을 펼친 엘로라는 정원을 걸었다. 원래라면 응접실에서 황자와 잠깐의 티타임을 가져야 했지만 무엇 때문인지 갑자기 만날 장소를 야외로 옮겼다.

굉장히 당황한 표정을 숨기지 못하던 시녀가 떠올랐다. 응접실에 무슨 일이라도 생긴 걸까. 라하트가 몰래 바깥으로 빠져나가 자리에 없어 시간을 벌기 위해 장소를 옮긴

것만 아니었으면 좋겠다고 생각했다.

그녀는 용건을 간단히 끝내고 저택으로 돌아갈 예정이었다. 황자와 얼굴을 마주한 채 다정히 나눌 대화도 없었다. 그 또한 결혼하고 싶지 않아 다른 여자까지 끌어들인 판에 '너밖에 없어.'와 같은 말을 할 생각이 없을 것이었다.

시간을 질질 끌 필요가 없는 만남이었다.

엘로라가 양산으로 따가운 햇빛을 가린 채 뒤뚱뒤뚱 걸어갔다. 잘 꾸민 정원이 그녀를 반겼다.

방탕한 주인과 다르게 관리인들이 잘 챙기고 있는지 정원에는 미의 균형을 벗어난 것이 하나도 없었다. 색이 비슷한 꽃들은 저들끼리 모여 바람과 춤을 추었고, 나무는 어디 모난 곳 없이 가지를 뻗은 채 잎을 품고 있었다. 아무리 라하트 황자가 거주한다 하더라도 황궁은 황궁이었다.

한참을 시녀를 따라 걷던 엘로라는 나무 그늘이 깊게 드리운 자리에 우뚝 솟아 있는 티 테이블을 발견할 수 있었다. 그리고 완벽하다 생각했던 정원에 대한 감상을 살짝 바꾸었다.

정원의 주인만 없다면 완벽한 곳이었다.

의자에 앉아 몸을 축 늘어트리고 파이프를 뻑뻑 피워 대는 황자는 멀리서도 눈에 띄었다.

하얀 연기가 뭉게뭉게 피어올랐다. 구름이 잠시 길을 잃어 내려왔다가 황자를 보고 도망간다 해도 믿을 정도였다. 그는 다가오는 엘로라를 발견하지 못했는지 멍한 눈으로 그 어느 곳에도 있지 않은 것을 보았다.

곧 결혼할 아내를 맞는다고 하기에는 부적절한 모습이다. 많은 걸 바라지도 않았지만 옷차림도 셔츠 하나만 입고 있었다. 잔뜩 풀어 헤친 위 단추는 그의 성격을 보여 주는 듯했다.

앞장선 시녀가 그런 황자의 꼴에 안절부절못했다.

응접실에서 아르미트 영애를 만나기로 했는데, 황자가 무슨 생각인지 창문도 열지 않고 응접실에서 파이프를 피우다가 결국 실내에 냄새를 배게 만들었다.

아무리 평판이 바닥을 긴다고 하지만 황자가 만날 사람은 귀족 영애였다. 담배 냄새가 그윽한 응접실에서 대화를 나누게 할 수 없었다.

영애와의 만남을 기억하지 못한다 생각하고 늦게까지 침실에서 자고 있나 보다, 라고 안일하게 생각한 것이 잘못이었다. 워낙 신출귀몰한 황자라서 침실이 텅 빈 것을 봤을 때 얼마나 놀랐는지 모른다.

손님맞이 준비를 하러 응접실에 들어간 한 시녀가 뿌연 연기 속에서 숙취에 시달리고 있는 라하트를 발견하지 못했다면 아주 큰 일이 벌어졌을 것이다. 뒤늦게 창문을 열어 환기를 시켰지만 늦은 일이었다.

황자를 어르고 달래어 어찌 정원까지 움직이게 하였는데 바깥에서도 불량한 자세로 파이프를 피워 대고 있으니 시녀는 힐끔 엘로라의 눈치를 보았다. 자신을 무시한다고 화를 내도 이상할 것 없는 상황이었다.

갑비싼 양산 아래에 누가 봐도 못생긴 얼굴을 한 영애는 이상할 정도로 무표정이었다. 아무 감정이 담기지 않는 눈빛으로 황자를 주시했다. 그게 화내는 것보다 무서워 보여 시녀는 움찔했다.

"전하와 필히 할 대화가 있으니 돌아가도록 해라."

"예? 예!"

눈에 띄게 당황한 시녀가 허겁지겁 자리를 벗어났다. 멀어지는 시녀의 모습을 확인한 엘로라가 천천히 제정신이 아닌 듯한 라하트에게 다가갔다.

가까이 갈수록 익숙한 향이 났다.

처음 부딪쳤을 때도 이와 같은 향이 났었다.

제법 독한 담배인 듯한데 아무렇지 않게 뻑뻑 피워 대고 있으니 참 라하트답다고 해야 할지. 정말 소문의 망나니 황자 모습 그대로였다.

"전하, 엘로라 아르미트라고 합니다. 처음으로 인사드리옵니다."

양산을 접고 정중히 인사했다. 그제야 라하트가 근처에 사람이 있음을 알아채고 고개를 돌렸다. 보라색 눈동자는 멍했다. 아무 생각이 없어 보였다. 예상했던 대로 실연에 빠진 남자의 모습은 아니었다.

그냥, 아무 생각 없는 거였다.

인사를 했는데 돌아오는 말이 없었지만 엘로라는 침착하

게 그의 맞은편에 앉았다. 담배 냄새가 워낙 강해서 바로 눈치 못 챘는데 술 냄새가 났다. 술을 잔뜩 퍼마시고 기어들어 와 지금까지 담배를 피우는 라하트의 모습이 자연스레 그려졌다.

이런 상태에서 정상적인 대화가 가능할지 모르겠다. 하지만 황자가 제정신이 아니라고 시간을 더 끌 순 없었다.

마실 생각은 없지만 예의상 찻잔에 차를 따랐다. 라하트의 찻잔에는 한 번도 마신 적이 없는 찻물이 식어 있었다.

차를 따랐지만 입도 대지 않은 엘로라가 미리 챙겨 온 종이를 테이블 위에 꺼내 놓았다. 그리고 라하트 쪽으로 밀었다. 제 앞에 정체불명의 종이가 있건 말건 숙취에 잔뜩 전 그는 다른 세상 사람처럼 있었다.

"전하."

엘로라가 나직한 목소리로 그를 불렀다.

"라하트 전하."

두 번.

처음보다 목소리가 살짝 커졌다.

술을 귓구멍에 처넣었는지 불렀건만 전혀 반응이 없었다.

열심히 작성한 문서를 코앞에 들이대고 싶지만 상대는 어쨌건 황족이었다. 예의를 갖춰 의사를 전달해야 했다.

티스푼으로 찻잔을 두세 번 쳐 청아한 소리가 나게 했다. 귀에 거슬리는 소리가 나자 라하트가 엘로라를 바라봤다.

"천천히 읽고 지장 찍으세요."

"……어?"

상황이 이상하게 돌아감을 느낀 라하트의 눈빛이 현실로 돌아왔다. 나사 빠진 소리를 내는 그의 얼굴을 똑바로 보며 미리 작성한 계약서의 내용을 읊었다. 몇 번이고 수정하고 훑어본 계약서였다. 내용은 토씨 하나 틀리지 않고 그녀의 머릿속에 남아 있었다.

"첫 번째, 육체적인 관계는 맺지 않는다. 두 번째, 아내라는 이유로 무언가를 강요하지 않는다. 세 번째, 서로의 문제는 눈감아 준다. 그 외 자세한 사항은 알아서 읽어 주세요."

제대로 듣고 있는지도 모르는데 줄줄 계약서 내용을 말해 봤자 의미 없어 보였다. 라하트가 매우 당황한 표정으로 계약서와 엘로라를 번갈아 보았다. 아직 경황이 없는 듯했다. 그런 그를 위해 결국 계약서 내용을 깔끔히 요약해 주었다.

"한마디로 술을 마시든, 다른 여자를 만나든, 어디 거리에 나자빠지든 상관없으니 주색을 즐기는 지금처럼만 살아 주시면 된다는 뜻이에요."

아닌 척해도 라하트가 많이 밉보였나 보다. 굳이 하지 않아도 될 '거리에 나자빠지든'이 추가되고 말았다. 하지만 제정신이 아닌 라하트는 엘로라의 언사가 조금 거칠어도 별로 개의치 않아 하는 듯했다. 엘로라의 말이 한쪽 귀에 들어가 뭉텅이째로 반대쪽 귀에 흘러내렸는지도 몰랐다.

“계약 내용을 어기면 이혼은 당연한 거고, 위자료랑 손해 배상에 대한 사항은 밑에 적혀 있으니 참고하세요. 이 결혼, 서로 몰랐을 때처럼만 살면 되니 적당히 눈치 보다가 이혼하는 게 편하실 거예요. 당장은 보는 눈도 많고, 황태자 전하께서 재혼하지 않아 라하트 전하가 자리 잡기도 힘드니까요. 어차피 전하께서도 원해서 하시는 게 아니잖아요.”

마지막 말이 압권이었다. 속사포처럼 쏟아지는 엘로라의 말을 조용히 듣던 라하트가 갑자기 웃음을 터트렸다.

뜬금없이 라하트가 웃자 엘로라는 당황했다. 술과 담배 냄새를 풀풀 풍기면서 멍하니 있던 남자가 갑자기 웃으니 발작이라도 하는 건가 싶었다.

당황한 티는 내지 않았다. 웃느라 사레가 들려 기침을 하면서도 웃는 황자를 보다가 시선이 자연스레 옮겨졌다.

그가 테이블까지 내려치며 웃었다. 찻물이 찻잔에서 넘칠 듯 불안하게 넘실댔다. 혹 찻물이 쏟아질까 싶어 불안한 눈빛으로 찻잔을 보았다. 라하트가 미친 듯이 웃는 것보다 그게 더 신경 쓰였다.

다행히 찻물이 넘치지 않을 정도로 테이블을 내려친 라하트가 잔뜩 웃은 탓에 오래달리기를 한 것처럼 거친 숨을 몰아쉬었다. 몇 번 헐떡이다가 제 안색을 되찾고 엘로라를 바라봤다.

남들은 못생겼다고 5초 이상 보지 못하는 얼굴이었다.

아직 술기운이 덜 가셨는지 꽤 오랫동안 자신의 얼굴을 바라보는 라하트와 눈이 잠깐 마주쳤다.

눈을 먼저 피한 건 엘로라였다. 굳이 눈싸움하여 자신의 존재를 드러내고 싶지 않았다.

그래도 그와 눈을 마주치자 한 가지 확신할 수 있었다. 그는 지금, 파이프를 뻑뻑 피며 늘어져 있을 때보다 생기 있는 눈빛을 하고 있었다.

"결혼 전부터 이혼 생각이야?"

저게 결혼을 엉망진창으로 파투 내려 했던 사람의 입에서 나온 말이다. 사정을 모르는 남이 들으면 이쪽만 이혼 생각하는 줄 알겠다. 그가 아르미트 가문에 어떤 치욕을 선사하려 했는지 뻔히 아는 엘로라는 표정이 일그러질 뻔한 걸 참았다.

다행히 다년의 경험으로 표정 관리가 능숙한 그녀는 얼굴에 금 하나 가지 않았다. 너무 평온하게 못난 얼굴이라 라하트는 엘로라의 생각을 짐작도 하지 못했다.

"네. 그러니 이런 걸 들고 왔죠."

"왜?"

라하트는 궁금했다. 소문보다 당돌한 여자가 자신에게 계약서를 내미는 이유가 무엇인지. 강제적인 결혼이니 썩 기뻐하진 않을 거라 예상하긴 했다.

하나, 자신은 황자였다. 세간에 자신에 대한 소문이 진창을 뒹굴고는 있지만 황자는 황자였다. 얼굴도 모난 곳

없이 잘생겼고, 배경도 괜찮은데 벌써 이혼을 생각하고 만나자고 하다니. 놀랄 수밖에 없었다.

다른 사람이었다면 익히 소문을 알고 조금 눈물짓다가 나쁘진 않은 결혼이라 합리화했을 거다. 배불뚝이 늙은이와 결혼하지 않는 걸 다행이라 여기며.

게다가 눈앞에 있는 여자는 얼굴이 흔치 않을 정도로 못생긴 탓에 오가는 혼담이 전혀 없어서 영원히 미혼인 상태로 있을 위기에 처해 있었다. 그쯤은 라하트도 아는 유명한 얘기였다.

실제로 보니 아르미트 가문이라는 이름이 있어도 선뜻 접근하기 힘든 외모긴 했지만, 어쨌든. 결혼 못해 홀로 늙어 죽을 팔자에 잘생긴 데다 황가의 핏줄을 가진 사람이 상대가 됐는데 기뻐하긴커녕 냉정한 얼굴로 이혼 계획을 입에 담고 있었다. 얼떨떨한 기분이었다.

가문을 위해 팔려 나가듯이 결혼하는 영애가 수두룩했다. 그들은 그것을 모두 수긍했다. 어릴 때부터 그렇게 키워졌기 때문이다. 결혼하지 못하면 실패자 취급받는 분위기도 한몫했다.

그런데 계약서? 이혼?

전혀 예상치 못한 인물의 입에서 그런 단어가 튀어나오니 보자마자 미친 듯이 웃을 만했다.

“전하께서는 그 이유가 무엇이라 생각하세요?”

와. 이건 진짜다.

귀족 영애로 나고 자란 여자가 질문도 한다.

성격이 괴팍하고 사치가 심하다 해서 외모에 대한 콤플렉스가 심할 거라 예상했던 라하트의 생각을 부수었다. 흥미진진해지는 상황에 라하트가 자리에서 일어났다. 허리를 숙여 엘로라에게 얼굴을 가까이 댔다. 장난스러운 미소를 머금은 채.

"이유 따위 없다고 생각하는데. 내가 빠지는 게 하나도 없거든. 지금도 보다시피."

외모에 대한 자신감이 대단했다. 엘로라는 그것을 익히 느꼈지만 또 이렇게 얼굴을 들이대고 말하니 새로웠다.

반짝이는 보랏빛 눈동자를 회피하며, 이때까지 라하트에게 한 번도 지지 않은 엘로라가 반격했다. 이번에도 말로 질 생각은 없었다.

"안타깝게도 전하보다 오라버니들이 더 잘생겼어요."

"……서로 다른 매력이지. 아르미트 영애는 그런 쪽이 더 취향인가 봐."

이런 대답을 예상 못했는지 라하트의 대답이 한 박자 늦었다. 그래도 금방 제 페이스를 찾고 '그런 쪽'이라는 단어를 묘한 어감으로 발음했다.

꼭 저 같은 것만 보고 느끼고 생각한다고.

엘로라는 순진하지 않았다. 라하트가 어떤 부도덕한 환상을 가지고 지껄이는지 바로 알아챘다. 이에 부끄러워하거나 당황하지 않았다.

"제가 얼굴이 이래서 반짝이고 예쁜 걸 환장하도록 좋아해요. 제 얼굴이 못났으니 예쁜 거라도 잔뜩 봐야죠. 그런데 전하께서는 제 미적 기준에 썩 들어서진 않네요."

"너희 오라비들도 결혼해야지. 언제까지 결혼도 못하는 널 받아 줄까."

"아. 그건 걱정하지 마세요. 얼굴처럼 성격도 악독해서 진드기처럼 잘 붙어 다닌답니다."

그녀의 옹졸한 입술 끝이 살짝 올라갔다. 그 미묘한 차이를 본 라하트는 또 박장대소하고 싶은 걸 꾹 참았다. 정말 한마디도 안 졌다. 본인을 진드기라고 하면서까지 단 한 번도 안 졌다.

부채로 얼굴 가리고 하하호호 조신한 말만 내뱉는 귀족만 있을 줄 알았더니 이런 여자가 아르미트 저택에 숨어 있었다. 그동안 어떻게 저택에서 칩거했는지 알 수 없을 정도로 대단한 여자다.

황자 앞에서 이러는데 제 미적 기준에 들었다는 오라비들은 얼마나 휘어잡고 살까. 소문으로는 가족들과 사이가 안 좋다는데 얼굴보다는 성격 때문에 사이가 틀어질 수도 있겠다고 생각했다.

관심 없던 아르미트 영애의 재발견이었다.

"그리고 이거 좀 치워 주실래요?"

"응?"

"제가 말했잖아요. 예쁜 것만 볼 거라고."

엘로라가 라하트의 얼굴을 보며 명확한 발음으로 말했다.

여자는 지금 라하트의 얼굴을 치워 달라고 당당하게 요구하고 있었다.

참지 못했다.

결국 라하트가 또 배를 부여잡고 크게 웃었다. 미친 듯이 웃는 라하트를 보며, 엘로라는 저 남자가 왜 저러나 싶었다. 혹, 외모에 대한 자존심에 상처를 입어 아예 돌아 버린 걸까. 그러면 상태가 심각했다.

라하트의 외모를 이런 식으로 폄하하고 싶지 않았지만 못난이 엘로라가 이런 성격이기도 했고, 강하게 나가야 이상한 곳으로 통통 튀지 않고 대화할 수 있음을 선행학습을 통해 깨달은 바 있었다. 그런데 충격 요법을 좀 사용했다고 웃기만 하다가 죽을 것처럼 굴다니. 이건 계산에 없는 행동이었다.

엘로라는 저렇게 미친 듯이 웃어도 잘생긴 남자의 얼굴을 보았다.

사람은 얼굴이 잘생기고 봐야 한다고, 눈물 흘릴 것처럼 웃기만 해도 한 폭의 그림처럼 느껴졌다. 하지만 엘로라는 외모에 현혹되지 않았다. 현혹됐다면 일찌감치 현혹됐을 거다. 그냥 두 번이나 미친 듯이 웃는 행위가 신기하게 느껴져 빤히 쳐다보았다.

라하트는 엘로라의 시선을 느꼈지만 웃음을 참을 수 없어 한참이나 웃었다. 웃음소리가 잦아들었을 때쯤, 라하트가 진정했다고 판단한 엘로라가 바로 본론에 들어갔다.

"입궁은 신혼여행이 끝나고, 조금 기한을 둔 후에 하도록 할 예정이에요."

황후에게는 상의한다고 했지만 이건 통보였다. 어차피 라하트는 엘로라의 입궁 시기에 대해 생각한 적이 없을 거였다. 아마 이제야 '아. 저 여자가 결혼하면 입궁을 해야 하구나.'라고 생각했을 게 뻔했다.

엘로라의 예상대로 라하트는 그녀의 입궁 시기에 대해 생각한 적이 없었다. 결혼을 뒤엎을 생각만 하여 결혼 계획에 눈길도 주지 않은 그였다. 그런 그가 즉흥적으로 결정을 내렸다.

"바로 입궁해."

"싫어요."

"어차피 네 오라비들이 황궁에 출근하잖아."

"그렇다고 매일 볼 수 있다는 뜻은 아니잖아요."

"내가 네 오라비들을 데리고 갈게. 어때?"

"전하께서 오라버니들과 친분이 없다는 건 익히 알고 있어요. 그리고 계약서 자세히 안 읽으셨네요. 세부 사항에 보면 특별한 일이 아닌 이상, 방문은 금지돼 있어요. 또 방문 하루 전에 미리 알리는 건 필수고요. 그래도 폐하의 근심은 덜어 드려야 하니 정기적으로 만나야 할 것 같지만, 그건 천천히 생각할 문제니 자세히 적어 놓진 않았어요."

크게 세 가지를 꼽았지만 계약서에는 세부 사항이 꼼꼼

하게 적혀 있었다. 예를 들면 육체적 관계는 아이가 갖고 싶으면 쌍방의 합의하에 가능하며, 합의점을 찾지 못했으나 부득이하게 대를 이어야 할 아이가 필요하면 아무 여자에게서 낳은 아이도 가능하다는 그런 자잘한 얘기였다.

"멍청히 있지 말고, 어서 읽고 지장 찍으세요."

엘로라가 단호히 말했다. 라하트는 너무 웃어 아픈 광대가 또 올라감을 느꼈다.

사실 라하트는 결혼에 대해 깊게 생각한 적이 없었다. 왜냐하면 어차피 파투 날 결혼이었기 때문이었다. 이때까지 그의 계획대로 되지 않은 일은 없었다.

이번에도 거절하기 힘든 조건을 내세워 여자 하나를 꼬드겼다. 반응은 차가웠지만, 결혼식을 올리기 전에 여차여차 잘될 거라 믿었다. 그런데 어이없게도 여자가 죽었다.

이제 와 비슷한 사람을 찾기 힘들었다.

평민인 데다 자신에게 관심 없는 여자를 찾기가 그리 쉽지 않았다.

결혼식은 코앞인데 자신과 결혼할 아르미트 가문의 영애, 엘로라가 이리 직접 찾아왔다. 기상천외한 계약서 한 장을 들고.

사실 라하트는 딱히 외모를 신경 쓰는 편이 아니었다. 예쁘면 좋긴 했지만 못생기면 못생긴 거지, 했다. 잘생기고 싶어서 잘생기게 태어난 게 아니듯, 못생기게 태어나고 싶어서 못나게 태어난 것이 아니니까. 그런데 볼흐라스 제국의 대표 추녀라 할 수 있는 엘로라 아르미트를 떠올리면 요즘 동정심이 먼저 들었다.

자신이야 행동거지가 불량하니 비판을 받을 만한데, 그녀가 처음 남들의 입에 오르내린 건 못난 얼굴 탓이었다. 얼굴이 못생겼다고 불특정 다수에게 수많은 욕설을 들어왔다. 저가 그리 태어나고 싶어서 태어난 것도 아닌데 생면부지 남에게 악담이란 악담은 다 들었으니 성녀로 자랐다면 그게 더 이상한 여자였다.

그런데 이제 엘로라 아르미트에 대한 평을 바꿔야 했다. 자신에게 동정심 같은 걸 받을 여자가 아니었다. 그리고 얼굴과 성격이 못났다고 세간에 욕을 먹을 만한 여자는 더더욱 아니었다.

만약 엘로라 아르미트가 이런 여자인 걸 일찍이 알았다면 사서 고생하지 않았을 거였다. 당연히 엘로라 아르미트가 이 결혼에 대해 수긍했을 거라 믿은 자신이 바보처럼 느껴졌다.

"전하, 이건 서로에게 이득인 계약이에요. 그러니 읽는 척이라도 해 주시면 안 될까요?"

멍하니 있는 라하트를 보니 말투가 살짝 뾰족하게 나갔다. 엘로라의 목소리를 들은 후에야 정신을 차린 라하트가 정말 계약서를 읽는 척했다. 진짜 읽는지, 척을 하는 건지 알 순 없었지만 부탁대로 최소한 '척'은 해 주는 듯해 한시름 놓았다.

내용은 많아도 그리 제약을 빡빡하게 두지 않았다. 처음 요약한 대로 결혼 전 같은 삶만 유지한다면 계약을 위반할 일이 없었다. 그들에게 바뀌는 거라고는 손가락에 끼는 결혼반지와 유부녀 혹은 유부남이라는 호칭, 그리고 정기적인 만남뿐이었다.

"나쁘진 않네."

계약서를 마지막 장까지 읽어 본 라하트의 첫 감상이었다.

그의 담백한 감상을 긍정적으로 받아들인 엘로라가 다시 지장을 찍길 독촉했다. 지장만 찍는다면 바로 자리에서 일어나 미련 없이 저택으로 돌아갈 생각이었다.

"내가 이혼하기 싫다고 하면 어떻게 할 거야?"

"그럴 리 없어요."

"난 이미 네가 마음에 드는걸."

"그 마음, 홀로 간직하세요."

엘로라는 착각하지 않았다.

라하트의 발언은 재롱부리는 애완동물을 목격했을 때나 맛있는 음식을 먹을 때 하는 말과 비슷한 무게감이었다. 절대 엘로라에게 반해서 하는 말이 아니었다.

"초혼일 텐데 낭만 같은 것도 없어?"

"전하께서도 초혼이신데 너무 아닌 척하는 거 아녜요?"

"남자랑 여자의 결혼은 의미가 다르지."

일리 있었다. 결혼은 함께하는 것인데도 불구하고 남자와 여자의 결혼 의미는 사뭇 달랐다. 남자의 결혼과 이혼,

그리고 재혼은 아무렇지 않게 받아들여지는 반면 여자의 결혼과 이혼, 그리고 재혼은 무게감 있게 다뤄졌다.

그리고 여자는 결혼하면 오롯이 남성의 소유물이 되었다. 분명 인간 대 인간이건만 인간과 물건의 관계가 되었다.

그걸 일찍이 깨달은 엘로라는 제 삶이 존재하는데 굳이 남자에게 끌려다니고 싶지 않았다.

"아무 마음 없는 남자랑 여자가 만나서 무슨 큰 낭만이 벌어지겠어요."

그녀의 바람은 사소했다. 최악의 커플이라 불려 조용히 사는 척하다가 조용히 이혼하는 게 꿈이다. 그걸 위해 번거롭게 만남을 요청하여 계약서에 지장을 찍으라 요구하는 것이고.

많은 여성이 로맨스를 바라지만 인생에 로맨스는 없었다.

"냉정하네. 내가 네 오라비가 아니라서 그런가?"

"네."

이건 오라버니들과 관계없는 일이었다. 가족과 별개로 인생의 굴레였다. 하지만 마음에도 없는 대답을 곧바로 내뱉었다. 라하트가 알 수 없는 미소를 지었다.

"난 이 결혼에 낭만이 조금 있어도 나쁘지 않을 것 같은데."

"술 냄새나 지우고 말씀하세요."

이쯤 되면 천성이었다. 여자 꼬시는 능력은. 못난이 엘로라에게도 저런 말이 나오다니.

사실 못난 얼굴을 5초 이상 봐 준 것만 해도 라하트는 대단한 사람이었다. 황제와 황후마저 차마 얼굴을 보지 못해 그녀의 어깨 너머 어딘가를 바라보며 대화했다. 하지만 그는 그런 얼굴을 인상 한 번 찡그리지 않고 올곧게 보았다. 비록 아직 취기가 가시지 않은 것 같지만.

"안 취했어."

"아, 그러세요."

"정말이야."

그런 것치고는 그의 주위에 담배 냄새랑 술 냄새가 나뒹굴고 있었다. 마음에도 없는 소리를 거리낌 없이 잘도 하는 라하트를 잠시 보다가 한숨을 내쉬었다. 어쨌든 이제 지장만 찍으면 용건은 끝났다.

"안 취하셨으면 지장 찍으세요."

"계속 재촉하지 마."

"전하께서 본질을 흐리는 질문만 하니까 재촉하죠."

"뼈 있는 질문만 했는걸."

"지장 찍으세요."

흔들림 없이 의견을 밀어붙이는 엘로라의 모습에 라하트가 작게 웃음을 터트렸다. 순간 또 미친 듯이 처웃을까 봐 엘로라는 긴장했다. 황자가 다시 배꼽 빠지게 웃는다고 시간을 보내면 이곳에 궁둥이 붙이고 앉아 있어야 할 시간이 늘어났다.

다행히 세 번째 폭소는 터지지 않았다. 참으로 다행이었다.

"넌 내가 다른 여자 만나는 게 싫지 않아?"

“전하께서 제 소유물인가요? 쓸데없는 질문 그만하시고 어서 지장 찍으세요.”

“그렇지. 내가 네 소유물은 아니지.”

순순히 수긍한 라하트가 드디어 계약서에 지장을 찍었다. 계약서는 총 두 부였다. 두 부 모두 지장을 찍고, 한 부씩 나눠 가졌다. 일반적인 계약서나 마찬가지였다.

“시간 내어 주셔서 감사합니다, 라하트 전하.”

잽싸게 계약서 한 부를 빼앗은 엘로라가 자리에서 일어났다. 정중한 인사는 잊지 않았다. 라하트는 지장을 찍자마자 제 할 일 다 끝났다고 냉정하게 일어나는 엘로라를 보니 조금 더 시간을 끌면 재미있었을 거라는, 엘로라가 알았더라면 기함할 생각을 했다.

“벌써 가?”

“이야기가 끝났으니 가야지요. 혹, 하실 말씀이라도 있으신가요?”

“아니.”

“그러면 결혼식장에서 뵙겠습니다, 전하. 계약서는 소중하게 보관하세요.”

조언까지 잊지 않고 엘로라가 자리를 떴다.

라하트가 폭소를 터트리느라 테이블 위에 놔두었던 파이프를 들었다. 그것을 입에 대자 몽글몽글 연기가 피어올랐다. 그 사이로 뒤뚱뒤뚱 걸어가는 엘로라의 뒷모습을 보니 묘하게 누군가가 떠올랐다. 아니, 계속 떠올랐는데 접점을 찾을 수 없어 무시하고 있던 생각이었다.

"아르미트 가문에 사생아가 있었나?"

뒤뚱대며 걷느라 멀리 가지 못했다. 엘로라가 충분히 들을 수 있을 정도의 물음이었다

뜬금없는 라하트의 질문에 자리에 우뚝 선 그녀는 한기를 느꼈다. 아무 이유 없이 한 질문은 아닐 터였다. 머릿속까지 잔뜩 술에 취했는지 영 어떤 사고 회로를 가졌는지 이해할 수 없는 황자는 가끔 이렇게 당황스러운 질문을 하곤 했다.

"……저희 아버지는 어머니만을 사랑하신답니다."

아르미트 후작 부인은 고인이 된 지 오래이지만 엘로라는 후작의 사랑을 과거가 아닌 현재형으로 언급했다. 진실이 그러했기에. 직접적인 답은 아니었지만 충분히 물음에 답이 되었다.

라하트가 고개를 끄덕였다. 그런 그의 얼굴이 하얀 연기에 흐릿해졌다.

라하트의 눈빛이 다시 몽롱해지는 걸 확인하고 다시 뒤뚱대며 걷기 시작했다. 몇 걸음 걷다가 양산을 펴지 않았음을 깨닫고 뒤늦게 양산을 펴 햇볕을 가렸다. 그 모습을 봤는지 뒤에서 라하트의 낮은 웃음소리가 들리는 듯했지만 무시했다.

선선한 바람이 엘로라의 뺨을 스쳐 지나갔다.

라하트의 지장이 찍힌 계약서를 들고 있으니 개운했다.

누군가에게는 단순 종이 쪼가리일 뿐이겠지만 그녀에겐 자유를 보장하는 증서였다. 아르미트 저택을 나와서도 지금처럼 활동할 수 있게 만들어 주는 증서.

제정신이 아닌 황자가 얼마나 계약서 내용을 지킬지는 모르겠지만, 평소 행실을 보아 아마 강제로 계약 내용을 지키게 될 것이다. 그가 황궁에 궁둥이를 붙이고 있는 시간은 잘 때를 제외하면 거의 없다는 걸 엘로라도 알았다.

그마저도 바깥에서 잘 때가 많아 라하트의 자유로운 황궁 출입은 황제도 미련을 버렸다. 그런 이니 잠깐 못난이 엘로라에게 관심을 보였다 하더라도 한때일 것이다.

제 버릇 개 못 준다고, 결국 아내가 있다는 사실을 잊고 술에 취해 바깥을 나돌 사람이었다.

물론 그 버릇을 고치라고 강제로 진행한 결혼이었지만 거기까진 엘로라가 알 바 아니었다. 황제도, 황후도 결혼으로 가정이 생기면 황자가 좀 철들 거라 생각한 듯하지만 엘로라가 보기엔 전혀 아니었다.

가끔 하는 행동이 심상치 않은 것이, 무언가 날카로운 꿍꿍이를 숨기고 있는 듯했지만, 미리 약속을 잡아 뒀음에도 불구하고 전날 진득이 술을 퍼마시다가 제대로 씻지도 않고 나온 사람이었다. 그리고 숙취가 제대로 해소되지 않은 얼굴로 파이프를 펴 댔다. 구제 불능이라는 뜻이었다.

이건 엘로라의 할머니의 할머니의 할머니가 와도 고치지 못할 성정이었다.

황자를 결혼시키고, 황태자의 결혼도 독촉하여 후계 계승이 안정되고 황실 서열도 잡히면 라하트에게 적당한 작위를 쥐여 주고 밖으로 내쫓을 듯한데, 그 후에 이혼하면 누구도 무어라 간섭하지 못할 것이다.

엘로라는 그걸 바랐다.

지저분하게 관계없는 사람을 데리고 와 황실에서 진행한 결혼의 판을 뒤엎고 상대에게 치욕만 떠넘기는 방식이 아닌.

오랫동안 못난이 엘로라의 삶을 연기해야겠지만 개의치 않았다.

그녀가 그녀로서 오롯이 존재할 수 있다면 어떤 위험이든 감수할 수 있었다. 구제 불능 망나니조차.

자신이 한 여자의 인생에 걸림돌이 된 줄도 모르고 라하트는 멍하니 하늘을 올려다보았다. 날씨가 참 좋았다.

아르미트 가문의 영애와 결혼 소식이 난 후로 자신의 얼굴을 보는 사람마다 못난이 엘로라와 결혼해서 인생이 망했다는 식으로 얘기했다.

그때마다 허허, 하고 웃어넘겼지만 속으로는 딱히 인생이 망했다 생각하지 않았다. 아내가 못생겼다는 이유 하나로 인생이 망했다고 하기에는 이미 자신이 인생을 너무 망쳐 놔서 더 망쳐질 것도 없었기 때문이었다.

스스로 나락으로 떨어진 그였다.

이미 망한 인생, 타인까지 엮어서 쑥덕대는 게 썩 기분이 좋진 않았다. 그래서 술과 여자를 즐기기보다 최근 오페라를 보는 데에 취미를 붙였다. 겸사겸사 주연 가수인 로즈라는 여자도 꼬시고. 비록 마지막 대답은 듣지 못했지만.

오페라를 하지 않으니 갈 데가 없어서 술집에 간 게 화근이었다. 여자는 만나고 싶지 않아 평범한 술집에 갔지만, 오랜만에 라하트의 얼굴을 본 일행은 그에게 끊임없이 술을 건네주었다.

마시고, 마시고, 마시고.

미래의 아내와 첫 만남이 있음을 알면서도 마셨다.

알코올이 들어가니 머리가 물렁물렁해졌다. 꾸역꾸역 황궁에 돌아와 이른 새벽, 응접실에 죽치고 앉아 있었다. 약속 장소가 이곳이니 굳이 귀찮게 침실까지 기어들어 갔다가 다시 올 필요를 느끼지 못했다.

그런데 앉아 있으니 금방 무료해져서 습관적으로 파이프를 물었다. 그렇게 몇 시간 동안 물고 있었나 보다. 정신을 차렸을 때는 당황한 시녀와 시녀장이 그를 끌고 바깥으로 내보냈다.

딱히 그럴 생각은 없었는데 첫 만남부터 좋지 않은 모습을 보였다. 물론 그녀는 이 모든 걸 개의치 않아 하는 듯했지만. 지장을 찍는 데에 정신이 팔려 다른 건 신경도 안 쓰는 것처럼 보였다.

라하트가 힐끔 문제의 그 계약서를 보았다.

엘로라의 정갈한 글씨가 빼곡하게 메워져 있었다. 언뜻

보면 검은 건 문자요, 하얀 건 종이였다. 이런 거에 왜 그렇게 목을 매었는지 완벽히 이해할 수 없었다.

첫 문항부터 육체적인 관계를 맺지 않는다고 못 박는 것이 신기했다.

대부분 여자라면 아이를 낳고, 어머니가 되는 걸 자랑스러워했다. 아이가 생기지 않으면 오히려 불안해했다.

이혼을 먼저 생각해서 그런가.

정말 재미있는 여자였다.

피식 웃음이 튀어나왔다. 하도 웃어서 아픈 광대가 살짝 올라갔다.

저택에 도착한 엘로라는 화장을 지우고 옷을 갈아입었다. 가벼운 흰색 원피스 하나 입었을 뿐인데 몇 시간 전과 아름다움이 천지 차이였다.

언뜻 수수해 보이는 원피스는 길게 늘어진 그녀의 은발과 함께 어우러졌다.

무거운 옷을 벗어 던진 엘로라는 조금 가벼운 마음으로 거실에 내려가 애용하는 흔들의자에 앉았다. 원래라면 바로 화가 로이스로서 흰 캔버스에 작품을 그리기 위해 열과

성을 다했겠지만 그럴 상태가 아니었다.

황자와 대화를 조금 나눴다고 피곤했다. 별별 사람을 다 만나 봤지만 황자 같은 사람은 또 처음이었다. 분명 제가 원하는 목적은 다 달성했고, 그 결과물도 고이 서랍 안에 넣어 뒀는데 찝찝했다. 원인 모를 찝찝함이었다.

황자의 몸에서 풀풀 나던 담배 향 탓인가.

결국 원인을 외적인 것에서 찾은 엘로라가 팔을 들어 킁킁 냄새를 맡아 보았다. 황자가 피우던 담배 향은 나지 않았다. 술 냄새 또한.

살갗을 드러내지 않은 드레스를 입고 만났으니 당연한 일이었다. 냄새가 난다면 드레스에서 나야지, 바깥 공기를 맡지 않은 팔에서 찾는 게 이상한 일이었다. 머리로는 납득하는데 묘하게 찝찝함이 가시질 않아 몇 번 더 제 팔에 코를 갖다 대고 킁킁거렸다. 하지만 뾰족한 답이 나오지 않아 이내 그만두었다.

기행을 그만둔 그녀는 조용히 흔들의자에 몸을 맡겼다.

흔들의자가 느릿하게 앞뒤로 움직였다. 고용인만 남은 저택은 쥐 죽은 듯 조용했다. 엘로라가 거실에 있는 걸 알아 다들 근처에 오지 않았고, 오더라도 고양이 발걸음으로 조용히 왔다가 조용히 갔다.

고요였다.

멍하니 평온한 침묵에 잠식한 엘로라는, 시간 감각도 잊고 그리 앉아 있었다. 불 없는 벽난로, 벽에 걸린 우아한 그림들, 차가운 대리석, 그리고 자신의 하얀 발. 시선의 끝이 발등에 걸렸다. 푸른 혈관이 창백한 살갗을 통해 투명하게 보였다.

발가락을 꼼지락거렸다. 그녀의 움직임에 따라 혈관이 솟아났다가 다시 들어갔다. 꼼질대는 발가락은 허우적대는 것처럼 보였다. 함께 고개를 숙였다 드는 열 발가락. 발가락 끝은 붉게 달아올라 있었다.

그 행동을 아무 의미 없이 반복하던 엘로라는 불현듯 벌떡 자리에서 일어났다. 반동으로 흔들의자가 빠르게 움직였다. 그것을 스쳐지나, 빠른 걸음으로 계단을 타고 올라갔다.

아르미트 저택에는 엘로라의 개인 작업실이 있었다. 무슨 직업을 가지느냐에 따라 작업실의 가구 배치는 조금씩 달라졌다. 이제는 못난이 엘로라를 제하면 화가 로이스로만 활동하고 있기에 그녀의 작업실은 화실이나 마찬가지였다.

그녀의 가벼운 발걸음 소리가 복도를 울렸다. 경쾌했다. 익숙한 문을 여니 깔끔하게 정리된 그녀만의 공간이 반겼다.

물감 냄새가 진동해 미리 환기를 시켜 놓아서 창문이 활짝 열려 있었다. 총총 창문 앞으로 간 엘로라는 부드러운 햇살을 받았다. 새 지저귀는 소리가 여기까지 울렸다.

잠시 휴식을 취하고 나니 기분이 좋아졌다.

부드러운 미소를 머금은 그녀가 등을 돌렸다.

쉬는 시간은 끝났다. 발가락을 꼼지락대고 있으니 손이

간질거렸다. 아무것도 하지 않는 자신을 써 달라는 듯이. 지금 외양은 영락없이 엘로라 아르미트였지만 내면을 차지한 건 화가, 로이스였다.

머릿속에 수많은 이미지가 스쳐 지나갔다.

캔버스를 채울 세계였다.

신중하게 사이즈별로 세워진 캔버스를 보았다. 그녀의 손이 캔버스 위를 오갔다. 짧은 고민 끝에 10호의 캔버스를 꺼냈다. 하얀 캔버스를 세우니 그녀의 푸른 눈동자가 반짝였다. 이미 그녀의 머릿속에서는 다채로운 세계가 캔버스에 펼쳐져 있었다.

연필을 들었다. 먼저 스케치를 해야 했다.

부드러운 곡선이 그어졌다. 한 치의 망설임도 없는 움직임이었다. 어느 때에는 과감하게, 어느 때에는 신중하게 하얀 캔버스 위에 검은 선이 늘어졌다 줄어들었다.

글을 쓸 때와는 또 다른 감각이었다.

점은 선이 되고, 선은 면이 된다.

면이 될 때마다 차오르는 희열에 엘로라의 하얀 손이 리듬을 타듯 움직였다. 왈츠 같은 빠른 템포를 타고 날아갈 듯이 온몸을 움직이기도 하고, 자장가같이 느리고 부드럽게 캔버스를 어루만지기도 했다.

저만의 공간에서 펼쳐 가던 엘로라의 세계가 캔버스 밖으로 튀어나왔다. 순간 입술을 꾹 깨물었다. 열정적인 손짓이 뚝 멈췄다. 반짝이던 눈동자가 빛을 잃고 멍하니 캔버스를 주시했다. 팔이 힘없이 떨어졌다.

10호의 캔버스는 그녀의 드넓은 세계를 표현하기에 턱없이 부족했다.

한참이나 멍하니 흑과 백으로 나뉜 캔버스를 바라보던 엘로라가 자리에서 일어나 설렁줄을 당겼다. 멀리서 발걸음 소리가 들렸다. 조심스러운 노크 소리가 이어지자 엘로라가 들어오라 했다. 히나였다.

"필요한 거 있으세요?"

작업하다 중간에 부르는 일이 극히 드물어 히나가 걱정스레 물어봤다. 덩그러니 세워진 캔버스는 아직 스케치 단계를 끝내지도 못한 채 있었다.

"화방에 가서 큰 캔버스를 사 와 줘."

"몇 호를 사 올까요?"

몇 호. 얼마나 커야 세계가 가득 들어찰 수 있을까.

가늠되지 않았다. 이런 식으로 뮐런 씨가 원하던 큰 캔버스 작업을 할 생각은 없었는데. 갑자기 떠오른 세계가 강렬하게 엘로라의 마음을 사로잡았다. 작은 캔버스에 작업한다 하여 만족될 것이 아니었다.

"아무래도 내가 직접 가는 게 낫겠어."

"아가씨 혼자 가서 들고 오기 힘드실 거예요. 옮겨 달라고 부탁한다 하더라도……."

히나가 말을 흐렸다. 굳이 뒷말을 하지 않아도 무슨 말을 하고 싶은지 알 수 있었다.

"나 혼자 가서 아르미트 저택으로 옮겨 달라고 부탁하면 수상해 보이겠지?"

아르미트 가문의 남자들은 각자의 분야에서 정점을 찍었다고 익히 알려져 있다. 문과 무. 그리고 재계(財界). 모두 중요하다 알려진 분야였다. 하지만 아르미트 가문에는 딱 하나. 예술에 관해선 조예가 깊다 알려진 인물이 없었다. 엘로라가 있었지만 대외적으로는 사치스럽고 약간 경박하다 싶은 여자였으니, 완성된 작품도 아닌 하얀 캔버스를 사 가는 게 수상해 보일 법도 했다.

"아니면 막내 도련님에게 연락할까요?"

히나가 대책을 내놓았다. 지금 그녀의 화실을 꾸미고 있는 화구와 캔버스는 모두 요제프가 사 온 것이었다. 상단의 규모가 커, 다양한 물품을 거래하는 그에게 이 정도 쯤이야 아무것도 아니었다.

이미 여러 번 손을 벌렸는데 이번 한 번 더 부탁한다고 요제프가 싫어할 리는 없었다. 오히려 엘로라의 부탁이라 하면 쌍수 들고 환영하여 커다란 사이즈의 캔버스를 종류별로 과할 정도로 들고 올 것이다.

저번에 뮐런 씨의 부탁도 있었고, 문득 큰 사이즈의 작업 하나를 한 번쯤은 해 보고 싶다는 강렬한 충동이 있었기에 부탁한 거라 한 꾸러미 가져올 필요는 없었다. 또 자신 때문에 일찍 퇴근할 거라 생각하니 괜히 미안해져 손쉽게 대답을 내놓지 못했다.

"아가씨?"

"……큰 사이즈의 캔버스를 종류별로 하나씩만 가져와 달라고 말해 줘. 저택에 없는 사이즈부터라고 하면 알아들을 거야."

"예. 얼른 갔다 올게요."

잠깐 고민한 엘로라는 결국 요제프에게 부탁할 수밖에 없었다. 히나가 고개를 끄덕이곤 빠르게 방을 빠져나갔다. 멍하니 스케치 작업이 끝나지 않은 캔버스를 보던 엘로라의 머릿속이 복잡해졌다.

다양한 생각이 샘솟았다. 히나가 나가고 오랫동안 생각의 흐름에 몸을 맡긴 엘로라가 천천히 두 눈을 깜빡였다.

아무래도 결혼식 전까지 전시회에 내놓을 그림을 마무리하느라 다른 인물로 살아갈 계획을 짜는 건 뒤로 미뤄야 할 것 같다. 어떻게 오페라 가수 로즈의 일정을 소화했나 싶을 정도로 막상 그림을 그리니 전시회 전까지 시간이 촉박하게 느껴졌다. 그만큼 그리고 싶은 게 많았다.

엘로라가 하얀 캔버스가 정리된 곳으로 몸을 돌렸다. 그녀의 손이 망설임 없이 지금 작업하고 있는 사이즈와 동일한 사이즈의 캔버스를 두 개 꺼냈다.

큰 작업물 두 개라니. 스스로 생각해 냈지만 정말 미친 것 같았다.

의도치 않게 파격적인 양식으로 작업하게 되었다. 분할된 캔버스는 세 개가 하나였다. 세 개의 조각이 모여 하나의 세계를 이룬다. 굳이 겪어 보지 않아도 꽤 고된 작업이 되리라.

하지만 엘로라의 얼굴에서 고단함은 느껴지지 않았다. 오히려 생기발랄했다. 마음을 정한 그녀가 다시 연필을 들었다. 기획이 끝났으니 어서 스케치를 마무리하고 채색 단계에 들어가고 싶었다. 완성작을 두 눈으로 볼 시간이 가까워질수록 심장이 가쁘게 뛰었다.

시간은 빠르게 흘러, 해가 기울었다.

땅거미가 지고, 아르미트 가문의 남자들이 하나둘씩 저택으로 모였다. 저녁 식사 시간이 다가오자 저택에는 맛있는 음식 냄새가 향긋하게 풍기기 시작했다.

그 냄새는 엘로라가 있는 방까지 닿지 못했다.

"아가씨, 식사하러 내려오세요."

"잠깐만. 조금 이따가 내려갈게."

캔버스에 시선을 둔 채로 엘로라가 말했다.

문 너머의 히나는 알고 있었다. 엘로가 말하는 '조금'이 일반적으로 알고 있는 '조금'이 아님을. 한 번 집중하면 누가 뭐라 해도 끝장을 내야 자리를 털고 일어나는 아가씨였다. 이런 식으로 종일 식사도 안 하고 개인 작업실에서 나오지 않은 적이 한두 번이 아니었다.

엘로라의 건강이 걱정되었지만 아가씨가 그리 말하니 토를 달수도 없는 노릇이었다. 어깨를 축 늘어트리고 계단을 내려간 히나는 식당으로 갔다. 미리 앉아 있던 아르미트가의 남자들이 동시에 그녀를 쳐다봤다.

"엘로라는?"

"아가씨께서는 조금 이따 내려오신다고 하셨습니다."

"……안 내려오겠다는 뜻이네."

동의의 의미로 다들 고개를 끄덕였다.

분명 집중하느라 물도 한 모금 안 마시고 캔버스만 뚫어져라 쳐다보고 있을 터였다. 한 가지에 몰두하면 무섭도록 집중하는 엘로라의 모습은 보기 좋았지만 가끔 걱정될 때가 있었다. 그때가 바로 지금이었다.

그렇다고 억지로 끌고 올 수도 없었다.

내려오라 하여 내려올 아이도 아니고 말이다.

집중하고 있는데 괜히 건드리고 싶지도 않았다. 엘로라의 순수하게 반짝이는 열정을 방해하고 싶진 않지만, 걱정되어 안절부절못하는 아르미트가의 남자들이었다.

상황이 이러니 음식이 목구멍으로 넘어갈 리 없었다. 다들 일단 식사를 시작했지만, 평소보다 깨작거렸다. 위층에서 일만 하고 있을 엘로라를 생각하느라 대화도 한마디 나누지 않았다. 불편한 침묵 속에서 결국 참다못한 요제프가 마시듯이 제 앞에 있는 음식을 해치우고 먼저 자리에서 일어났다.

"엘로라한테 갔다 올게."

요제프의 발언은 파장이 컸다. 다들 먹던 걸 멈추고 요제프를 바라봤다.

"방해해서 무엇하려고."

"저한테 부탁한 게 있어요."

모두의 부러움 어린 시선을 받으며, 요제프가 시종을 시켜 캔버스를 들고 오라 하곤 위층으로 올라갔다. 복도는 숨 막힐 듯이 조용했다. 그중 익숙한 방문 앞에 선 요제프가 정갈하게 방문을 두드렸다.

"엘로라, 나야. 네가 부탁한 거 들고 왔어."

"들어와. 오라버니."

허락이 떨어졌다. 문을 열자 캔버스 세 개와 자신에게서 등을 지고 있는 엘로라의 모습이 시야에 들어왔다. 잠시 그 자리에 서서 작고 가녀린 그녀의 뒷모습을 보던 요제프가 발소리를 죽이고 그녀에게 다가갔다.

"캔버스는 어디 두라고 할까?"

"아무 데나. 상관없어."

평소와 다르게 무심한 대답이었다. 그림에 집중하느라 대화를 하는 데에 많은 관심을 쏟을 수 없는 그녀였다. 뒤따라온 시종들에게 아무 데나 놔두라고 조용히 손짓한 후, 신중하게 선을 긋는 그녀의 모습을 지그시 보던 요제프가 조심스레 물음을 던졌다.

"배 안 고파?"

"응."

"그래도 내려와서 간단히 먹어. 다들 네 걱정이야."

"한 끼 안 먹었다고 쓰러지지 않아. 다들 과보호라니까."

그제야 엘로라의 얼굴에 부드러운 미소가 그려졌다. 한

결 편해진 분위기였다. 비록 집중을 깬 것 같지만, 요제프가 보기에는 그녀에겐 잠깐의 휴식이 필요했다.

"툭 건드리면 부러질 것 같으니까 걱정이지. 그보다 이게 지금 작업하는 작품이야?"

"응. 어때?"

"한 번도 이런 형식의 그림을 본 적이 없어. 완성된다면 제국에서 최고의 그림이 될 거야. 아니, 제국뿐 아니라 다른 나라에서도 네 그림을 사고 싶어 연락이 수도 없이 올걸?"

"고마워, 오라버니."

세 개의 캔버스는 전체적으로 보면 하나의 작품이었다. 하얀 캔버스 안에 박제된 네 발 달린 짐승이 분할된 채로 저를 뚫어져라 쳐다봤다. 처음으로 큰 사이즈의 작업을 하고 싶다 하여 그에 맞는 캔버스를 사 왔는데, 이런 방식으로 작업한다면 굳이 필요할 것 같지 않았다.

엘로라는 그의 도움 없이도 알아서 좋은 결과물을 일궈내고 있었다.

"이러면 큰 사이즈 캔버스는 필요 없지 않아?"

"아니. 중간에 또 그리고 싶은 게 생겨서 필요해. 수고했고, 고마워. 오라버니."

"별거 아니야."

정말 별거 아니었다. 돈이라면 넘쳤고, 조용히 물건 몇 개 사 오는 것쯤이야 한 손으로 코 풀기보다 쉬웠다. 엘로라는 항상 칭찬을 과하게 하는 편이었다. 쑥스럽기도 하고, 더 잘해 줘야겠다는 의지도 생겨 요제프는 뒷머리를 긁적였다. 의도했든 의도하지 않았든 그녀는 사람의 마음을 움직이는 데 천부적인 재능을 가지고 있는 듯했다.

집중력이 흐려진 김에 엘로라는 자리에서 일어났다. 온몸이 찌뿌듯했다. 장시간 굳어 있던 몸이 조금 움직이자 여기저기서 비명을 질렀다. 간단히 기지개를 켠 엘로라가 주위를 둘러보았다.

의식하지 않았는데 벌써 바깥은 어둑어둑해져 있었다. 오후보다 시린 바람이 엘로라의 뺨을 간질였다. 뒤늦게 추위를 느껴 활짝 열린 창문을 닫았다. 창문을 닫았지만 방 안에 서늘한 기운이 가시질 않았다. 그런 그녀의 위로 겉옷이 덮어졌다. 요제프였다.

"추워 보여서."

"고마워, 오라버니."

작게 미소 지은 엘로라의 시선이 자연스레 잔뜩 쌓인 캔버스 쪽으로 옮겨졌다. 일찍이 엘로라가 집중하고 있음을 눈치챈 히나가 중간에 그녀 모르게 방에 불을 켜 놓고 가 주위는 환했다. 등 아래에서 밝게 빛나는 커다랗고 하얀 캔버스를 보니 심장이 두근거렸다.

요제프를 스쳐지나, 이때까지 작업한 적 없는 커다란 캔버스 쪽으로 걸어갔다. 가까워지니 캔버스 크기가 다들 사람 몸만 하다는 것이 체감됐다.

"마음에 드는 사이즈가 있어?"

"응."

줄지어 서 있는 캔버스를 보자마자 원하는 사이즈를 바로 알 수 있었다. 직감이었다. 누군가 이것이 옳다 한 적 없었지만 첫눈에 알았다.

엘로라가 손을 뻗었다.

이곳에 흔적을 남기고 싶었다.

화가 로이스가 아닌, 엘로라 아르미트의 흔적을.

비록 신기루처럼 녹아내릴 흔적이라도.

충동적인 선택을 후회하지 않을 자신이 있었다.

똑똑—

정갈한 노크 소리가 엘로라를 깨웠다. 화들짝 놀란 그녀가 문을 보았다. 다정한 아버지의 목소리가 문 너머로 들렸다. 들어오라 하자, 아버지만 그녀의 화실을 찾아온 것이 아님을 알 수 있었다. 에곤과 라엘이 그림자처럼 슬금슬금 아버지의 뒤를 따랐다. 조심스러운 걸음에 엘로라는 저도 모르게 웃음을 터트리고 말았다.

"엘리, 내가 그림 그리는 데 방해한 거 아닌가 걱정되는구나."

"아니에요, 아버지. 잠시 요제프 오라버니와 쉬고 있었어요."

그녀의 대답에 용기를 얻은 후작이 성큼 안으로 들어왔다. 방 안에는 서늘한 기운이 남아 있었다. 아직 채색은 들어가지 않았는지 물감 냄새는 전혀 나지 않았고, 커다란 캔버스와 스케치가 한창인 캔버스가 눈에 들어왔다.

후작은 그 중심에 우뚝 서 있는 제 딸의 얼굴을 보니 걱정하던 마음이 사르르 풀어졌다.

"다들 구경하러 온 거예요?"

구경의 의미보다는 걱정과 질투의 의미가 컸다. 요제프가 엘로라를 보러 올라간다니, 아무리 먼저 부탁했다고는 했지만 저 혼자 막내딸을 보러 간다는 게 괘씸하게 느껴져 충동적으로 올라왔다. 그런 후작의 뒤를 평소에도 말수가 적은 에곤과 라엘이 졸졸 따랐다.

둘째 라엘은 그사이에 잽싸게 저녁을 먹지 못한 엘로라에게 줄 샌드위치를 챙겼다. 항상 딴생각에 잠긴 듯해 보이는데 이럴 때는 행동이 빠른 둘째였다.

"자."

엘로라의 물음에 대답하는 대신, 성큼 앞으로 다가온 라엘이 들고 온 샌드위치를 건네주었다. 샌드위치를 보니 저녁 식사 하라는 히나의 외침이 떠올랐다.

그때가 언제인지 알 수 없어도 정확히 하나 알 수 있는 건 시간이 꽤 흘렀다는 사실이었다. 배 속에서 오랜 공복을 알렸다.

"내가 걱정돼서 들고 온 거야? 히나한테 시켰어도 됐을 텐데."

"고집부렸어. 내가."

"고마워, 오라버니."

기회가 있을 때 쟁취해야 한다고, 아무것도 들고 오지 않은 나머지 남자들은 당혹감을 느꼈다. 부드럽게 올라가는 엘로라의 입꼬리를 보니 빈손으로 오는 게 아니었다는 생각이 들었다

“목마르지 않아, 엘로라? 내가 차 가지고 올까?”

“추워서 요제프의 겉옷을 입고 있는 거라면 내가 담요를 들고 오도록 하지.”

요제프와 에곤이 뒤늦게 허겁지겁 엘로라를 챙겼다. 후작도 무언가 말하고 싶은 눈치인데 차마 입 밖으로 내뱉진 못하고 헛기침만 여러 번 했다.

샌드위치를 작게 입 안에 넣던 엘로라는 웃음을 터트렸다. 정말 못 말리는 아르미트 가문의 남자들이다.

이 순간, 또 자신이 과분한 사랑을 받고 있음을 느꼈다.

“난 더 필요한 게 없어. 그러니 강가에 놓은 어린아이 보듯 행동하지 않아도 돼.”

“하지만…….”

라엘이 먼저 선빵을 쳤는데.

차마 그렇게 말할 수 없어 에곤이 말끝을 흐렸다. 요제프 또한 안절부절못하다가 결국 얌전히 있었다. 그나마 위안인 건 엘로라의 어깨에 걸쳐진 자신의 겉옷이었다. 이를 지켜보던 후작이 짐짓 엄하게 두 아들을 훈계했다.

“애가 아무렇지 않다는데 주책없게 무슨 짓들이냐. 그보다, 엘리. 언제까지 있을 생각이니?”

"음, 어느 정도 마무리되면 침실에 들어가서 잘게요. 너무 염려 마세요."

애칭을 부를 때 다정함이 듬뿍 들어가서 엘로라가 미소를 지우지 못했다. 말은 저렇게 해도 속으로 가장 안절부절못하고 있는 건 아버지였다.

한 명이 들어오자 결국 가족이 전부 우르르 몰려든 화실이 붐볐다. 항상 작업하느라 바쁘다고 출입을 금지한 터라 이리 북적이는 것도 오랜만이었다.

오라버니가 셋이나 되는 데다 아버지도 항상 애정 어린 눈길로 그녀를 지켜봐 어머니의 부재가 그리 크게 다가오지 않았다. 어머니를 잃은 후로 어머니의 몫까지 사랑을 준 아버지였다. 빈자리가 하나 있었지만 그 자리를 알아서 메꿔 주었다. 엘로라는 지금 충분히 행복했다.

샌드위치를 먹으며 잠시 가족들과 담소를 나누었다. 꽤 오랜 행복한 시간이었다.

얼마 지나지 않아 시간이 슬슬 늦어, 다들 아쉬운 대로 발걸음을 돌렸다. 그런 그들에게 인사를 한 엘로라가 다시 화실로 발을 내디뎠다. 아직 완성되지 않은 맹수가 세 토막이 난 채 엘로라를 주시했다.

휴식이 생각보다 길어져 조각 난 맹수를 완성시키려면 부지런히 움직여야 했다. 이전과 다른 작품이라 뮐런 씨가 만족할지 모르겠다. 하지만 그녀에게 있어 가장 우선되는 건 그녀의 만족이었기에 부담 없이 작업했다. 타인의 인정도 중요했지만 그건 두 번째였다.

내일은 따로 일정이 없어서 편하게 작업할 수 있었다. 밤을 새어 컨디션이 좋지 않더라도 지장이 될 만한 일이 없었다

자리를 잡은 엘로라의 손이 재빠르게 캔버스 위를 노닐었다. 그녀의 표정은 신중했지만 행복해 보였다.

다행히 작업은 해가 뜨기 전에 어느 정도 마무리를 지을 수 있었다. 오후에 채색에 들어가면 될 듯했다.

몸을 푼 엘로라는 일정을 가늠했다.

전시회는 신혼여행을 다녀온 후였다. 신혼여행 일정과 겹치지 않은 게 절묘하다. 신혼여행을 가는 동안 윌런 씨와 연락할 수 없으니 미리 언질해 놔야 얼굴 붉힐 일이 없었다. 여러 경우를 감안한 엘로라가 녹초가 된 채로 화실에서 나왔다.

이제 침실로 가 달콤한 잠을 즐길 시간이었다. 하루를 알차게 보내니 뿌듯했다. 하루의 끝에서 무언가 결과물을 손에 들고 있으면 인생을 헛되이 보내지 않은 듯해 스스로에게 칭찬을 하곤 한다.

그리고 그 날이 오늘이었다.

오늘 수고했다고 속으로 잔뜩 외쳐 준 엘로라가 잠옷으로 갈아입으려 했다. 그때, 노크 소리와 함께 히나의 목소리가 들렸다.

“아가씨, 들어갈게요.”

일단 들어오라고 했지만 이때까지 자지 않고 있는 히나를 보니 썩 마음이 편치 않았다.

"내가 늦을 땐 그냥 자고 있으라니까."

"아가씨가 주무시지 않는데 어떻게 제가 속 편히 잘 수 있겠어요. 이리 주세요. 제가 도와 드릴게요."

"혼자 갈아입을 수 있는 거 알면서."

"알아도 제가 할 일이니까 하는 거예요. 아침에는 양보해 드렸잖아요. 그러니 밤에는 참아 주세요."

둘 다 고집을 꺾을 생각이 없었지만 결국 엘로라가 한 수 접었다. 히나가 다부지게 옷 갈아입는 걸 도와줬다. 몇 번이나 다퉈도 끝맺음이 나지 않는 논쟁이었다.

최근엔 그래도 일찍 작업을 끝내고 잠든 편이었는데, 이제 결혼이 코앞이라 시간이 촉박하다고 생각해서 그런지 잡생각 없이 집중해서 오랜 시간 작업했다. 그만큼 매력적인 작품을 만들 예정이라 그런 것일지도 몰랐다.

옷을 다 갈아입고, 피곤한 엘로라가 침대에 그대로 쓰러졌다. 그 모습을 엄마 같은 미소로 바라본 히나가 물어봤다.

"따듯한 차라도 드릴까요?"

"아니, 됐어. 히나도 어서 자."

"네. 오늘 하루도 수고하셨어요. 안녕히 주무세요, 아가씨."

뒷정리하고 히나가 방을 나갔다.

어둠과 정적. 그것만이 오롯이 엘로라의 곁을 지켰다.

눈을 감은 엘로라는 그대로 기분 좋게 잠들었다.

그리고 다음 날부터 그녀의 일상은 반복되었다. 아침 일찍 일어나 식사하고 가족을 배웅한 후, 종일 그림을 그렸다. 손목이 저릿해지고 목이 뻣뻣하게 굳어질 때쯤이면 한 번씩 몸을 풀어 주었다. 그림 그리는 게 즐겁지만 체력적으로 힘들 때면 잠시 밖에 나가 바깥 공기를 쐬고 돌아와 다시 그림을 그렸다.

가족과의 저녁 식사는 웬만하면 제때 참석하여 하루를 묻고 다시 작업실로 돌아와 그림을 그린다. 채색 작업에 들어가자 수시로 손을 씻어도 그녀의 손톱 밑에 물감 때가 마를 날이 없었다.

인내의 시간이었다.

각고의 노력 끝에 '로이스'의 이름이 꼬리표처럼 따라붙을 그림이 완성되었다. 결혼식 전이었다. 급하게 윌런에게 만나자고 하여 무사히 그림을 건네줄 수 있었다.

세 점이지만 총 하나의 작품을 받고 윌런은 놀란 기색을 지우지 못했다. 무언가 얼빠진 표정으로 캔버스를 보았다. 엘로라는 콩닥콩닥 설레는 마음으로 작품에 대한 반응을 기다렸다. 한참 굳은 표정을 짓던 윌런의 입술이 열리기만을 기다리며 뚫어져라 바라봤다. 평소보다 배가 걸리는 작품 평가에 그녀의 속만 까맣게 타들어 갔다.

오랜 시간이 걸려 겨우 받아 낸 대답은, "로이스 씨의 빚, 제가 대신 내주면 안 됩니까?"였다. 작품에 대한 직접적인 평가는 아니었지만 그것으로 충분했다.

파리한 안색으로 우수에 젖은 미소를 지어 준 엘로라가 고개를 젓고 일찍이 자리에서 일어나는 것으로 윌런의 부탁은 깔끔하게 거부당했다. 하지만 윌런은 크게 개의치 않아 하는 듯했다. 그의 관심은 오로지 로이스의 작품이었다. 캔버스 세 점을 어찌나 소중히 여기는지, 보는 사람이 다 머쓱했다.

그런 윌런에게 대형 그림은 오늘내일 중으로 따로 보내준다는 폭탄 발언을 하고 유유히 자리를 떴다. 덩그러니 남은 윌런이 벌렁대는 심장을 주체하지 못하고 가슴을 움켜잡았다.

로이스의 대형 그림이라니.

세상에, 신이시여.

별별 감탄사를 속으로 내뱉고는 황급히 캔버스를 챙겼다. 뒤늦게 감동의 물결에서 정신을 차린 윌런 또한 자리를 떴다.

그렇게 모든 준비를 마친 엘로라에게 쫓기듯 준비한 결혼식이 성큼 다가왔다.

결혼식 당일이었다.

라하트와 엘로라의 결혼식은 황족과 명문 가문의 결합이라고 하기에는 조촐했다. 신문에도 대문짝만하게 실리고, 많은 이들의 주목도 받았지만 역시 신랑 신부로서 최악과 최악의 만남이라 그런지 정말 부모와 형제를 제외하고는 아무도 없었다.

엘로라야 애초에 친구도 없고, 아르미트 가문과 연이 닿는 다른 가문의 귀족을 데려와 앉혀 놔 봤자 껄끄러웠기에 소규모 결혼식이 나쁘지 않았다.

하지만 이를 모르는 황제와 황후는 아무리 박색하다 하더라도 귀족의 핏줄을 타고 태어난 한 아가씨의 중요한 결혼식을 망친 것 같으면서도, 이런 식의 결혼이 아니었다면 결국 노처녀로 늙어 죽을 팔자이니 이 정도도 감지덕지해야 한다는 두 개의 충돌된 마음을 겪었다.

엘로라에게 미안하고 안타까우면서도 결국 제 아들이 우선인 부모의 어긋난 마음이었다.

사람이 없으니 식의 절차도 대규모 생략되었다. 이때까지 이런 약식이 있었나 싶을 정도였다. 황후가 먼저 식장에 들어오는 아들, 라하트를 보았다.

오늘도 멍해 보이지만 조용히 결혼식 주례 앞에 서 있는 아들을 보니 조금 감격스러웠다. 그건 황제 또한 마찬가지였다. 그들의 아들에 대한 기대치는 딱 이 정도였다. 그와 반대로 아르미트 가문의 남자들은 사람 한 명 죽일 분위기였다.

에곤은 입은 다물고 있었지만 살기등등했고, 라엘은 결혼식장에 검은 착용할 수 없었기 때문에 빈 검집만 만져댔다. 요제프는 당장 자리에서 일어나 '이 결혼 무효입니다!'를 외칠 듯이 라하트를 노려봤다. 후작은 아예 포기했는지 하염없이 바닥만 내려다보았다.

겉으로 우울한 티를 내지 않으려 무던히 노력했기에 아르미트 가문의 사정을 모르는 사람이 보기에는 그저 못난이 엘로라의 결혼식까지 와야 했나, 하는 불편함으로 보였다.

서로 다른 생각으로 물들어 가는 결혼식이다.

라하트가 주례 앞에 섰다. 이제 엘로라가 나올 차례였다.

막상 결혼식이 되어서도 별다른 감동을 느끼지 못한 엘로라가 덤덤히 붉은 카펫을 깐 길을 걸었다. 엘로라의 기다란 드레스 자락을 드는 들러리 역할을 맡은 히나가 뒤따라왔다.

드디어 결혼식이구나, 라고 생각하며 무심하게 앞으로 나가는 엘로라와 달리 히나는 벌게진 눈을 감추느라 고개를 숙인 채로 그녀와 보폭을 맞추었다.

모시던 아가씨가 결혼한다니 감정을 주체하지 못해 식이 진행되기 직전, 엉엉 울음을 터트리고 만 히나였다. 너무 서럽게 울어 누군가 보았더라면 히나가 결혼하는 줄 알았을 정도였다. 그런 히나를 달래는 건 엘로라의 몫이었다.

엘로라가 다정히 달래자, 정신을 차린 히나가 겨우 감정을 가라앉히고 이 자리에 섰다. 눈물 자국이 보이면 어찌

하냐고, 들러리 역을 다른 이와 바꾸려는 걸 겨우 말렸다. 별거 아닌 역할처럼 보이지만 엘로라에게는 다신 없을 결혼식이니 웬만하면 제일 정이 가는 사람에게 자신의 등을 맡기고 싶었다.

엘로라 또한 무사히 주례 앞에 섰다.

주례를 맡은 신관은 면사포로 가려도 완벽히 숨겨지지 않은 새신부의 외모에 속으로 헛숨을 삼키고 주례사를 시작했다. 그것을 느꼈지만 언제나 그렇듯, 엘로라는 조용히 있었다. 못난이 엘로라로서는 못나서 주목받는 게 한두 번이 아니었다.

"……그리하여 신랑, 라하트 루크렌츠는 신부와의 백년해로를 맹세하십니까?"

"……."

긴 주례의 마지막, 맹세해야 하는데 어딘가 나사가 빠진 라하트의 대답이 나오지 않았다. 당황한 주례가 다시 한번 물었다.

"맹세하십니까?"

원래 제 동생이 넋을 자주 놓는다는 걸 아는 아히발트를 제외한 모두가 긴장했다. 아르미트 가문이야 어쨌든 황실 쪽에서 잘못하여 이 결혼을 파투 낼 구실만 찾고 있었으니 라하트의 다음 행동에 촉각을 세웠고, 황제와 황후는 얌전히 있던 아들이 갑자기 어디로 튈까 봐 긴장했다.

여기서 뜬금없는 대답이 나오면 그동안 했던 고생이 물

거품이 되었다.

"……아, 어."

주례가 너무 길어 잠시 다른 생각을 하던 라하트가 뒤늦게 대답 아닌 듯한 대답을 내놓았다. 어쩐지 그의 뒤통수가 따끔했다. 모두가 자신을 쳐다보는 듯한데, 계약을 하자고 한 당돌한 신부만이 무심했다.

문득 면사포를 쓴 엘로라의 옆모습을 보니 자신을 똑바로 바라보던 모습이 떠올라 웃음이 삐져나오려 했지만, 분위기라는 게 있어 꾹 참았다.

"신부, 엘로라 아르미트는 신랑과의 백년해로를 맹세하십니까?"

"네."

군더더기 없는 깔끔한 대답이다.

이에 황실 쪽에는 안도의 한숨이, 아르미트 가문에서는 실망의 한숨이 새어 나왔다. 맹세를 한 박자 늦게 했다 하여 결혼을 무효라 외칠 수 없었다. 결국 엘로라의 선택대로 이 결혼을 지켜볼 수밖에 없었다.

"그러면 맹세의 증표인 입맞춤을……."

"뭐?!"

'입맞춤'이라는 단어에 주례의 말이 끝나기도 전에 요제프가 벌떡 일어났다. 호흡이 거친 것이, 그동안 결혼식에서 깽판을 치고 싶었는데 참고 있던 티가 역력했다. 신랑 신부를 제외한 사람들이 요제프를 봤다. 에곤이 작게 한숨을 쉬곤 요제프를 끌어당겼다.

“무시하고 진행하시죠.”

“예……. 그러면 두 분, 입맞춤을 해 주십시오.”

라하트와 엘로라가 몸을 돌렸다. 라하트의 얼굴이 엘로라 쪽으로 가까워졌다.

요제프는 아예 뒷목 잡고 쓰러지려고 했고, 후작은 고개를 들면 눈물이 나올까 봐 바닥에서 시선을 떼지 못했다.

“처음이야?”

면사포가 살짝 걷혔다. 바로 키스할 줄 알았더니 장난스레 눈을 반짝이며 작게 속삭인다. 어서 식을 끝내고 일정을 소화하고 싶었기에 엘로라가 단호하게 말했다.

“빨리 얼굴 치워 주세요.”

라하트의 입꼬리가 올라갔다.

그게 어딘가 불길해 보였다.

“싫은데?”

아니, 이 남자가?

그대로 라하트의 뒷목을 자신 쪽으로 잡아당겨 억지로 입을 맞추게 할 뻔한 걸 꾹 참고 보랏빛 눈동자를 빤히 쳐다보았다. 결혼식이라는 중요하고 공식적인 자리임을 망각이라도 한 건지 장난기 어린 눈동자가 여전했다.

“천천히 치울래.”

라하트가 커다란 두 손으로 엘로라의 뺨을 감쌌다. 익숙한 냄새가 훅 끼쳤다. 담배 냄새였다. 반사적으로 살짝 눈살을 찌푸리자 라하트가 낮게 웃었다.

지금 얼굴을 정확하게 보고 있는 건가. 누구도 오랫동안 쳐다본 적이 없는 못난 얼굴이었기에 놀란 엘로라가 그를 올려다보았다.

라하트의 얼굴이 가까워졌다. 그는 본인의 결혼식임에도 불구하고 흥분의 기색이라고는 찾을 수 없는 파란 눈동자를 감지 않는 신부에게 입을 맞추었다.

신부의 입술이 아닌 살짝 비껴 난 위치에 입을 맞췄다.

그건 맹세의 키스가 아닌 뽀뽀였다.

손으로 얼굴을 가리고 절묘한 각도라서 다른 이에게는 보이지 않겠지만 당사자는 똑똑히 알 수 있었다. 끝까지 장난기를 감추지 않았다. 뭐, 어쨌든 남들만 속이고 조용히 넘어간다면 엘로라는 이 또한 나쁘지 않다고 생각했다.

천천히 치운다고 호언장담했듯이, 뽀뽀치고는 길었다.

라하트의 얼굴이 엘로라에게서 멀어질 때쯤엔 아르미트의 세 형제의 얼굴이 흉흉해져 있었다. 아마 더 늦게 얼굴을 치웠더라면 라엘의 빈 검집이 라하트의 뒤통수에 박혔을지도 몰랐다.

"두 분께서 좋은 인연을 맺게 된 것을 경하드립니다."

입맞춤이 생각보다 길어지자 얼굴이 벌게진 신관이 서둘러 자리를 떴다. 시작부터 그러했지만 끝까지 난장판인 결혼이었다. 뭔가 묘하게 돌아감에도 불구하고 어찌 끝을 본 게 다행이라 여겼다.

고작 식 하나 치렀을 뿐인데 라하트가 바로 옆에 있어서 그런지 기운이 쭉쭉 빠짐을 느낀 엘로라가 식사하기 위해 이동하려고 했다.

원래라면 식사고 뭐고 정숙하게 단장하여 침대에서 신랑을 기다려야 했지만 하객 없는 약식의 결혼이었다. 피로연조차 없어 형식으로나마 다 같이 식사하자고 쌍방의 동의가 이루어진 지 오래였다. 아마 세기에 다신 없을 파격적인 결혼이리라.

복잡한 절차가 모두 생략되고, 이제 다들 가볍게 식사한 후 신랑 신부는 하룻밤을 같이 보내면 결혼식이 완벽하게 끝났다.

식사하러 이동하기 전, 황제와 황후는 건강 핑계로 먼저 들어가 보겠다고 말했다. 후작 또한 황제와 황후가 간다 하니 일찍이 저택에 가 쉬겠다고 했다.

아르미트 형제들 또한 마음 같아서는 '말도 안 되는 이거지 같은 결혼식!'이라고 외치며 자리를 뜨고 싶었지만 그렇게 된다면 엘로라와 라하트 그리고 아히발트만이 남게 되었기 때문에 선뜻 자리를 박차고 나갈 수 없었다.

더불어 여자에게 있어 중요한 첫 결혼식을 이런 식으로 하여 형제의 마음은 편치 않았다. 결국 오라비들마저 쌩하니 가 버리면 엘로라가 슬퍼할 것을 염려해 남아 있기로 했다.

모든 것을 지켜본 아히발트는 어차피 끝까지 자리를 지

킬 생각이었으므로 결국 남은 인원은 양가의 부모를 제외한 나머지였다.

"에곤. 식 내내 표정이 그러면 하나밖에 없는 네 여동생이 뭐라고 생각하겠어."

엘로라와 라하트는 결혼 소식이 나기 전까지 남남이었지만, 아히발트와 에곤은 죽마고우였다. 어제도 서로 얼굴을 본 사이였다. 라엘 또한 아히발트와 면식이 있었기 때문에 딱히 어색할 것도 없었다.

친근한 아히발트의 말에 에곤은 표정을 잔뜩 굳혔다. 평소에도 말수가 적은 친우였기에 아히발트는 그러려니 했다. 아니, 이어지는 에곤의 말이 아니었다면 그러려니 하고 넘어갔을 것이다.

"내 표정이 어떤데?"

"사람 하나 죽여도 할 말 없던데. 아, 맞아. 라엘 너도 그래. 표정 좀 펴 봐. 이 좋은 날에 다들 왜 이리 표정을 굳히고 있는 거야?"

사교성 좋은 아히발트의 말에도 아르미트가 남자들의 표정은 풀어질 생각이 없었다. 다만 그 말을 듣고 나서 조금 표정에 대해 신경 쓰는 기색은 보였다.

아주 조금. 관찰력이 좋아야 알아차릴 수 있을 정도로.

오랜 시간 에곤과 함께했던 아히발트는 그 변화를 금세 알아챘다.

"네 여동생을 걱정하는 거라면 큰 염려 마. 내 동생이 소문은 안 좋아도 정말 나쁜 애는 아니야."

라하트에 대한 평가는 입에 발린 말이 아닌 진심이었다. 이제껏 지켜본 바가 그러했다. 요즘 비행을 즐기는 듯했지만 그것 또한 나쁜 의도가 아님을 아히발트는 알고 있었다.

남들은 아르미트의 남자들이 신랑 신부 둘 다 마음에 들지 않아 표정을 굳히고 있다 생각했지만, 아히발트는 그래도 가족이니 여동생 쪽을 더 걱정한다 생각하여 나름 위로랍시고 말했다. 하지만 이게 더 역효과를 일으키고 말았다. 형제들의 표정이 싸하게 굳었다.

"어딜 봐서?"

"……응?"

평소보다 더 날이 서 있는 물음이었다. 항상 감정을 가라앉히고 침착하게 대화하는 에곤이었다. 그런 에곤의 목소리라고 하기에는 너무 차가워 아히발트는 저도 모르게 멍청히 되묻고 말았다.

"어딜 봐서 나쁜 애가 아닌데."

"에곤, 지금 화난 거야?"

"아니. 전혀."

말은 아니라고 하는데 이리 보고 저리 봐도 잔뜩 화가 나 있었다. 이런 반응은 또 처음이라 아히발트는 저도 모르게 웃고 말았다. 소문과 다르게 아르미트 형제들은 여동생을 아끼는 듯했다.

소문으로는 엘로라가 박색인 데다 사치스러워 학을 뗀다

던데. 친우의 가족이라 관심이 가 몇 번 귀 기울여 들어 본 적이 있었다. 굳이 관심을 보이지 않더라도 워낙 유명하여 귀머거리도 아는 이야기였다.

아르미트 형제들을 좋아하거나 저보다 예쁘다 생각되는 시녀의 등에 피고름이 나도록 회초리를 때렸다거나, 자신을 조금이라도 얕본다 생각하면 홍당무처럼 얼굴을 벌겋게 붉히고 화를 낸다는 등의 이야기.

얼굴도, 성격도 귀족의 품위에 맞지 않아 없는 존재 취급한다더니 막상 직접 확인하니 정반대인 듯했다. 아히발트는 소문이 왜 그렇게 난 건지 알 수 없었다.

당사자도 소문을 알고 있을 텐데 진실을 밝히려 적극적인 행동을 보이지 않으니 제삼자인 자신이 끼어들 필요가 없다고 판단한 아히발트가 입을 다물었다. 동생에 대해 변호할 거리가 아예 없는 건 아니지만 지금 이 상태에서 말해 봤자 에곤이나 다른 아르미트 형제들의 귀에 제대로 들릴 리가 없다는 걸 깨달았기 때문이었다.

평소와 달리 잔뜩 흥분한 그들에게 라하트를 변호하는 말은, 화를 더 부추기는 행위였다. 현명한 아히발트 덕에 아르미트 형제들은 조용히 화를 삭였다.

그런 그들과 일정 거리를 유지한 채 뒤를 따르던 엘로라와 라하트는 막 맹세를 마친 부부라고 하기에는 이상한 대화를 나누고 있었다.

"면사포, 안 불편해?"

"네."

"저건 언제까지 달고 다녀야 해?"

라하트가 엄지로 뒤쪽을 가리켰다. 엘로라가 드레스 자락을 밟고 넘어질까 걱정하면서 계속 뒤에서 드레스 자락을 들어 주는 히나를 가리키는 것이었다.

"옷 갈아입기 전까지요."

"흠, 신부 하기도 힘드네. 바꿔 입을까?"

"……아니요."

진심인가?

전혀 예상치 못한 라하트의 말에 엘로라가 눈을 게슴츠레 뜨고 힐끔 그를 보았다. 너무 말도 안 되는 소리라 차라리 농담이라 믿고 싶다. 라하트의 유머 감각이 꽝이라서 되는대로 지껄인 농담.

이런 엘로라의 마음을 아는지 모르는지 라하트가 유심히 그녀를 살폈다. 6년 전, 제국에서 가장 성대했다 일컬어지는 아히발트의 결혼식이 있었다. 그곳에서 말도 안 되는 난장을 부린 이후로 라하트가 결혼식을 가는 일은 없었다. 제 형인 아히발트의 결혼식조차 제대로 구경한 것이 아니라 순백의 웨딩드레스를 입은 신부는 태어나서 처음 보는 거나 마찬가지였다.

막 내린 눈처럼 하얀 드레스는 괜히 건드렸다가 색이 바랠까 겁났고, 치마 부분이 풍성해서 그런지 신부가 드레스를 입은 게 아니라 드레스가 신부를 입었다 느껴졌다. 뒤뚱거리는 그녀 특유의 걸음은 드레스가 워낙 커서 그리 티가 나지 않았다.

드레스로 몸을 칭칭 감아 놓고 얼굴에는 또 면사포를 씌워 놨다. 보기만 해도 숨이 막히는 복장이었다. 저런 모습으로 잘 걷고 있다는 자체가 신기했다. 만약 자신이 신부의 입장이었으면 드레스를 찢어 버리려고 했을지 모른다고 생각하며 라하트는 잘 참고 있는 엘로라의 얼굴 쪽으로 시선을 옮겼다.

면사포로 가린 얼굴에는 감정이라곤 찾아볼 수 없었다. 기쁨도, 슬픔도, 분노도 담겨 있지 않는 완벽한 무표정이었다.

"만족해?"

"네?"

"이 결혼식. 이런 식으로 진행해도 만족하냐고."

황제와 황후가 먼저 자리를 뜬 이유야 뻔했다. 말이 건강이고 피곤하다 그런 거지, 실제로는 아들이 또 무슨 짓을 할지 몰라 빨리 자리를 뜨는 게 정신 건강에 좋다고 판단했기 때문이었다. 또 신부의 얼굴을 오래 보기 힘든 것도 있으리라.

누구에게도 축복받지 못하는 결혼이었다. 의연해 보였지만 당사자들 또한 도살장에 끌려가는 소처럼 억지로 결혼하는 분위기였다.

수많은 사람에게 둘러싸여 축복받아야 함이 분명한 신부

는 신랑을 포함한 고작 다섯 명의 남자들과 식사를 즐겨야 했다. 그녀의 지위를 생각하면 정말 말도 안 되는 식이었다.

그녀의 결혼식에 대한 소식을 알음알음 전해 들은 귀족들은 누가 결혼한다 할 때마다 '아르미트 가문의 영애는—'으로 운을 떼며 불명예스러운 일을 직접 구경이라도 했다는 듯이 지껄일 것이었다.

아무리 제멋대로 행동하는 라하트라지만 여성과 남성의 결혼에 대한 무게가 다름은 알고 있었다. 식 전이야 그렇다 치고 결혼식이라 부르기에도 민망한 식을 직접 맞닥뜨리니 심경이 남다를 거라 생각했다.

하지만 라하트의 추측과 다르게 식의 절차를 꼼꼼히 확인하고 직접 선택한 것은 엘로라였다. 라하트가 멋모르고 밖을 싸돌아다닐 때, 엘로라는 황실에서 준 문서를 꼼꼼하게 읽고 선택했다.

말이 결혼식이지 이렇게 볼품없는 행사라는 건 누구보다 그녀가 정확히 인식하고 있었다. 집안 어른들이 먼저 자리를 떠난 것까지 그녀의 계산 안이었다. 말은 함께 식사하자 했지만 떠넘기는 듯한 결혼을 주최한 황제와 황후가 얼굴을 마주하며 식사까지 할 정도로 양심 있는 사람이라 생각하지 않았다.

아르미트 후작이야 겉으로는 철혈인 데다 인간 같지 않은 사람이라는 평판을 받더라도 딸의 문제에 한해서는 심약한 아버지일 뿐이었다. 식이 끝날 때까지 앉아 있는 것도 엘로라의 기준으론 많이 인내한 거였다.

아버지가 먼저 저택으로 돌아간다 했을 때 섭섭한 감정은 들지 않았다. 그저 조용히 자리를 지켜 주어 감사할 뿐이었다. 앞만 바라보는 듯했지만 엘로라는 식이 끝날 때까지 고개를 들지 못한 아버지를 의식하고 있었다.

"네. 혹 문제 되는 거라도 있으세요?"

"네가 문제없다고 하면 없는 거겠지."

너무 아무렇지 않다는 식의 대답이라 혹 감정을 숨기고 있나 싶어 살펴보았지만, 면사포에 살짝 가려진 엘로라의 얼굴은 한결같았다. 올곧은 푸른 눈동자는 그녀가 진실을 고했음을 알렸다.

라하트에게 엘로라의 반응은 신선했다. 이제 고작 두 번밖에 안 봤지만 앞으로도 이런 감상의 연속일 거라는 예감이 들었다.

라하트가 주머니를 뒤졌다. 주머니에서 나온 그의 손에는 파이프가 들려 있었다. 어쩐지 주머니가 볼록하다 했었다. 바로 식사할 예정이라 엘로라가 살짝 눈치를 주었다.

식사하는데 오라버니들 앞에서 파이프를 뻑뻑 피우고 있을 라하트의 모습이란, 심히 보기 좋지 않은 것이었다. 엘로라야 라하트가 음식 앞에서 연기가 자욱해질 정도로 파이프를 피우든, 춤을 추든, 소변을 보든 모두 무시할 수 있었지만 오라버니들은 아니었다.

깍듯이 대해도 아니꼽게 볼 판인데 파이프라니.

오라버니들의 황족 시해 망상을 부추기는 일이었다.

"물고만 있을 거야."

변명 아닌 변명을 하며 라하트는 능숙하게 파이프를 입에 물었다 불은 붙이지 않았다. 저러면 무슨 의미가 있을까 싶지만 본인만의 생활 방식이 있을 테니 참견하지 않기로 했다.

엘로라의 눈에는 파이프에 불을 붙여 연기를 날리지 않는 것만 해도 참으로 대단했다. 그만큼 라하트에 대한 기대치가 낮았다.

그렇게 간단한 담소를 나누며 걸으니 음식 세팅이 다 돼 있는 방에 도착할 수 있었다. 집안 어른들도 없으니 상석은 당연히 황태자인 아히발트가 앉아야 했으나, 격식 없이 편하게 있었으면 좋겠다는 의견으로 상석은 비워 두었다.

막상 도착하니 자리 배치에 대한 눈치 싸움이 치열했는데, 결국 에곤과 라엘이 엘로라의 양 옆자리를 차지했다. 셋째인 요제프는 아쉬운 대로 라엘의 맞은편, 그러니까 라하트의 옆자리에 앉았다. 명색이 방금 결혼한 신랑 신부이니만큼 라하트는 엘로라의 맞은편 자리였다.

막상 자리에 앉고 나니 서로 대화할 거리가 없어 식탁 위에는 침묵만이 감돌았다. 아히발트가 분위기를 띄워 볼까 하다가 친우의 표정이 아직도 좋지 않아 그냥 음식이 나올 때까지 조용히 있었다.

"라하트."

"물고만 있었어."
"알아. 하지만 우리만 있는 자리가 아니잖니."
음식이 나오기 시작했다. 조용히 있던 아히발트가 라하트의 파이프를 지적했다. 부모의 말도 듣지 않고 제멋대로 행동한다 알려진 라하트였지만 형인 아히발트의 말만큼은 어느 정도 따라 주었다. 부드러운 아히발트의 경고에 결국 툴툴거리며 입에 물던 파이프를 집어넣었다.
그렇다 하여 라하트에 대한 아르미트 남자들의 시선이 고와진 건 아니었다. 세 남자가 라하트에게 적대적이니 분위기가 살벌했다. 정작 적의를 받는 당사자는 별다른 생각이 없어 보였다. 다시 멍해진 보랏빛 눈동자가 앞 접시에 음식을 덜어 냈다.
상황이 이렇다 보니 결국 아히발트가 엘로라에게 말을 걸었다.
"엘로라라고 하였나."
"예, 황태자 전하."
"동생이 아직 많이 모자라니 사랑으로 보살펴 주었으면 좋겠군."
"여부가 있겠습니까. 당연히 그리해야지요."
점잖은 아히발트와 엘로라의 대화에 조용히 듣고 있던 주위 사람들만 어처구니가 없었다. 라하트는 얼굴이 취향이 아니라는 이유로 결혼 생활에 있어 지켜야 할 사항을 적어 놓은 계약서를 내민 여자가 조신한 척하는 게 놀라웠고, 아르미트 남자들은 황태자가 사랑 타령을 하여 어이없었다.

다정하고 인정 많다고 소문이 난 아히발트였지만, 그만큼 또 뻔뻔하기도 했기에 꽂히는 시선을 느껴도 아랑곳하지 않고 제 할 말을 했다.

"내 자식보다 조카를 먼저 보는 것도 나쁘진 않지. 아르미트 가문의 아름다움이야 말할 것도 없고, 라하트도 어디 가서 못났다고 듣진 않으니 조카 얼굴이 벌써 기대되는군."

순간 아르미트 남자들은 쥐고 있던 포크를 떨어트릴 뻔했다. 간신히 포크를 붙잡은 손이 부들부들 떨렸다. 이건 놀라운 정도를 넘어서 정상적인 사고를 불가능하게 하는 발언이었다.

아장아장 걸어 다니는 게 엊그제 같은 귀여운 우리 막냇동생이 부모도 포기한 자식인 라하트의 아이를 낳는다고?

결혼한다면 당연한 수순이지만 아르미트 남자들은 그 당연함을 받아들이지 못했다.

엘로라가 괜한 분란을 일으키고 싶지 않아 라하트에 대한 언급은 자제했기 때문에 그에 관한 이야기는 계약으로 이미 끝났음을 모르는 아르미트 남자들은 미칠 지경이었다.

아무리 혼인을 하지 않았다 하지만 서른이 다 돼 가는 건장한 남자들이었다. 아이가 어떤 방식으로 어미의 몸속에 자리를 잡는지 정도는 알고 있었다.

우리 귀여운 엘로라가 저 인간 말종 새끼와…….

상상만 해도 끔찍했다.

"벌써 아이 이야기라니. 이르십니다, 전하."
"그렇지. 내가 조바심을 냈군."
"마음은 충분히 이해합니다."
넋이 나간 아르미트 남자들과는 다르게 엘로라는 차분했다. 라하트의 아이를 잉태할 마음이 개미 눈물만큼도 없었기 때문이었다. 그래서 '육체적 관계를 맺지 않는다.'를 계약서 제일 첫 번째에 올려 둔 것이고.
말은 고분고분히 '네, 네.' 하고 있지만 속으로는 전혀 다른 생각을 하고 있는 엘로라였다.
사실 아히발트가 먼저 아이 이야기를 꺼낸 것에 놀라긴 했지만 내색하지 않았다. 6년 전, 혼인한 아히발트는 세상에서 가장 행복한 부부였으나 일 년도 되지 않아 부인과 사별했다. 부인의 몸이 약하여 출산 도중 아이도 산모도 살리지 못한 것이었다.
비록 가문의 이해관계가 맞아 한 혼인이었지만 부인을 아꼈는지 아히발트는 실연에 빠지고 말았다. 그 후 재혼을 할 법도 한데 여자 자체를 거들떠보지 않은 지 벌써 5년이 지났다. 죽은 부인은 되살릴 수 없으니 동생의 아이라도 보고 싶다는 뜻인가.
엘로라는 쓴웃음을 삼켰다.
이 집안도 은근히 글러 먹었다는 생각을 한 탓이었다.
"오라버니, 진정해."
아히발트가 아이 이야기를 하니 부인이 떠올랐는지 잠시

다른 곳을 보았다. 때를 놓치지 않은 엘로라가 부들부들 떨리는 손으로 포크를 잡고 있는 에곤과 라엘을 툭툭 치며 속삭였다. 이대로 포크를 라하트나 아히발트의 목에 꽂아도 이상할 것 없는 모습이었다.

"오라버니."

재차 그들을 부르는 엘로라의 목소리가 더 낮아졌다. 그제야 정신을 차린 그들이 포크를 놓았다. 그리고 침착함을 위장한 가면을 덧씌우는 걸 확인한 엘로라가 다시 황태자를 보았다. 타이밍 좋게도 상황이 정리된 후에 아히발트가 엘로라 쪽으로 시선을 주었다.

"부득이하게 식의 규모가 축소되었지만 항상 행복했으면 좋겠군."

"덕담 감사합니다."

"에곤, 너는 내 동생에게 할 이야기 없는가?"

"……굳이 할 필요를 못 느끼겠군."

겨우 냉정함을 되찾은 척한 제 오라비에게 덕담을 요구하다니. 다행히 격앙된 어조는 아니었다. 서늘한 대답이 평소 에곤의 모습과 같아 엘로라는 안도의 한숨을 쉬었다.

아니, 안도의 한숨을 쉴 뻔했다.

이때까지 얌전히 있던 라하트가 치고 들어오지 않았더라면.

"굳이 말씀 안 해 주셔도 아이도 많이 낳고 행복하게 살 예정이니 괜찮습니다."

조용히 라하트를 노려보았다. 무슨 생각인지 라하트는

장난기 어린 미소를 지은 채로 에곤을 보고 있었다.

명백한 도발이었다. 라하트 또한 엘로라가 집안사람들과 사이가 좋지 않다고 알고 있을 터인데 왜 저런 도발을 시도하는지 이해할 수 없었다.

기껏 형제들을 진정시켜 놓은 엘로라는 티는 내지 않았지만 저 미친 자의 주둥이에 술병을 물려 주어 그 입 다물게 만들고 싶은 마음이었다.

'아이'라는 단어가 또다시 나오자 라엘과 요제프는 인상을 찡그렸다. 분명 부부 사이에 나오지 못할 말은 아닌데 짜증이 났다. 저 망나니가 무슨 말을 하든 화가 솟구치는데 재수 없게 도발까지 하니 화가 두 배로 났다. 그 와중에 다행히 에곤만이 자신이 해야 할 대답을 정확히 인지하고 있었다.

"그거 잘되었군. 어차피 여자구실을 할 수 있는지도 의문스러운 아이였으니."

본인이 입 밖으로 내뱉어 놓고도 속이 좋지 않은지 식탁 밑으로 에곤이 엘로라의 손을 꽉 잡았다. 대외적으론 아끼기는커녕, 멸시하는 사이이니 이런 식으로 대답해야 함이 옳았다. 비록 에곤의 마음은 가시밭이지만.

엘로라는 살포시 손을 맞잡아 주었다. 화가 나고 속이 탈 법도 한데 당부한 걸 잊지 않고 노력해 주는 에곤에게 고마웠다.

"제가 이번 기회에 확인시켜 드리지요."

"마음대로."

에곤이야 속마음을 뻔히 아니 그렇다 치고, 라하트는 왜 계속 깐죽대는지 알 수 없었다. 육체적 관계는 안 된다고 못을 박아 놨는데 아르미트 가문이 싫은 건지, 에곤이 싫은 건지 아르미트 남자들의 속을 박박 긁어 놓는 말을 했다. 대외적으론 엘로라와 사이가 좋지 않다 알려졌으니 속을 긁어 놓는 말이 아니지만 말투로 보아 시비 걸려는 의도가 맞았다.

뭐가 그리 좋은지 싱글싱글 웃고 있는 라하트가 얄미웠다. 혹 관계를 떠보기 위해 저런 말을 하나 싶다가도 그가 아르미트가의 복잡한 관계를 알 리 없으니 그건 과대망상일 뿐이라 여겼다.

다들 표정이 썩 좋지 않았다. 식탁에서는 라하트만이 술에 거나하게 취한 것 같은 미소를 짓고 있었다.

상황을 지켜보던 아히발트 또한 라하트보다는 에곤 때문에 기분이 묘했다. 아까는 길길이 화를 내더니 이번엔 여동생에 대한 비난을 서슴지 않았다. 마치 다른 사람인 듯 판이한 반응이었다. 에곤의 의중을 알 수 없었다.

나름 에곤에 대해 속속들이 알고 있었다고 생각했던 아히발트에겐 약간 충격이었다. 어릴 때부터 함께하여 서로에 대해 모르는 게 없다고 착각한 것이었다. 오늘따라 자신이 알던 에곤과는 다른 모습을 많이 본다고 생각하며 아히발트가 입을 열었다.

이대로 두다간 서로에게 상처 되는 말만 쏟아질 듯해 분위기를 환기시킬 필요가 있었다.

"내일 당장 출발하던가?"

아히발트는 이곳에서 제일 냉정하고 정상적인 대답을 기대할 수 있는 이가 엘로라라는 걸 일찍이 깨달았다. 신혼여행이라고 구체적으로 말하진 않았지만 의미를 바로 알아들은 엘로라가 긍정했다.

"네."

"신혼여행지가 어디라고 했지. 요즘 일이 많다 보니 자주 깜빡하게 되는군."

사실 아히발트가 엘로라의 결혼에 관심을 둔 적이 없다는 걸 엘로라는 일찍이 눈치챘지만 굳이 입 밖으로 내뱉지 않았다. 말이란 가벼워, 자리에 따라 거짓말을 할 필요가 있었기 때문이었다.

"뷔로스로 향할 예정입니다."

"뷔로스라. 휴양지로 유명하지. 그만큼 아름다운 곳이기도 하고. 좋은 곳에 가는군."

"황후 폐하께서 특별히 신경 써 주셨습니다."

뷔로스는 바다를 접한 항구 도시였다.

수많은 상인이 오가는 터라 볼흐라스의 색채보다는 특유의 이국적인 분위기가 짙게 남겨져 인상적인 곳이었다. 장사하러 방문하는 사람도 많았지만, 바다가 아름다워 여행지로도 각광받았다.

어차피 개인적으로 활동할 예정이었으므로 어딜 가든 상관없었지만 태어나서 처음으로 바다를 보는 게 또 나쁘지 않을 것 같아 뷔로스로 선택한 엘로라였다. 결혼하면 수도 밖으로 나가는 게 더 힘들어질 텐데 기회가 닿을 때 구경할 수 있는 걸 잔뜩 구경하고 느끼고 싶었다.

물론 신혼여행지를 선택하는 과정에서 라하트의 의견 따윈 반영되지 않았다. 애초에 라하트가 결혼식 일정에 대해 관심을 두지 않아 엘로라 혼자 처리하게 되었다는 게 더 옳은 표현이었다. 지금도 내일 당장 떠날 건데 그런 계획이 있었냐는 표정으로 바라보고 있지 않은가.

기본적으로 황실에서 계획을 다 짜 놨지만 최종적으로 결정을 내릴 사람이 필요했다. 때문에 신혼여행도, 결혼도 함께하는 건데 엘로라 혼자 모든 걸 떠맡았다. 마음대로 일정을 정할 수 있어서 편하면서도 몰아주기가 심해서 심적으로 불편한 나날이었다.

"푹 쉬었다 돌아오면 황궁에서 자주 볼 수 있겠군."

"준비할 게 많은 터라 입궁은 천천히 하도록 얘기를 끝냈습니다. 결혼식 일정이 촉박하여 입궁 준비까지 정해진 시일 내에 마칠 수 없을 것 같아 그리되었습니다."

"하긴 식 준비가 촉박하긴 했지."

"예."

아히발트는 라하트에게 사정이 그리되어 아쉽겠다는 위로를 전하려 하다가 입을 다물었다. 괜히 잘못 질문했다가는 또 분위기가 살벌해질지도 모른다는 생각 탓이었다. 워낙 엉뚱한 대답을 자주 내놓는 라하트이니만큼 괜히 긁어 부스럼 만들 필요는 없었다.

그 뒤로 엘로라와 아히발트, 둘의 형식적인 대화만이 오갔다. 중간에 요제프가 몇 번 끼어들긴 했지만 그게 다였다.

에곤은 차가운 표정으로 식사만 했고, 라엘은 먹는 둥 마는 둥 하며 딴생각 중이었다. 라하트는 식사는 뒷전이고 집어넣은 파이프를 다시 꺼내 만지작거렸다. 한자리에 있는데도 다들 다른 행동, 다른 생각이다.

집안 어른들이 돌아간 이상, 이 구성원으로 화목한 대화를 할 거라 기대조차 하지 않았지만 막상 뚜껑을 열어 보니 더 가관이었다.

앞으로 이런 자리가 만들어질 리 없겠지만, 만들어질 기회가 있다 하더라도 가급적 피해야겠다고 생각한 엘로라였다.

그렇게 식사가 끝나고, 다들 슬슬 자리에서 일어났다.

아히발트는 마지막으로 엘로라의 얼굴을 보았다. 제국의 제일가는 추녀라는 명칭답게 면사포로 가려도 그 외모가 어디 가는 건 아니었다. 생각보다 더 못생겨 대화할 때마다 저도 모르게 시선을 비껴갔던 그였다. 미모가 빼어난 에곤과 라엘을 양옆에 두어 그녀의 못생김이 더 도드라져 보였다.

다시 보아도 아르미트 가문의 여식이라 하기엔 믿기지 않는 외모였다. 아르미트의 세 남자는 분위기는 달랐지만 그래도 얼굴이 비슷한 구석이라도 있었다. 그에 비해 엘로라는 찬란한 은발과 푸른 눈동자가 아니었다면 어디서 주워 왔다 하여도 믿을 정도였다.

굉장히 상식을 파괴하는 얼굴에 속으로 감탄 아닌 감탄을 하며, 아직도 파이프를 만져 대는 라하트에게 부인을 잘 대해 주라는 충고를 했다. 라하트는 건성으로 고개를 끄덕였다.

이제 헤어질 시간이었다. 신랑 신부는 합방하고 그 외 사람들은 자신의 거처로 돌아가야 했다. 신부는 준비 시간이 길기 때문에 먼저 양해를 구하고 자리를 뜨려는 엘로라의 곁으로 요제프가 남몰래 슬쩍 다가왔다.

“엘로라.”

“응?”

“결혼 선물이야.”

푸른 보석이 달린 목걸이를 건네준 요제프가 혹 누가 보고 있는지 살펴보곤 목소리를 낮춰 속삭였다.

“내 마음대로 돈을 쓰라 했잖아. 그래서 고민하다 골랐어. 급하게 준비하느라 적당한 포장을 구할 수 없어서 이 모양 이 꼴이야. 미안해.”

“오라버니…….”

목걸이는 척 봐도 고가의 제품이었다. 엘로라가 건네준 인세로 구매하기엔 턱없이 부족했을 것이었다.

돈을 건네주면서 요제프 자신을 위해 쓰길 바라는 마음

이 컸던 엘로라였다. 그런데 전혀 예상치 못한 요제프의 행동에 감동하여 코끝이 찡해졌다.

"못마땅하지만 일단 일생에 있어 처음 맞는 결혼이잖아. 적어도 축하는 해 줘야지."

"정말 고마워. 소중히 간직할게."

목걸이를 조심스레 움켜쥐었다. 조막만 한 손으로 주먹을 쥐는 게 귀여워 요제프가 미소를 지었다.

"옆을 살짝 누르면 열리니까 나중에 혼자 있을 때 열어 봐."

"응."

"그러면 어서 가 봐."

"……응. 고마워, 오라버니."

재차 고마움을 전한 엘로라는 아히발트나 라하트가 의심하지 않을까 싶어 서둘러 걸음을 옮겼다. 밖에 나가니 드레스 자락을 들어 주기 위해 히나가 쪼르르 달려왔다. 그 모습을 본, 미리 대기하고 있던 시종이 길을 안내했다.

시종을 따라갔다. 복도는 한산했다. 훔쳐보는 사람이 없음을 확인하고 손을 펼쳐 푸른 보석의 옆면에 튀어나온 부분을 살짝 눌렀다. 그러자 보석이 열렸다. 그 안에 숨겨진 작은 그림 한 점이 그녀의 망막에 아로새겨진다.

어린 그녀와 지금보다 더 젊고 애티 나는 가족들의 모습이었다. 세상을 떠난 어머니가 시간이 멈춰진 그곳에 오롯이 남아 있었다. 가족과 함께.

발걸음이 느릿해졌다. 무언가 마음속 깊이 응어리가 지

는 것을 느끼며, 눈을 내리깔았다.

울음은 사치라고 생각하는 그녀였지만 어쩐지 울고 싶은 밤이었다.

신방에 들어가기 전, 무거운 웨딩드레스를 벗었다. 막상 입을 때는 몰랐는데 벗고 나니 얼마나 몸을 죄어 왔는지 실감 났다. 속옷만 입은 엘로라는 자신을 질질 끌고 목욕 시중을 들려는 시녀들을 내쳤다.

현재 그녀의 주위에 있는 시녀들은 히나를 제외하고 모두 황궁에서 일하는 자들이었다. 그러니 그녀의 비밀을 몰라야 했고, 화장이 벗겨진 맨얼굴을 봐선 안 됐다.

그래서 무작정 혼자 씻겠다고 했다. 신방에 들어가기 전 신부가 목욕 시중을 받는 건 당연한 일이었기에 배속된 시녀들은 그녀의 의사에 당황했다. 신체에 큰 결함이 있지 않은 이상 혼자 씻는 귀족은 드물었다. 다들 한 명 이상의 시중인을 꼈다.

그런데 보통 날도 아니고 갓 결혼한 신부의 첫날밤이다. 이대로 혼자 씻게 내버려 두었다가 자칫 신랑이 불쾌감을 느껴 제대로 씻기지 못했다는 이유로 꾸중을 듣는 건 해당

일을 담당한 시녀들이었다.

신부가 직접 한다고 고집을 부렸다고 자기 변호를 해도 변명밖에 되지 않았다. 태생적으로 신부는 귀족이었고, 그녀들은 신부를 위해 일하는 아랫사람이었다.

나중에 불이익을 받지 않기 위해 그녀들은 싫다는 엘로라에게 끈덕지게 달라붙었다.

엘로라는 이미 라하트와 합의를 봤기 때문에 그가 자신의 살 냄새를 맡을 일이 없음을 알았다. 더불어 목욕하다 화장이 흘러내려 맨얼굴이 드러나면 정말 곤란한 상황이었다.

시녀들을 곤란하게 만들기 위함이 아닌 비밀을 지키기 위해 의견을 주장하는 거였다. 하지만 그들이 납득할 만한 이유가 없어서 그런지 웬만해선 떨어질 것 같지 않았다.

이러면 어쩔 수 없이 강하게 나가야 했다. 그 외엔 딱히 방법이 없었다.

엘로라가 천천히 두 눈을 감았다가 떴다. 지금 이 순간, 못난이 엘로라의 포악한 성격을 드러내야 했다.

"지금 내가 못생겼다고 무시하는 거야?"

"그게 아니라……."

순식간에 엘로라의 목소리가 날카로워졌다. 심상치 않음을 느낀 시녀 중 한 명이 '모두 새 신부를 위해서' 하는 일이라는 말로 그녀를 꼬드기려 했다. 하지만 시녀의 말은 채 나오기도 전에 잘렸다.

"못생긴 년이 까다롭다고 생각하고 있겠지."

고요했던 엘로라의 푸른 눈동자가 표독스럽게 치켜떠졌다. 살벌한 그녀의 눈빛에 시녀들이 한 걸음씩 뒤로 물러갔다. 일그러진 얼굴은 더욱 흉해졌고, 눈동자는 짐승처럼 형형히 빛났다.

"내가! 천한 너희들에게 내 몸을 보여 주고 싶지 않다고 하는데! 내 말에 토를 달아? 내가 그리 만만한가? 내 명령이 명령으로 들리지 않아?"

속사포처럼 말을 쏟아 낸 엘로라가 거친 숨을 내쉬며 빠르게 벽 쪽으로 걸어갔다.

엘로라의 손이 방을 장식하던 꽃병으로 향했다. 험악하게 꽃병을 쥐어 든 엘로라를 본 시녀들은 불길함을 느꼈다.

"나가."

가까이 다가가서 사태를 막아야 했지만 워낙 기세가 흉흉해 근처에 가지도 못했다. 그런 시녀들을 쭉 훑어본 엘로라가 꽃병을 한 시녀에게 던졌다. 물론 다치게 할 생각이 없었기에 살짝 비껴 나가게 던졌다. 제대로 던져서 다친 사람은 없었지만 꽃병이 요란스레 깨지는 소리와 함께 시녀들이 벌벌 떨었다.

"나가! 그딴 식으로 날 쳐다볼 거면 나가라고!"

그녀를 어찌할 수 없다고 판단한 시녀들이 슬슬 서로의 눈치를 보다가 밖으로 나가기 위해 물러섰다. 살얼음판을 걷는 듯한 분위기였다. 그때 엘로라의 불호령이 떨어졌다.

"너."

다들 불에 덴 듯 화들짝 놀라 엘로라를 보았다. 그녀의 손가락이 한 시녀를 가리키고 있었다.

"내가 말하는데 감히 고개를 들고 있어? 너만 여기 남아."

엘로라에 대한 소문은 익히 알고 있었다. 마음에 들지 않으면 온갖 이유를 들어서 잔인하게 때려죽인다 했다. 그저 소문이라고 믿었는데 직접 겪어 보니 기세를 보아, 소문이 아님을 절절하게 깨달을 수 있었다.

지목당한 시녀가 목숨만은 붙어 있길 바라는 마음과 자신이 남지 않아 다행이라는 안도감과 함께 시녀들이 재빠르게 방을 벗어났다.

엘로라는 시녀들이 모두 나가고 문이 닫힐 때까지도 구겨진 얼굴을 펴지 못했다. 자신과 지목당한 시녀. 단둘만 남고 나서도 바깥의 기척을 살폈다. 밖으로 나간 그녀들이 멀어졌다고 판단했을 때쯤에야 표정을 풀었다.

분위기가 느슨해짐을 느낀 시녀가 다가왔다.

"아가씨, 고생하셨어요."

"연기라도 아무 이유 없이 남한테 못되게 구는 게 힘드네."

웬만하면 소문만 퍼트렸지, 직접 못된 행동을 실행한 적이 손에 꼽을 정도로 드물었다. 살짝 피곤해 보이는 그녀의 얼굴에 지목당하여 모두의 동정을 받은 시녀, 히나가 미소 지었다.

"아가씨께선 날이 갈수록 연기력이 느신다니까요?"

"칭찬인데 묘하게 욕 같기도 하고 기분이 애매하네. 그래도 다행이야. 어색해 보이지 않을까 걱정했거든."

걱정한 것치고는 너무 연기가 자연스러워 속으로 감탄했다. 하지만 히나는 이 사실을 굳이 입 밖으로 내뱉지 않았다. 성격 나빠 보인다는 게 칭찬은 아니었다.

"이제 씻으실까요?"

"그래."

먼저 화장을 꼼꼼히 지운 엘로라가 욕실로 들어갔다. 따듯한 물은 이미 준비돼 있었다. 뿌연 수증기가 그녀의 시야를 흐릿하게 했다.

히나의 도움을 받아 조심스레 욕조 안으로 들어갔다. 따듯한 물에 몸을 담고 있으니 몸이 녹진녹진 녹아들었다. 피로가 풀리는 기분이었다.

향긋한 냄새와 온몸을 감싸는 딱 좋은 온도. 만족스러운 미소를 짓고 있으니 히나가 그런 그녀의 몸을 꼼꼼히 씻겨 주기 시작했다. 익숙한 손길이었다.

종일 잔뜩 경직돼 있던 몸을 마사지하듯 부드럽게 만졌다. 눈을 감고 편하게 있었다. 그런데 이질적인 물방울이 톡 하고 그녀의 얼굴 위로 떨어졌다. 이상함을 느낀 엘로라가 슬쩍 두 눈을 떴다. 울고 있는 히나의 얼굴이 시야에 가득 들어찼다.

"히나, 표정이 왜 그래."

손을 뻗어 히나의 뺨을 쓸어 주었다. 감정이 더 격해졌는지 히나의 굵은 눈물방울이 뚝뚝 떨어졌다. 눈물 자국이 남지 않도록 손가락으로 세심히 훔쳐 주었다.

"왜 그래. 마음 편히 말해 봐."

다정한 목소리가 욕실을 울렸다. 목소리가 너무 따스해 어떤 말이라도 할 수 있을 것 같았다. 히나가 용기를 낸 듯, 천천히 입을 열었다.

"……처음이 힘들다던데 우리 아가씨 어떻게 해요. 다정하신 분이 신랑이어도 모자란데…… 난봉꾼이라 유명한 사람이잖아요."

"뭐가 힘들어?"

"……그…… 관계를…… 맺는 거요."

말하면서도 히나의 얼굴이 시뻘겋게 달아올랐다. 순간 히나가 무슨 말을 하는지 이해하지 못해 두 눈만 껌뻑거리던 엘로라가 웃음을 터트렸다. 자신을 놀린다고 생각했는지 히나가 "웃지 마세요!"라고 외쳤다. 그게 또 귀여워 웃음을 멈출 수 없었다.

라하트와의 계약에 대해 누구에도 말하지 않았다. 가족에게도 말하지 않았는데 히나에게는 말했겠는가.

애초에 계약서에 비밀 조항이라는 게 떡하니 있어 상대에겐 지키라고 했으면서 계약서를 만든 당사자가 조항 하나 지키지 못하는 게 우스워 보였다. 주위에 걱정을 끼치고 싶진 않았지만 어쩔 수 없었다.

"걱정하지 마. 네가 염려하는 일은 일어나지 않을 거야."

"예?"

히나가 입을 벌리고 멍청하게 되물었다. 그 얼굴을 본 엘로라가 히나를 안심시키기 위해 미소 지었다.

"미리 얘기해 놨어. 그런 일 없도록."

"그렇다면 다행이지만, 그래도 부부 사이잖아요."

"부부는 부부지. 하지만 허울뿐인 결혼이니 걱정하지 않아도 돼."

이 이상 얘기할 수 없었기 때문에 입을 다물고 부드럽게 히나의 머리칼을 쓰다듬어 주었다. 히나가 쑥스러운 듯 고개를 살짝 숙였다.

어떨 땐 엄하면서도 이럴 땐 꼭 귀여운 동생 같았다. 또 어떨 땐 친구 같기도 하고. 함께해 온 시간이 길다 보니 정말 가족 같은 아이였다.

조용히 히나를 위로해 준 엘로라는 온몸을 깨끗이 씻고 자리에서 일어났다. 히나가 타월로 엘로라를 닦아 주었다. 스스로 할 수 있다 했지만 묵묵히 온몸을 닦아 주고 얇은 네글리제까지 입혀 주었다.

막 씻고 난 엘로라의 얼굴은 어느 때보다 예뻐 보였다. 히나는 저도 모르게 엘로라의 얼굴을 멍하니 쳐다보았다. 이 얼굴을 하루 이틀 보는 것도 아닌데 너무 아름다워 홀린 듯이 볼 수밖에 없었다.

다시 못난이 엘로라로 화장을 해야 하는 터라 정신이 팔린 엘로라는 히나의 시선을 느끼지 못했다. 화장대에 앉아 화장품을 쓱 훑어보았다.

엘로라가 들고 온 것이 아니었다. 미리 준비된 기본 제품밖에 없었다. 밤에 하는 화장이었기에 그리 대단한 색조가 준비돼 있을 리 없었다.

이걸로 못난이 엘로라를 만들기에 턱없이 부족했다.

"히나, 화장품 챙겨 왔지?"

"네? 네!"

잠에서 깨듯, 화들짝 놀란 히나가 급하게 화장품을 들고 왔다. 앞에 잔뜩 쌓인 화장품을 보고서야 만족스러운 미소를 지은 엘로라가 화장을 시작했다. 히나는 뒤에서 그녀의 덜 마른 머리칼을 말려 주었다.

아름다운 그녀의 얼굴이 천천히 바뀐다. 눈 한 번 깜빡일 때마다 조금씩 바뀌더니 정신 차리고 보니 아예 다른 사람이 앉아 있었다. 옹졸한 입술의 엘로라였다.

"수고했어. 이만 들어가 볼게."

"조심하세요, 아가씨."

"그래. 좋은 밤 보내, 히나."

히나의 어깨를 가볍게 다독여 준 엘로라가 신방으로 향했다.

남들은 신방에서의 일이 가장 큰 고비라고 생각할지 모르지만 엘로라의 마음은 가벼웠다. 남들이 다 두려워하는 신혼 첫날밤 소박맞는다거나 독수공방 신세가 무섭지 않았기 때문일지도 몰랐다. 차라리 그녀에겐 그런 푸대접을 받는 게 더 좋았다.

전혀 긴장한 기색 없는 그녀가 신방의 문 앞에 섰다. 그리고 예의상 노크를 한두 번 하고 문을 열었다.

가장 처음 느낄 수 있는 건 술 냄새였다. 바닥을 나뒹구는 술병이 시야에 잡혔다. 한숨을 내쉰 엘로라는 침대 쪽으로 시선을 옮겼다.

엘로라가 방에 들어왔는지도 모르는지 멍하니 허공을 쳐다보는 라하트가 보였다. 그나마 다행인 건 파이프는 피우지 않고 있다는 점이었다.

"술 마셨어요?"

"응. 너도 마실래?"

"아니요."

재고할 것도 없이 단호하게 대답한 엘로라가 문을 닫고 라하트에게로 다가갔다. 그제야 라하트가 엘로라를 바라봤다. 안개 낀 듯 흐릿한 보랏빛 눈동자였다.

결혼식 때는 나름 제정신이라고 생각했는데 그새를 참지 못하고 거나하게 혼자 술을 퍼마신 그가 대단하다고 느껴졌다.

"계약, 잊지 않으셨죠?"

"그럼. 어서 누워."

술 취한 사람의 말은 썩 신뢰를 주지 않았다. 하지만 다른 선택지가 없었다. 방에 침대는 하나였고, 임시로 몸을 뉠 소파나 의자조차 없었다. 바닥은 차가운 대리석이니, 바닥에서 잤다가는 다음 날 입이 돌아간 채 발견돼 있을 터였다.

별다른 말 없이 엘로라가 조심스레 침대에 올라갔다. 그나마 다행인 건 침대가 넓다는 점이었다. 서로 멀찍이 떨어져 등을 지고 누워도 될 만큼 넓었다.

"씻고 왔네."

"네."

침대 위에 올라간 엘로라는 딱히 잠기운이 들지 않아 바로 눕지 않았다. 그런 엘로라의 등을 뚫어져라 쳐다보던 라하트가 불쑥 말을 꺼냈다. 비누 냄새가 저기까지 진동하는 듯했다.

덤덤히 긍정한 엘로라는 고개를 살짝 돌려 라하트를 보았다. 눈이 마주쳤다. 보랏빛 눈동자가 곱게 접힌다. 거의 반사적이라 해도 좋을 정도의 반응이었다.

박색한 신부의 얼굴을 보는 것도 고역일 텐데 웃어 주기까지 하다니. 천성으로 여자를 좋아하는 이라고밖에 할 말이 없었다. 딱히 라하트에 대해 긍정적으로 평할 수 없는 엘로라가 그의 잘생긴 얼굴을 보다가 이때까지 계속 하고 싶었던 말을 툭 내뱉었다.

"굳이 제 오라버니 앞이 아니더라도 그런 농담 하지 마세요."

생각보다 어투가 더 서늘했다. 스스로도 말의 온도를 느끼고 뜨끔했지만 이건 꼭 짚고 넘어가야 할 듯했다.

엘로라가 말하는 농담이 무엇인지 바로 이해되지 않는지

라하트가 살짝 인상을 찌푸렸다.

"무슨 농담?"

"아이에 대한 말이요."

"아아, 그거."

라하트는 별거 아니라는 듯이 반응했다. 정작 지켜보던 사람은 죽어 나갔는데.

그의 행동은 명백한 도발이었다. 에곤을 골리고 싶어 하는 게 훤히 보였다. 그나마 그가 시비 건 상대가 에곤이라 잘 넘어간 거지 자신의 감정에 더 솔직한 요제프에게 그러했더라면 싸움이 났을지도 몰랐다. 라엘이었더라면 나이프로 조용히 라하트의 멱을 땄을지도 모르고.

아르미트 형제들이 엘로라를 싫어한다는 대외적인 반응과 다르니 그걸 또 해명하느라 그녀는 뻘뻘 땀을 흘리고 있었을 것이었다. 어찌 잘 넘어갔지만 분명 개판 일보 직전의 총체적 난국이었던 상황이었다.

"차라리 절 볼흐라스의 석녀라 부르세요."

"왜? 왜 그렇게까지 스스로를 깎아내려?"

정신이 번쩍 드는지 라하트가 벌떡 일어나 엘로라와 거리를 좁혔다.

여성의 임무는 아이를 낳는 것이다. 불모의 몸이라는 사실이 알려지면 파혼은 물론 집에서 쫓겨나는 여성들이 비일비재했다. 여성으로서의 가치가 떨어졌다는 이유였다. 아이를 낳지 못하는 불구의 몸이 될 바에 죽음을 선택하는 여자들이 널리고 깔린 세상이었다.

실제로 그런 몸인지 아닌지는 몰라도 자처하여 끔찍한 소문을 내라 하다니. 라하트는 엘로라를 이해할 수 없었다.

"네 오라비는 널 끔찍하게 싫어하는 눈치던데. 솔직히 심한 말을 한 건 네 오라비 쪽 아닌가?"

라하트의 입장에서는 여자구실을 할 수 있는지 궁금했다는, 모욕적인 말을 한 건 에곤이었다. 자신은 얼굴에 침을 뱉거나 대놓고 욕한 적 없었다. 부부로서 행복하게 살겠다는 말을 했을 뿐이었다. 물론 아르미트 가문의 분위기가 생각한 것과 많이 달라, 진실을 파헤치기 위해 떠보려는 의도는 있었다.

사이가 안 좋다더니 식 중에 벌떡 일어나질 않나, 신부 옆자리를 차지하려고 눈싸움을 하질 않나. 무시하고 싶어도 너무 티를 내어 이상하게 생각하던 참이었다. 살살 약 올리면 자진해서 진실을 내놓을 줄 알았다.

덕분에 소문이 사실인 건 확인했지만 썩 기분이 좋지 않았다. 엘로라에게 애틋한 감정이 없더라도 그런 비아냥거림을 코앞에서 들으면 기분 나쁜 게 당연한 거였다.

"난 틀린 말 하지 않았어. 계약은 비밀에 부쳐져야 하니 겉으로는 행복해 보여야지. 안 그래?"

"……제가 불편해요."

"네가 석녀라고 사람들이 떠벌리고 다니는 건 안 불편하고?"

“…….”

정말 하나부터 열까지 이해할 수 없는 여자였다.

입을 꾹 다물고 있는 엘로라를 잠자코 지켜보던 라하트가 손짓했다.

“이리 와 봐.”

“싫어요. 약속했잖아요. 손 안 대기로.”

“그런 거 아니니까 와 봐.”

라하트는 신방에서 가까이 다가오라만 했는데 기겁하는 신부를 달래는 건 자신뿐일 거라 생각했다. 무력을 이용하여 억지로 가까워지는 건 싫어서 조용히 기다려 주었다. 잠시 고민하는 기색을 보이던 엘로라가 그에게로 다가왔다.

서로 얼굴을 마주했다. 언제 진지했냐는 듯이 라하트의 얼굴에 장난기 어린 미소가 번졌다.

“네 오라비는 얼굴만 번듯하지 네게 모욕적인 언사를 서슴지 않는 사람이야. 차라리 날 좋아하는 게 어때? 자세히 얼굴을 뜯어보라고. 나도 나쁘지 않아.”

라하트가 무슨 짓을 할지 몰라 잔뜩 굳어 있었던 엘로라가 결국 피식 웃음을 터트렸다. 식탁에서 얼굴을 마주하고 있었을 땐 그렇게 얄미웠던 남자가 이리 보니 딱히 나쁜 사람 같아 보이진 않았다. 오히려 에곤의 언사에 상처받았다고 생각하는지 위로를 해 주는 듯한 라하트의 말은 예상 외의 것이었다.

술기운에 아무 말이나 하고 있는 것일지 몰라도 굉장히

나쁘지 않은 기분이었다. 나사 빠져 보일 때가 많고, 항상 탱탱볼처럼 아무 데나 튀는 사람이지만 본질적으로 악인은 아니었다.

"거듭 말씀드리지만 취향 아니에요."

예의상 라하트의 얼굴을 꼼꼼히 훑는 척한 엘로라가 단호히 대답했다. 비집고 나오려는 웃음을 잔뜩 삼키면서.

"혹시 몰라. 자주 보면 정든다잖아."

엘로라의 대답을 이미 예상했는지 도리어 뻔뻔하게 나왔다. 이게 라하트의 모습이었다. 뻔뻔하고, 자기가 잘난 걸 아는 사람.

로즈로서 벤치에 함께 앉아 있을 때가 불쑥 머릿속을 스쳐 지나갔다. 그땐 이 무슨 미친놈인가 싶었는데 벌써 적응이라도 한 건지 놀랍지도 않았다. 짐짓 냉정한 척하며 엘로라도 뻔뻔하게 나가기로 했다.

"왜 계속 제 마음에 들려고 안달이에요? 혹시 저한테 반하기라도 했어요?"

분명 정원에서처럼 박장대소할 거라 생각했다. 미친 듯이 웃는 그를 무시하고 자는 척하면 되겠지.

하지만 라하트라는 공은 통 하고 다른 곳으로 튀었다. 장난기 가신 진지한 표정으로 아무 말 잔치를 벌였다.

"난 이 시대의 사랑꾼이거든."

일전의 한 장면이 현재와 겹쳐졌다. 엘로라는 그에게 똑같은 말을 들었던 한 여자가 죽었음을 알았다. 그녀가 죽고 나서도 술만 퍼마셨다는 사실 또한 알았다.

속내가 뻔히 들여다보이는 거짓말이었다. 하지만 지금 엘로라는 로즈가 아니었기에 다른 반응을 보였다.

"이 얼굴을 보고서도 그런 말이 나오세요?"

"내 입에서 네가 예쁘다는 말이 나오면 그건 분명 거짓말이겠지. 하지만 네가 이렇게 태어나고 싶어서 태어난 건 아니잖아."

엘로라는 헛숨을 마셨다.

모두 엘로라의 못난 얼굴을 비난하기 바빴다. 죽은 아르미트 부인이 배 아파 낳은 자식이 아니라는 말까지 들었다. 그깟 얼굴 하나 때문에.

엘로라는 마법을 부리지 않았다. 그저 얼굴에 분을 칠하고 색조를 발랐을 뿐이었다. 그러자 사람들의 인식이 바뀌었다. 모두가 그녀의 못난 가면을 헐뜯었다. 이런 상황을 의도한 건 그녀였지만 실제로 부딪쳐 보니 마음이 아프지 않을 수 없었다.

"네 이름, 지위, 얼굴. 그 모든 것 중에 네가 선택한 건 아무것도 없어."

엘로라는 조용히 라하트를 보았다. 누구도 해 주지 못한 말이 망나니라 불리는 남자의 입에서 나오니 이상했다.

사람들은 이 얼굴을 보면 경멸을 감추지 못했고, 그녀의 얼굴을 보지 않은 사람조차 그녀를 비난하는 게 숨 쉬듯 당연하다 생각했다. 비난하고, 짓밟고, 무시하고.

인생을 누구보다 헛되이 쓰고 있다는 남자는 신기하게도 눈앞에 있는 것만 보지 않았다.

통, 통, 통, 통.

라하트라는 남자가 계속 예상치 못한 방향으로 튀었다.

느릿하게 두 눈을 깜빡였다. 마치 화장이라는 가면 뒤에 숨은 엘로라의 진실 된 얼굴을 꿰뚫어 볼 듯한 보랏빛 눈동자가 일순 반짝이다 다시 흐리멍덩해졌다.

"새삼 반했어? 내 얼굴을 구멍 뚫릴 듯이 보네."

"……전하 얼굴에 소스 자국 묻었어요."

진지하다 싶으면 장난스럽고, 장난스럽다 싶으면 진지했다.

또 미친 사람 같다 싶으면 정상인 같고, 정상인 같다 싶으면 미쳐 보였다. 종잡을 수 없는 남자였다. 화장도 하지 않는데 두 얼굴을 가지고 있는 듯했다. 눈빛 하나로, 표정 하나로 바뀌는 남자가 신기했다.

엘로라의 말이 거짓임을 알면서도 라하트는 그것을 받아 주었다. 과장스럽게 입 근처를 닦아 냈다. 그러곤 소스 자국이 보이지 않자 가벼운 말투로 "아무것도 안 묻었는데?" 라고 했다. 그 모습을 지켜보던 엘로라가 그에게서 등을 돌렸다.

"피곤해요. 이만 잘래요."

"이러고 넘어가기야?"

"무슨 대답을 원하시는데요."

불퉁하게 되받아쳤다. 그런 엘로라의 야윈 등을 쳐다보

던 라하트의 얼굴에 장난스러운 미소가 지어졌다.

"음. 라하트 전하, 정말 잘생겼어요?"

"안녕히 주무세요."

어림없는 소리였다. 단호하게 대답한 엘로라가 두 눈을 감았다. 돌아선 등이 이쪽을 향할 생각이 없음을 깨달은 라하트가 근처에서 깐죽댔다.

"손만 잡고 자는 것도 안 돼?"

"네."

"그러면 발은?"

"안 돼요."

저건 또 무슨 페티쉬인지 모르겠다.

뜬금없는 라하트의 말에 헛웃음을 짓고 말았다. 그 소리를 들은 라하트가 빙긋 웃었다. 물론 엘로라는 보지 못할 웃음이었다.

"이거, 다른 사람들은 아내를 소박맞힌다는데 나는 아내한테 소박맞았네."

그렇게 말하며 침대에서 벗어났다. 기척을 느낀 엘로라가 힐끔 라하트 쪽을 흘겨보았다. 소박맞았다더니 진짜 밖으로 나갈 기세였다.

"한 모금만 마시고 올게."

엘로라 쪽으로 항상 가지고 다니던 파이프를 보여 준 라하트가 바깥으로 나갔다. 라하트가 완전히 나가고 나서도 편하게 눕지 않은 엘로라가 다시 눈을 감았다. 어린아이도 아니고 금방 돌아오겠지 하는 생각에서였다.

그리고 그날 밤, 라하트는 신방으로 돌아오지 않았다.

다음 날 아침, 엘로라는 일찍 두 눈을 떴다. 기지개를 켜고 주위를 둘러보니 썰렁했다. 사람의 온기라고는 느껴지지 않는 옆자리를 잠시 바라보다가 이내 화장을 확인했다.

화장이 좀 지워지긴 했지만 상태가 나쁘진 않았다. 하나 오랫동안 마차에 둘이서 있어야 했기에 씻고 화장을 다시 하기로 마음먹었다. 차라리 라하트가 방에 돌아오지 않아 다행이었다. 밖에서 무엇을 하는지 몰라도.

그가 언제 들어올지 몰라 혼자서 빠르게 씻고 화장을 다시 했다. 보통 귀족들은 늦게 자고 늦게 일어나는 데다 첫날밤을 보낸 부부의 신방에 아침부터 쳐들어올 시녀는 없었다.

엘로라야 매일 일찍 일어나는 게 습관이 되어 절로 두 눈이 떠졌지만 일반적인 귀족들은 밤에 사교 모임에 참석하느라 늦게 자다가 해가 중천에 뜰 때쯤 일어난다 했다. 엘로라도, 아르미트가의 남자들도 귀족들과의 사교 활동이 전무하다 싶었기에 귀족치고는 매우 특이한 생활을 하는 편이었다.

평소보다 배로 빠르게 씻고 옷을 갈아입은 엘로라는 구석에서 화장했다. 화장하는 손길 또한 평소보다 배로 빨랐다. 그렇다고 하여 결과물이 부실한 건 아니었다. 꼼꼼하게 얼굴을 확인한 엘로라가 만족스럽게 고개를 끄덕이곤 자리에서 일어났다.

라하트는 아직도 오지 않았다. 이쯤 되면 파이프는 핑계고 저잣거리에 나간 건 아닐까 싶다. 워낙 헷갈리는 짓을 많이 했지만 소문의 라하트는 박색한 부인을 신방에 내버려 두고 밖에 나가 다른 여자와 즐길 남자였다. 직접 만나 보니 그게 또 신빙성이 가지 않았지만 항상 만약은 준비해 둬야 했다.

만약 그렇다면 입이 가벼운 시녀들이 새 신부의 얼굴이 너무 못생겨 천하의 라하트도 신부를 소박맞혔다는 소문을 낼 게 뻔했다. 그리고 그건 엘로라에게 전혀 나쁘게 돌아가는 것이 아니었다.

석녀라 불리는 것도 거리낌 없는데 첫날밤 소박맞은 신부쯤이야 아무렇지 않았다. 차라리 그런 식으로 소문이 퍼지면 얼굴에 대한 악명도 높아지니 나쁘지 않았다.

또한, 라하트가 진짜 다른 여자를 만나러 갔다면 말만 번지르르했지 자신에게 별 관심이 없다는 증거였기 때문에 앞으로 편하게 살 수 있을 터였다.

빠르게 씻고 화장을 하여 시간이 남았다. 가만히 앉아 있던 엘로라가 따분함을 참지 못하고 자리에서 일어났다. 잠시 밖에 나가 산책이라도 할 생각이었다.

문고리를 잡고 밀었다. 그런데 문이 잘 열리지 않았다.

당황한 엘로라가 문이 고장 났나 싶어 세게 문을 밀었다. 무언가에 턱 막힌 듯 문이 밀어지다가 말았다. 결국 몸을 바싹 붙여, 있는 힘껏 문을 열었다. 그러자 언제 열리지 않았냐는 듯이 문이 활짝 열리고, 사람의 목소리가 들렸다.

"아야."

……아야?

순간 상황을 인식하지 못한 엘로라가 문을 보았다.

문이 아파서 말했을 리가 없었다. 당황함이 잔뜩 어린 얼굴로 시선을 옮겼다. 그리고 바닥에 나뒹구는 사람의 형체를 발견할 수 있었다. 어딘가 익숙한 머리칼과 복장, 그리고 체구.

조심스레 그 형체에게로 다가갔다.

부정하고 싶지만 그 형체는 라하트가 맞았다.

"……여기서 뭐 하세요?"

바닥에 누운 라하트의 눈동자가 엘로라에게로 향했다. 아직 잠이 덜 깬 표정이었다. 눈동자 또한 항상 그렇듯 흐리멍덩했다. 멍하니 엘로라를 올려다보던 라하트가 하암, 하품하더니 덤덤하게 대답했다.

"냄새나잖아."

"……그래서 여기서 잤어요?"

"응. 생각보다 많이 냄새가 나더라고."

상식을 파괴하는 대답이었다. 담배 냄새 때문에 밖에서 잤다니. 담배 냄새를 달고 다니는 사람의 입에서 나오기에는 매우 이질적이었다.

벌러덩 누워 있던 라하트가 상체를 일으켰다. 삐딱하게 자리에 앉더니 자신의 옆자리를 팡팡 쳤다. 의미하는 바는 분명했다. 엘로라는 저도 모르게 미간을 찌푸렸다.

"옆에 앉을래?"

"아니요. 그러지 말고 일어나세요."

어서 일어나길 재촉했다. 손을 뻗는 호의는 보이지 않았다.

라하트가 어쩔 수 없다는 듯이 엉덩이를 털고 자리에서 일어났다. 딱딱한 바닥에 앉은 채로 자서 몸이 찌뿌둥한지 기지개를 켜며 하품하는 라하트를 지켜본 엘로라가 불쑥 질문을 던졌다.

"아무도 전하를 깨우지 않았나요?"

"당연하지. 어느 미친놈이 밤에 신방을 얼찡거리겠어. 다른 사람도 아니고 내가 결혼했는데."

몸이 영 뻐근한 라하트가 인상을 찡그렸다. 뻐근한 몸을 푸는 그를 보는 게 영 편치 않았다. 방금 전까지만 해도 저 남자가 바깥에서 딴 여자랑 시시덕거릴 거라고 생각했다. 엘로라는 현실과 상상의 괴리감이 느꼈다. 이래서 평소 이미지가 중요한 것이었다.

"엄청 일찍 일어나네."

"일찍 눈이 떠진 것뿐이에요."

창밖을 힐끔 보고 시간을 잰 라하트의 물음에 엘로라가 빠르게 답했다. 일반적인 귀족과 다른 생활 패턴을 알리어 관심받을 필요가 없었다.

일찍 자서 일찍 일어났겠지, 라고 생각한 라하트가 평소보다 빠른 그녀의 답을 무심히 넘겼다. 온몸이 비명을 지르고 있어 엘로라의 반응에 크게 관심을 둬 줄 여유가 없었다.

라하트가 허리를 돌리거나 목 뒤를 주물렀다. 엘로라는 굉장히 고통스러워 보이는 라하트를 뚫어져라 쳐다보았다. 생각하던 이미지와 달라 시선이 갔다. 여성을 배려해 주는 것만 해도 아예 쓰레기는 아니라는 뜻이었으니까.

하지만 대중은 그를 구제 못할 망나니라 불렀고, 그의 부모 또한 포기한 실정이었다. 어디까지가 진실이고 거짓인지 알 필요는 없지만 그냥 그렇게 시선이 갔다.

"왜? 자다 깬 내 모습도 반할 것 같아?"

"냄새, 아직 나요. 씻고 오세요."

근거 있는 자신감을 내비치는 모습도 밉지 않았다.

고개를 돌린 엘로라가 어젯밤처럼 말을 돌렸다. 이번에도 라하트는 엘로라의 말을 믿어 주었다. 사실 아예 거짓말은 아니었다. 파이프를 피우다가 밖에서 자고 일어난 남자에게 상쾌한 향이 날 리 없었다.

"아, 그래? 그러면 나 먼저……."

말을 잇던 라하트가 불쑥 엘로라의 목덜미 쪽으로 고개를 숙였다. 당황한 엘로라가 뭐라 반응하기도 전에 그녀의 향기를 맡았다. 목덜미에 라하트의 숨결이 닿았다.

"벌써 씻었네."

가까워도 너무 가까이서 들리는 목소리와 목덜미에 적나라하게 닿는 숨결. 움찔한 엘로라가 뒤늦게 정신을 차리고 라하트를 밀었다. 그리 강한 힘은 아니었지만 라하트가 빠르게 거리를 벌렸다. 본인도 놀랐는지 난처한 기색이 가득했다.

"미안. 나도 모르게 습관적으로 행동했네."

"하지 마세요."

"알았어. 다 내가 잘못했으니까 꼬리 세우지 마."

"꼬리 세운 적 없어요."

"조심할게."

원래 무심했다 싶었는데 한 번의 스킨십으로 적개심이 가득해진 엘로라를 보고 라하트 또한 덩달아 진지해졌다.

평소의 가벼움이라고는 한 톨도 느껴지지 않는 그의 대답에 살짝 긴장을 풀었지만 그뿐이었다. 라하트의 이미지가 개망나니에서 여자를 많이 만난 바람둥이 망나니로 바뀌었다.

여기서 어떤 말을 해도 닿지 않음을 아는 라하트가 이만 씻겠다며 등을 돌렸다. 그와 일정 거리를 유지하며 방에 들어간 엘로라가 물었다.

"……일찍 출발할까요?"

"뭐, 둘 다 일찍 깼으니 일정을 당기는 것도 나쁘진 않지. 어차피 준비는 다 돼 있을 거니까."

원래 계획대로 출발하기엔 시간이 아까웠다. 느긋하게 일어나는 귀족의 특성과 신혼 첫날밤이니만큼 격렬하여 체력이 없을 걸 고려한 출발 시각은 그들에게 전혀 어울리지 않았다.

일찍 갔다가 일찍 돌아오기로 마음먹은 엘로라는 라하트의 동의도 얻었으니 지금쯤 느긋하게 준비하고 있을 시종들에겐 미안하지만 급하게 움직이기로 했다.

라하트가 씻는 동안 설렁줄을 당겨 시종을 불렀다. 갑작스레 당겨진 일정에 시종은 당황했지만 가타부타 말없이 자리를 떠났다.

딱히 라하트와 얼굴을 마주하며 식사를 하고 싶지 않았기 때문에 그가 씻는 동안 먼저 식사하고, 어서 뷔로스로 가는 준비가 끝나길 기다렸다.

빠릿빠릿한 시종들 덕에 엘로라가 예상한 시간에 준비가 끝났다. 라하트와 엘로라가 마차에 들어갔다.

그들의 신혼여행을 반기는 이는 아무도 없었다. 하나 쓸쓸한 마음 없이 자리에 앉은 엘로라가 두 눈을 감았다.

그들을 태운 마차가 출발했다.

신혼부부로서의 설렘과 풋풋함이 조금도 남지 않은 신혼여행의 시작이었다.

04. 바다의 도시, 뷔로스

04. 바다의 도시, 뷔로스

신혼여행은 황실에서 붙여 준 시종 몇 명만 데리고 갔기에 안타깝게도 히나의 그림자조차 볼 수 없었다. 마음 편히 이야기를 나눌 사람이 없는 타지에서 엘로라는 원래 얼굴이 들키지 않도록 잠을 잘 때조차 긴장을 늦추지 않았다. 밤에 선잠을 자, 마차에서 꾸벅꾸벅 졸기 일쑤였다.

그나마 다행인 건 라하트가 밤마다 밖으로 나간다는 사실이었다. 종일 마차에 앉아 이동하다가 해가 질 때쯤 여관을 잡고 식사하고, 씻으면 늦은 밤이었다. 그때쯤이면 딱히 할 일도 없어 엘로라는 먼저 침대에 누웠고, 같은 방에서 한 침대를 쓰는 라하트는 조용히 밖으로 나갔다.

왜 나가냐고 물어볼 때마다 술이나 담배 같은 이유가 나왔다.

다음 날 밖에 나가서 깽판을 쳤다는 말은 없었기 때문에 별말 없이 라하트를 보내 주었다. 뷔로스로 향하는 동안 그런 날의 반복이었다.

언제 라하트가 돌아올지 몰라 잔뜩 경계하며 선잠을 자고 일어나 술에 전 라하트와 같은 마차에 올라 이동하다가 꾸벅꾸벅 졸고 일어나면 잠시 휴식. 휴식이 끝나면 다시 이동하고 조용히 영지로 가 여관에서 선잠을 자고 있으면 돌아온 아침을 맞이할 수 있었다.

조촐한 결혼식이었던 만큼 신혼여행 또한 소규모인 데다 크게 떠들지 않아 그들이 뷔로스로 향한다는 사실을 모르는 영주가 많았다. 그래서 정말 어떤 대우도 받지 않고 조용히 여관에 있다 나왔다.

이런 상황이 한두 번도 아니고 계속 반복되니 시종들 사이에서 뒷말이 나오는 건 당연했다. 밤에 침대를 홀로 지키는 신부와 밖으로 나가는 신랑. 그리고 그 신부가 박색하다면 이야기를 꺼내기 더 쉬웠다.

이동 중에도 엘로라가 마차에서 잔다고 대화를 나누는 경우가 극히 드물었으므로 겉으로 보기엔 부부라고 할 수도 없는 냉랭한 관계 그 자체였다.

첫날밤이야 근처를 돌아다닌 사람이 없었지만 이 기세라면 결혼한 지 한 달도 되지 않아 황자와 결혼한 아르미트가의 못난이 영애가 독수공방 신세라는 사실이 널리 퍼질 듯했다.

상황이 어떻게 되든 나쁘진 않았기에 엘로라는 모든 걸 묵인했다. 라하트는 눈치채지 못한 건지 아니면 신경 쓰지 않는 건지 행동에 변함이 없었다.

그렇게 마차를 타고 며칠간 이동한 그들은 무사히 뷔로스에 도착할 수 있었다.

바다와 자유의 도시, 뷔로스.

서로 알 수 없는 생각을 안은 신혼부부의 도착이었다.

마차에서 내리자 바닷가 특유의 소금기 어린 냄새가 났다. 아직 바다를 보지도 않았는데 바다가 어떤 느낌인지 알 것 같았다.

뷔로스는 여러모로 엘로라가 자란 수도와 달랐다. 사람들이 분주한 건 마찬가지였지만 조금 더 활기 넘쳤다. 수많은 사람이 오가는 교역의 장이라 그런지 복장도 가지각색이었다. 숨통이 확 트이는 것 같았다.

마차에서 내린 엘로라는 먼저 신혼여행 동안 묵을 여관 방에 들어갔다. 하얀색과 푸른색이 어우러진, 안락한 방이었다. 새하얀 벽지에는 푸른색의 가로줄이 그어져 있었고 가구 또한 푸른색 아니면 녹색이었다.

엘로라의 시선이 커다란 창문에 닿았다. 오늘은 날이 좋았다. 살짝 열린 창문 사이로 들어오는 바람에 펄럭이는 커튼. 엘로라의 발 앞에는 햇살 탓에 얇은 커튼 모양의 무늬가 새겨져 있었다.

곧은 시선으로 바람에 나부끼는 커튼을 보다가 걸음을 옮겼다. 조심스레 커튼을 걷으니 강렬한 햇빛이 가감 없이 엘로라에게로 쏟아졌다. 분명 같은 하늘에 떠 있는 하나의 태양이건만 뷔로스는 햇살마저 수도와 다른 듯했다. 눈살을 찌푸리며 창공을 올려다보았다. 그리고 시선을 살짝 내리자, 하늘보다 더 짙은 바다가 그녀를 반겼다.

그 광경을 보는 순간 엘로라는 입을 다물지 못했다.

반짝이는 바다는 그녀에게 새로운 감동을 선사해 주었다.

전체적으로 높이가 낮고 색채가 밝은 건물들 사이에서 그림처럼 펼쳐진 바다. 천천히 두 눈을 깜빡였다. 망막에 아로새겨진 푸름은 지워지지 않았다.

저 멀리 있는 바다를 쳐다보았다.

넋을 놓은 엘로라의 정신을 되돌려 놓은 건 시종의 노크 소리였다. 화들짝 놀라서 몸을 돌려 들어오라 말하자, 시종이 짐을 들고 들어왔다. 모두 그녀의 옷가지였다.

옷을 갈아입을까 하다가 마음을 바꾸어 모자와 양산만 챙겼다. 그러다 라하트의 모습이 코빼기도 보이지 않는 것을 깨닫고 혹시나 하는 마음에 그의 행적을 물었다. 이에 상대가 매우 당황한 표정으로 주섬주섬 대답을 꺼냈다.

"전하께서는 먼저 나가 보신다고 하셨습니다."

"그래?"

마차에서 같이 내렸는데 왜 안 보이나 했더니 잽싸게 움직인 모양이었다. 이렇게 설레는 도시에서 라하트가 얌전히 있을 리 없었다.

황궁에서도 얌전히 궁둥이를 붙이고 있지 못한다는 소리는 익히 들었다. 그런 그가 뷔로스에 도착하자마자 개별적으로 행동한 건 이상한 일이 아니었다.

짐을 정리하는 시종을 내버려 두고 문고리를 잡았다. 깊게 눌러쓴 모자와 손에 든 양산으로 엘로라가 외출을 하려는 걸 눈치챈 시종이 하던 일을 멈추고 재빠르게 말을 걸었다.

"바깥에 나가시는 거라면 지금 당장 사람을……."

"아니, 됐어. 하던 일이나 계속해."

"하지만……."

"꺼지라니까. 내 말 안 들려?"

부드럽게 회유하기보다는 강하게 나가야 했다. 날카로운 엘로라의 말에 시종이 움찔했다. 이미 그녀의 기행에 대해 알고 있었기 때문에 또 물건이 날아올지도 모른다는 공포에 기인한 것이었다.

"하, 하지만 길을 잃어버릴지도 모릅니다."

"근처에서 바람만 쐬고 바로 돌아올 거야."

시종은 나름대로 용기 내어 외쳤지만 단번에 막히고 말

았다. 엘로라는 무슨 일이 생기면 큰일이라 갔다 오라고 하지 못하고 우물쭈물 서 있는 시종을 보았다.

시종의 입장이 충분히 이해가 됐기에 미안함이 먼저 들었다. 그러나 고개를 숙이고 있는 그와 눈이 마주칠까 싶어 인상을 찡그린 채 바라봐야 했다. 따끔한 시선이 박히자 시종이 더욱더 어쩔 줄 몰라 했다.

불편한 분위기 속에서 엘로라는 결정을 내렸다.

"내가 돌아오기 전까지 정리를 마치지 않으면 벌을 줄 테야."

"예? 예!"

짐 정리를 하는 지금, 시종들이 정신이 없을 때 나가기로 했다. 이때가 아니라면 또 언제 혼자 나갈 수 있을지 몰랐다.

허둥지둥 짐 정리를 다시 시작하는 시종을 뒤로하고 가벼운 걸음으로 계단을 타고 내려갔다.

여관을 빠져나오자 발걸음이 자연스레 바다로 향했다. 바다를 더욱 가까이서 볼 생각을 하니 엘로라의 푸른 눈동자가 그 어느 때보다 반짝였다. 챙이 넓은 모자로 가려진 얼굴에서 눈빛만은 생생했다.

바다로 가는 길에는 엘로라의 시선을 끄는 것이 많았다. 그 탓에 길을 가다가 발걸음을 멈추기 일쑤였다.

크게 소리치며 물건을 사라고 하는 상인과 호기심 어린 눈으로 그걸 보는 관광객. 그리고 딱 봐도 이질적인 외모의 외국인도 있었다.

외국인의 수가 많아, 타국의 언어로 대화하는 사람들을 심심찮게 발견할 수 있었다. 볼흐라스를 잘 알고 있다 생각했던 엘로라는 타국에 온 듯한 기분을 느꼈다. 이곳은 볼흐라스지만 타국의 정취가 짙게 남아 있었다.

인파를 뚫고 지나간 엘로라는 생각보다 오래 걸은 후에야 바다를 볼 수 있었다. 반짝이는 바다는 창문을 통해 보았던 그대로였다. 아니, 가까이서 보니 더 감동이었다.

숨을 크게 들이쉬었다. 짭조름한 냄새가 폐부 깊숙이 가득 찼다.

오도카니 서서 바다를 보던 엘로라는 백사장에 발을 내디디려다가 말았다. 구두를 신고 모래를 밟을 순 없었다. 괜히 시도했다가 모래에 코를 박는, 흉한 꼴만 보일 게 뻔했다.

한참이나 바다를 보다가 아쉬운 마음으로 돌아섰다.

돌아가는 길에 시장을 지나가, 타지에서 건너온 다양한 물건들을 구경했다. 시간 가는 줄도 모르게 구경하다 보니 슬슬 해가 지고 있었다. 여관으로 돌아가야 했다.

황혼에 물드는 바다를 코앞에서 보고 싶었지만 너무 늦게 돌아가면 난리가 날 것이었다. 아쉬운 대로 발걸음을 돌렸다.

노을빛을 받으며 여관에 도착하니 라하트는 아직도 돌아오지 않았다는 말을 들을 수 있었다. 오늘 밤도 돌아오지 않을 모양이었다.

어디서 뭐 하고 돌아다니는지는 모르겠지만 한 가지 확실한 건 술병을 달고 다니고 있을 거란 것이었다.

매일 술 냄새를 풍기고 다니니 그것만큼은 모르고 싶어도 모를 수가 없었다.

엘로라는 방에서 식사하겠다며 위로 올라갔다. 인상을 잔뜩 찡그린 채 계단에 오르니 뒤에서 시종들이 저들끼리 속닥거렸지만 모른 척했다. 굳이 듣지 않아도 그 내용이 뻔했다.

방으로 돌아온 엘로라는 홀로 침대에 앉아서 커다란 창문을 통해 뷔로스의 바다를 보았다. 노을의 붉음을 가득 담다가 새까맣게 변하는 바다가 아름답다.

애초에 신혼여행이 아닌 단순 여행을 목적으로 이곳에 온 거니 혼자 있어도 외롭지 않았다. 오히려 라하트도, 시종도 없이 오롯이 혼자 여행을 왔더라면 더 좋았을 거란 생각이 들었다. 물론 상황이 괜찮다면 아버지와 오라버니들과 와도 괜찮았을 거다.

하지만 가족들과 여행을 가는 일은 영원히 없을 것이었다.

대외적으로 사이가 좋지 않다고 알려진 것도 그러했고, 아르미트 부인의 죽음 때문이기도 했다.

엘로라가 여덟 살 때, 아르미트 후작은 부부 동반으로 짧은 여행을 계획했다. 함께 여행을 떠날 사람은 아르미트 후작의 오랜 친우였다는데, 그날 이후로 볼 수 없어 엘로라에게는 기억나지 않는 얼굴이었다.

아이들을 두고 가는 만큼 짧게 다녀올 생각이었다.

그리고 그날은 비가 억수로 쏟아졌다. 하지만 이미 다 세워 놓은 계획을 변경할 수 없었다. 왠지 느낌이 좋지 않았지만 계획대로 몰아붙인 것이 화근이었다

황궁에서 일을 보고 뒤따라가려 했던 아르미트 후작은 빗길에 마차가 달리다 전복 사고를 당했다는 소식을 들었다. 죽은 이는 아르미트 후작 부인뿐만이 아니었다. 후작의 친우도 포함돼 있었다.

그날 이후로 후작은 수도 밖으로 나가는 걸 극도로 꺼렸다.

누구의 잘못도 아니었지만 그날의 일이 트라우마로 남아 있을 터였다. 그런 아버지를 잘 알기에 엘로라는 함께 떠나자고 조를 수 없었다.

여덟 살 때 일어난 일이었지만 나이를 먹을수록 아버지가 겪었을 상실감과 후회를 절절하게 느끼고 있었다. 그래서 되도록 아버지 앞에서는 살갑게 굴려고 노력하는 그녀였다.

누구의 잘못도 아니었지만, 남은 자의 상실을 채워 줄 수 있는 건 죽은 자가 아니었기에.

집으로 돌아가면 이 바다를 그려, 아버지에게 선물하고 싶었다.

그건 로이스가 아닌 엘로라의 그림이었다.

비록 바다 특유의 향기는 느낄 수 없어도 답답한 가슴이 뻥 뚫리는 이 푸름을 보면서 아버지가 마음을 놓았으면 좋

겠다.

오랫동안 바다를 바라본 엘로라는 시종이 들고 온 식사를 하고 씻었다. 다시 정성 들여 화장하는 일의 반복이었다.

그리고 그날 밤, 예상대로 라하트는 돌아오지 않았다.

여전히 마음 편히 잘 수 없는 엘로라는 선잠을 자다가 동이 틀 때쯤에 일어났다. 기척에 예민하게 반응하며 화장을 고치고 바다를 보면서 시간을 때우다 보니 금세 식사 시간이 다가왔다. 슬슬 식사를 가지고 시종이 들어올 거라 예상했을 때 문이 벌컥 열렸다.

노크 없이 열린 문에 깜짝 놀라 뒤를 돌아보았다. 익히 아는 금발 남자가 길게 늘어지는 하품을 하며 들어왔다. 그런 그의 손에는 아침 식사로 추정되는 음식이 가득 들려 있었다. 언뜻 봐도 1인분이 아니었다.

그림자도 보이지 않았던 남자의 등장에 엘로라는 평정심을 가장한 가면을 썼다.

라하트와 눈이 마주쳤다.

피곤이 가득한 보랏빛 눈동자였다.

"뭐 해?"

"노크는 하고 들어오세요."

"어차피 내 방이기도 한데 상관없지 않나."

건성으로 대답한 라하트가 침대에 털썩 앉았다. 침대가 흔들렸다. 익숙한 담배 냄새와 술 냄새가 라하트에게서 풍겨 오는 듯했다. 외모가 워낙 번지르르한 탓에 멀리서 보면 괜찮은 듯했지만 가까이서 보니 아니었다. 웬 양아치 같은 꼴이었다.

"무례해요."

"다들 그렇게 알고 있는데 조금 더 무례하다고 흠집 날 명성도 없지."

싱긋 웃으며 화답했다. 틀린 말은 아니었지만 보통 인간이란 남이 보는 자신의 모습을 신경 쓸 수밖에 없는 생물이었다. 그런데 라하트는 평판 따위는 개나 주고 스스로 명성을 나락까지 추락시켰다. 본인도 그것을 인지하고 있는지 거리낌 없이 행동했다.

엘로라는 입을 다물었다.

무언가 깨달은 게 있었기 때문이다.

자신 또한 선입견에 사로잡혀 있다는, 엄청난 깨달음을.

천천히 두 눈만 깜빡이는 엘로라에게 라하트가 성큼 다가왔다.

"식사해야지."

그리 말하며 엘로라 앞에 쟁반을 내려놓았다. 잠깐 음식에 시선을 주던 엘로라가 차갑게 말했다.

"냄새나요."

"씻고 왔는데 냄새나?"

"네."

얼마나 술을 퍼마셨으면.

그러고 보니 안색도 썩 좋아 보이지 않았다.

왜 자신을 학대하면서까지 술을 마시는지 알 수 없었다. 술을 마시면 그렇게 기분이 좋은 걸까. 정신을 잃고 개가 될 때까지 술을 마신 적이 없는 엘로라는 라하트를 이해할 수 없었다. 애초에 이해할 수 없는 행동이 한둘이 아니긴 했다.

라하트가 팔을 들어 킁킁 냄새를 맡았다. 거의 술통에 담가졌다 싶을 정도로 술을 마시는 남자이니 술 냄새와 체취를 구분할 수 있을지 의문이었다. 몇 번 그리 냄새를 맡다가 엘로라의 예상대로 술 냄새를 구분하지 못한 건지 고개를 갸웃했다.

죽을 때까지 냄새만 맡아도 분간하지 못할 거였다. 결국 냄새 맡기를 포기한 라하트가 고개를 들어 엘로라를 보았다. 눈이 마주치자마자 방긋 웃었다.

이 얼굴을 보며 웃다니. 정말 비위가 좋은 남자였다.

"명색이 신혼여행인데 얼굴 보고 대화한 건 오랜만인 느낌이네."

"전하께서 밤마다 나가셨잖아요."

탓하는 어조가 아니었다. 그저 사실을 말했을 뿐이었다.

이를 알고 있는 라하트가 표정을 굳히더니 주위를 살폈다. 혹 누가 대화를 들을까 싶어 조심하는 기색이었다. 이 남자가 또 왜 이러나 싶어 엘로라는 그 모습을 조용히 지켜보았다.

"너한테만 알려 줄게."

목소리가 낮아졌다. 엄청난 비밀을 알려 줄 듯했다.

대화의 흐름 자체가 뜬금없었다. 하지만 굳이 토를 달지 않았다. 그런 엘로라에게 라하트가 작은 목소리로 속삭였다.

"사실 희소병을 앓고 있어."

이건 또 무슨 개소리지.

엘로라가 저도 모르게 인상을 찡그렸다. 침착함을 가장한 가면이 깨졌다. 골 때리는 행동을 하는 것도 능력이라면 능력이었다.

"한곳에 얌전히 못 있는 병인데 의사도 고치지 못……."

"식사나 하죠. 수프 다 식겠어요."

"너무 대놓고 무시하는 거 아니야?"

"말 같은 말을 해 주시면 경청해 드릴게요."

차갑게 일갈한 엘로라가 수프를 들었다. 스푼으로 떠먹고 있는데 라하트가 그녀의 얼굴을 뚫어질 듯이 쳐다봤다. 부담스러운 시선을 의식하지 않으려 노력했지만 음식에 손도 대지 않은 라하트가 말을 걸었다.

"신기하단 말이야. 그런 말은 또 어디서 배웠어? 매일 집에 칩거해 있었다며."

엘로라가 대외적으로 하는 사교 활동은 없었다. 못생긴 데다 소문이 안 좋은 그녀를 자신의 모임에 초대하는 간 큰 영애가 있을 리 없었기 때문에.

그렇다 하여 못난이 엘로라가 혼자서 활발하게 여기저기 들쑤시고 다닌 건 또 아니었다. 그저 저택 내에서 소문만 무성했다. 주기적으로 그녀의 악행이 들리니 사람들은 당연히 '저 여자는 못생긴 데다 성격도 나쁘구나.'라고 생각했다.

다른 사람의 삶을 산다고 바쁜 터라 못난이 엘로라는 소문만 내고 거의 방치해 두었다는 것을 아는 사람은 아르미트 가문의 사람들밖에 없으리라.

그녀는 그저 집에서 히스테리 부리는 여자일 뿐이었다.

라하트의 지적에 엘로라는 적당히 대답해 주었다.

"사교 활동을 하지 않는다 해서 귀가 없다는 건 아니에요. 다 들리는 말이 있으니 배운 것이겠죠."

"아르미트 후작이 그런 말을 써?"

"……아니요."

"그러면?"

뭐가 그리 궁금한지. 인상을 와락 찡그린 엘로라가 결국 라하트를 밀어냈다.

"냄새나요. 떨어져요."

"나가기 전에 씻을게. 너무 그렇게 인상 찡그리지 마."

계속 냄새가 난다고 하니 신경 쓰이는 건지 엘로라와 살짝 거리를 벌린 라하트가 드디어 음식에 손을 댔다. 인간의 입은 한 개였다. 저 입에 음식물이 들어가면 좀 조용해지겠지. 그리 생각한 엘로라가 편히 식사를 계속했다.

이른 아침이기도 했고, 애초에 가볍게 먹으려고 들고 온 탓인지 수프에 빵이 다였지만 불평을 늘어놓지 않았다. 엘로라는 괜히 라하트와 대화할 건더기를 만들고 싶지 않았다.

메뉴가 단출해서 그런지 음식은 금세 바닥을 드러냈다.

수프를 싹싹 긁어먹은 라하트가 입에 음식이 없으니 엘로라에게 말을 걸었다.

“우리 내일은 같이 다닐까?”

“……왜요?”

“신혼여행이라고 왔는데 마지막 날이라도 구색은 맞춰야지.”

라하트가 저런 제의를 할 거라 생각하지 못했다. 전혀.

구색이라도 맞춰야 한다니. 매일 밤 나간 탓에 엘로라의 독수공방 신세는 확정이라는 소문이 시종들 사이에서 떠도는 마당이었다. 언제 그리 성실했다고 구색 타령을 하는지. 라하트의 종잡을 수 없는 생각에 엘로라는 의심의 기색을 지우지 못했다.

“오늘은 둘 다 일이 있으니 안 될 것 같고, 내일 오후라도 서로 시간을 비워 보자.”

“전 전하와 할 게 없어요.”

“그래도 남편인데 너무하네.”

“형식상 남편일 뿐인 거죠.”

라하트는 한 치의 양보 없이 차가운 그녀의 대답에도 불쾌한 기색을 보이지 않았다. 오히려 재미있다는 듯이 빙긋 웃었다. 엘로라는 그 웃음이 꽤 불안하게 느껴졌다.

"데이트, 한 번도 해 본 적 없지?"

사교성 없는 데다 박색하고, 집 밖으로 잘 나오지 않는다는 사실만 떠올리면 쉽게 유추해 낼 수 있는 사실이었다. 실제로는 밖에 매일같이 싸돌아다니지만 대부분 유약한 남성으로 변장한 채였고, 연애란 엘로라에게 있어 크게 비중을 차지하는 요소가 아니었기 때문에 등한시되고 있었다.

이 나이 돼서도 남자 한 번 못 사귀어 봤다는 것이, 데이트해 본 적이 없다는 것이 굳이 자존심을 내세울 건 아니었지만 자존심 강한 못난이 엘로라였더라면 큰 상처를 입을 만한 발언이었기에 입술을 꾹 다물었다.

그녀의 침묵을 긍정으로 받아들인 라하트가 슬쩍 거리를 좁혔다.

"겉으로라도 갔다 오자. 기껏 여기까지 왔는데 시종만 줄줄이 달고 돌아다닌 기억만 남으면 별로 안 좋잖아."

어제야 짐을 옮긴다고 정신없어서 홀로 나가는 데 성공했다 쳐도 오늘은 아니었다. 아무리 더러운 성격을 드러내도 혼자 행동하기가 쉽지 않을 거였다. 그녀는 라하트의 신부이자 아르미트 가문의 영애라는 지위를 안고 있으니까. 괜히 낯선 곳에서 괴한을 만나거나 길이라도 잃으면 곤란한 건 아랫사람들이었다.

시종들을 줄줄 달고 뷔로스를 건성으로 구경할 자신의 미래가 자연스레 그려졌지만 쉽사리 라하트의 제안을 승낙할 수 없었다.

"싫으면 말고. 나중에 어머니한테 한 소리 들으면 어쩔 수 없는 거지. 너와의 결혼으로 내가 가장으로서의 책임감을 가지길 바라시는 눈치던데, 책임감은커녕 남남처럼 다녔으니 어쩌면 신혼여행을 한 번 더 보낼 수도 있겠네."

아예 가능성 없는 말이 아니었다. 그들의 결혼 생활은 황제가 실권을 쥐고 있는 이상 살살 눈치를 보며 행동해야 했다. 눈치 보며 적당히 행동하다가 조용히 결혼하고 조용히 이혼한다. 그게 계약서가 존재하는 근본적인 이유였다.

물론 아내라는 이유로 무언가를 강요해선 안 됐지만, 이건 강요라기보다는 최소한의 타협이었다. 이 정도는 해 줘야 다들 결혼했다고 납득하지 않겠냐는, 그런 타협.

인상을 찡그린 엘로라가 힐끗 라하트를 노려보았다. 라하트는 적대적인 시선을 느꼈음에도 능청을 부렸다.

"어쩔래?"

"시간을 내도록 노력해 볼게요."

"좋아. 간다고 알고 있을게."

어차피 제의에 응할 수밖에 없는 상황이라는 걸 서로 알고 있었다. 라하트는 황후의 잔소리를 듣기 싫었고 엘로라는 신혼여행을 다시 오게 되어 시간 낭비를 하고 싶지 않았다.

이유야 어쨌든 이해관계가 일치했다.

라하트와 함께 나가고 싶지 않았지만 여기까지만 장단을 맞춰 주면 그 후로는 가끔 얼굴만 보는 거로 충분하다고 생각한 엘로라는 무어라 대꾸하지도 못하고 그냥 짜증 어린 얼굴로 라하트를 보았다.

그 얼굴을 보고서는 사람 좋은 미소를 지은 라하트는 아무 일도 없다는 듯이 그릇을 챙기고 유유히 내려갔다.

홀로 남겨진 엘로라는 긴장이 풀리는 것을 느끼며 가면을 벗어 내듯 부정적인 감정으로 가득 찬 표정을 지우고는 창밖으로 시선을 돌렸다.

커다란 창틀 안에 바다가 펼쳐져 있었다. 눈이 시려 오는 푸름을 보고 있자니 잡념이 들었다. 오늘과 내일의 일정 그리고 앞으로 해야 할 일 같은 것들이.

날씨가 좋지만 오늘 당장 나갈 생각은 없었다. 밖에 나가 봤자 시종들과 함께인 탓에 활동에 제약이 걸렸다. 못난이 엘로라인 척, 못된 짓만 골라 할 생각을 하면 벌써부터 피곤해졌다. 차라리 방에 틀어박혀 있는 게 나았다.

라하트가 내일 함께하자고 했으니 바깥 구경을 아예 못 하는 건 아닐 터였다. 대신 오늘보다 내일이 더 고단할 듯했다. 라하트와 함께 있다는 자체가 엄청난 힘을 소모하는 일이니까.

한숨이 절로 나왔다. 처음으로 수도를 벗어나 하는 여행이지만 예상대로 몸도 마음도 편하지 않았다.

라하트가 씻기 위해 다시 들어왔지만 시선도 주지 않았다. 라하트 또한 별다른 말없이 씻고 옷을 갈아입은 후에 나왔다.

"나갈게."

대꾸하지 않았다. 등을 보인 채 하염없이 창밖만 보고 있자 라하트가 나가는 소리를 들을 수 있었다. 미련 없이 라하트를 보낸 엘로라는 시간이 조금 흐른 후에 침대 위에 벌러덩 누웠다. 푹신한 매트가 온몸을 감쌌으나 딱히 기분이 좋아지지 않았다.

바깥에 나가지 않기로 마음먹었으니 할 수 있는 일은 자는 것밖에 없었다. 피곤함과 지루함 중에서 지루함을 택한 그녀였다.

아무것도 하지 않는, 따분한 시간을 보냈다.

낮잠도 한두 시간 잘 만한 거지 계속 자다 보면 질려서 더 자지도 못했다. 그저 방에 콕 틀어박혀 시간을 죽이는 것 외에는 할 수 있는 게 없었다. 혼자 노는 것도 한계가 있었다.

창에 기댄 채 턱을 괴고 하염없이 바다만 보았다. 수많은 사람들이 바깥에서 돌아다니고 있었다. 그 사이에 끼고 싶어도 그러지 못하는 처참한 현실이었다.

점심 식사 시간이 되었다고 찾아온 시종에게 짜증을 부리는 것도 불편해 죽겠는데 괜히 그들과 함께 나갔다가는 양심이 아파서 비명을 지를 거였다.

가까이 있었으나 닿지 못하는, 지루한 시간이 더디게 흘러 드디어 저녁이 되었다. 식사를 하겠다고 하자 얼마 지나지 않아 시녀가 1인분 치 음식을 들고 올라왔다.

먹는 동안에도 라하트는 역시 숙소로 돌아오지 않았다.

라하트가 돌아오지 않는 건 딱히 상관없었지만 옆에서 떠드는 사람이 없으니 괜히 상념이 많아졌다. 식사를 마치고 나서도 창밖만 바라보게 되었다.

바다는 그 자리를 지키고 있다.

마치 캔버스에 박제된 듯한 풍경을 보고 있자니 갈증이 났다. 라하트의 말대로 기껏 여기까지 왔는데 제대로 한 것도 없이 돌아가게 된다면 조금 슬플 듯했다.

어차피 오늘도 라하트가 방으로 돌아오지 않을 듯한데 몰래 한 번쯤 나가도 괜찮겠다는 생각이 들었다.

한 번 나가야겠다고 생각하니 정말 나가도 될 것 같았다. 종일 방구석에 처박혀 있어 좀이 쑤시던 차였다. 하지만 바로 행동하기에는 보는 눈이 많았다. 시간이 더 필요했다.

밤이 깊어지길 기다렸다. 그리고 그녀가 묵고 있는 숙소

뿐만 아니라 뷔로스 전체가 조용해진 밤이 왔을 때 화장을 지웠다. 못난이 엘로라가 늦은 시각에 돌아다니는 걸 누군가 목격하면 귀찮아졌다. 차라리 맨얼굴로 돌아다니면 아무도 그녀의 존재를 알아보지 못할 거였다.

가벼운 원피스로 갈아입은 엘로라는 머리를 질끈 묶고 모자를 눌러썼다. 거울을 통해 은발이 모자 밖으로 삐져나오지 않았는지 확인한 후에 살며시 문을 열었다.

복도는 쥐 죽은 듯 조용했다. 고개를 좌우로 돌려 아무도 없음을 확인하고는 고양이 걸음으로 살금살금 계단을 타고 내려갔다. 작은 불빛만이 1층을 장악하고 있었다.

숨을 죽인 채 숙소를 빠져나왔다. 온몸을 꽉 조여 오는 긴장감이 풀리자마자 바다가 있는 방향으로 무작정 뛰었다. 낮에는 사람들 틈바구니에서 발 디딜 틈이 없었던 시장은 엘로라의 심장 소리만이 쿵쾅쿵쾅 울렸다.

누가 쫓아오는 것도 아닌데 숨이 턱 끝까지 차오를 정도로 달린 그녀는 눈앞에 펼쳐진 바다에 그제야 속도를 늦추었다.

아무도 없는 백사장이 그녀를 반겼다.

육지 쪽으로 느릿하게 밀려오는 바닷물이 백사장과 부딪치는 소리가 엘로라의 귓바퀴를 맴돌았다. 보기만 해도 평화로운 광경에 한 걸음씩 바다와 가까워졌다.

숨을 크게 들이쉬었다. 바다 특유의 향기가 코끝을 찔렀다. 선선한 바람이 엘로라의 뺨을 감싸고 밤바다는 별을 가득 품은 채 그녀를 맞이하고 있었다. 모든 것이 완벽했다.

바다를 잠자코 지켜보던 엘로라는 신발을 벗었다. 그리고 진주를 알알이 간 듯한 백사장을 맨발로 밟으며 바다에 다가섰다.

발밑에 바닷물이 닿았다. 너무 차가워 깜짝 놀라다가 이내 용기 내어 한 걸음 더 앞으로 나갔다. 이대로 그냥 바다에 휩쓸려 바다의 일부가 되어도 괜찮을 것 같았다. 질끈 묶은 머리를 풀고, 눌러쓴 모자를 벗어 던졌다.

기다란 은발이 폭포처럼 흘러내렸다. 머리칼이 바람에 날리도록 내버려 둔 엘로라는 계속 앞으로 나아갔다.

바닷물에 발목이 잠겼다. 그러나 멈추지 않았다.

바닷물이 허리 밑까지 잠겼다. 걸음을 멈추고는 지평선 너머를 바라보았다.

혼자 있으니 그동안 제 생각보다 스트레스를 많이 받았음을 깨달을 수 있었다.

멍하니 지평선을 바라보던 엘로라는 자애롭게 자신을 안아 주는 바다의 품속으로 뛰어들었다. 머리끝까지 차가운 바닷물 속에 담그니 복잡했던 머릿속이 조금은 나아진 듯했다. 숨을 참을 수 있을 때까지 참았다가 수면 위로 올라왔다. 기분 좋은 미소가 지어졌다.

바다에서 혼자 물장구를 치던 엘로라는 순간 '쿵!' 하는 소리를 들었다. 타인의 기척에 깜짝 놀라 뒤를 돌아봤다.

그리고 그곳에는……

"……라하트 전하?"

라하트가 모래에 코를 박은 채로 엘로라를 보고 있었다.

라하트는 오늘도 종일 술을 퍼마셨다. 몸에 흐르는 것이 피인지 술인지 모를 만큼 거나하게 마셔도 그 누구 하나 라하트에게 제재를 가하지 않았다. 오히려 수긍하는 분위기였다.

그는 원래 그런 사람이었으니까.

방탕하고, 자유분방하고, 제멋대로인 남자.

그게 바로 볼흐라스의 탕아, 라하트였다.

뷔로스라 하여 그의 명성이 어디 가는 게 아니었다. 타국에까지 소문이 났는지 누가 봐도 외국인이 분명한 외모의 사람들이 힐끔힐끔 라하트를 구경하기도 했다.

사람 술 마시는 모습이 다 똑같건만, 무슨 철창에 가둬진 관상용 새 취급을 했다. 그런 시선을 받은 게 한두 번이 아니라 기분 나쁘다는 생각도 들지 않는 라하트였다. 오히려 시선을 즐기는 척해야 했다.

마음껏 돈을 뿌리고, 마시고, 흥에 취한 척하고.

수도에서보다 더 과장되게 행동했다. 그래야 소문이 퍼

질 테니까. 라하트는 자신이 구제불능 쓰레기라는 사실이 멀리멀리 퍼졌으면 했다. 그리고 그 계획은 차근차근 잘 진행되는 중이었다.

하지만 너무 계획대로 잘 진행되어 예상보다 더 마셔 버렸다. 슬슬 자리를 빠져나가야겠단 생각을 한 라하트는 주위 사람들의 주둥이에 술병을 꽂아 넣어 취하게 만든 후 슬금슬금 자리를 빠져나왔다. 그렇다 하여 라하트가 제정신인 건 아니었다.

비틀거리는 걸음으로 숙소로 돌아갔다. 머릿속이 어지러웠다. 아슬아슬하게 위험치를 넘기지 않은 듯했다.

오늘은 신부와 신혼여행 분위기를 내자고 약속했기에 꼭 돌아가야 했다. 길바닥에서 자다가 늦게 일어나면 낭패였다. 비록 지금 자신의 꼴을 보니 뭘 하든 좋은 인상은 주지 못할 것 같지만.

그 사실이 미안했지만 라하트 본인도 해야 할 일이 있었다. 이제 와서 성실한 남편이 된다면 그것도 이상한 일이었다. 엘로라 또한 그런 남편을 원하지 않는 것처럼 보였다. 사실 애초에 기대가 없는 거였다.

세간에 악평만 받고 있는 신부, 엘로라를 떠올리니 절로 입꼬리가 올라갔다. 생각보다 재미있는 사람이었다. 대화하는 것도 즐겁고. 뭔가 의문스러운 점이 있지만 차차 알아 가면 되는 일이었다.

엘로라에 대해 하나씩 떠올리던 라하트는 순간 술기운에

중심을 잡지 못하고 고꾸라지고 말았다.
그대로 모래에 코를 박았다. 통증으로 인상을 와락 찡그렸다. 골이 울렸다. 망치로 뒤통수를 가격당한 듯한 느낌이었다.
설상가상으로 초점이 맞지 않았다. 세상이 한 바퀴 돌았다. 까딱하다가는 죽겠다 싶었을 때 라하트의 시선을 사로잡는 빛이 있었다.
은색.
반짝이는 은빛에 라하트는 두 눈을 크게 떴다. 고통이 차차 사그라졌다. 그리고 선명히 보였다. 멀고도 가까운 거리에서 바다에 반쯤 몸을 담그고 있는 여자의 모습이.
익숙한 은발이었다.
엘로라?
순간 그녀를 떠올린 라하트는 고개를 돌린 여자의 화려한 미모에 넋이 나갔다. 교교한 달빛 아래에서 반짝이는 은발의 미녀.
지금이 현실인지 꿈인지 구분할 수 없었다.
"……라하트 전하?"
라하트를 발견한 엘로라가 중얼거렸다. 작은 속삭임이었기에 라하트는 듣지 못했다.
시선이 맞부딪쳤다. 무언가 잘못 돌아감을 느낀 엘로라는 빠르게 고개를 돌렸다.
라하트였다.

정말 라하트였다.

저런 외모가 세상에 두 개나 있지는 않았다. 부정하고 싶지만 엘로라를 지금 뚫어져라 지켜보는 사람은 분명, 그녀의 남편인 라하트였다.

본래 얼굴이 누군가에게 드러났다는 사실만으로도 충분히 공황 상태건만 그 사람이 자주 얼굴을 볼 라하트라니.

최악이다. 절대 있어서는 안 될 일이었다.

당황한 엘로라는 그대로 얼어붙었다. 전혀 예상하지 못했다. 이 시간에 사람이 돌아다닐 거라 생각지도 못했는데 라하트가 있을 거라고 예상했을 리 없었다. 그녀는 미래를 보는 현자가 아니었다.

은발은 아르미트 가문의 상징이었다.

얼굴 탓에 당장 엘로라 본인이라고 생각하지 못하겠지만 어쩌면 정체가 들킬 수도 있겠다는 생각이 불현듯 들었다.

이대로 달릴까? 하지만 물 때문에 뛰는 속도가 느렸다. 바로 잡히지만 않으면 다행이었다. 라하트가 제정신이 아님을 모르는 엘로라의 머릿속에 오만가지 생각이 스쳐 지나갔다.

자리에서 일어난 라하트가 머리에 묻은 모래를 털 생각도 못하고 얼어붙은 엘로라에게 다가갔다. 비척거리는 걸음이었다. 하지만 당황한 엘로라와 거리를 좁히기에는 충분했다.

그대로 바다에 들어가면서도 라하트는 이게 꿈인지 환각

인지 구분하지 못했다. 바닷물의 서늘함이 느껴지긴 하는데 현실 같지가 않았다. 술을 너무 마신 걸까.

눈앞에 있는 형체는 실제인가, 환각인가.

어쩌면 이 또한 꿈일 수도.

현실이라 믿겨지는 꿈속일 수도 있었다.

실제로는 술을 진탕 마신 탓에 이미 주점 테이블에 머리를 처박고 있을지도 몰랐다.

라하트는 눈앞에 펼쳐진 광경이 너무나 아름다워 꿈이라면 깨지 않길 바랐다. 고개를 돌린 은발의 여인이 바로 앞에 있다. 손을 뻗었다. 여인을 만진 순간 꿈에서 깰 수도 있다고 생각하며.

그때, 엘로라는 지척에 다가온 라하트를 느끼고 결단을 내렸다. 인생은 순간순간 선택의 연속이었다. 가만히 있다가 정체가 들킬지도 모른다는 두려움에 휩싸일 바에 행동하는 게 나았다.

과감하게 라하트의 뒷목을 내리쳤다.

둘째 오라비인 라엘에게 배웠다. 어느 부위를 때려야 기절하는지. 이런 호신술은 물론이고, 검술까지 배운 경력이 있는 그녀의 단호한 타격에 술에 전 라하트는 속수무책으로 낮은 신음을 내뱉고는 쓰러졌다. 엘로라 쪽으로.

엘로라는 라하트를 붙잡았다. 혹시나 싶어서 흔들어 봤지만 움찔하지 않았다. 혹시 몰라 코 밑에 손가락을 대었다. 간헐적으로나마 숨결이 손가락을 간질이는 걸 보아 하니 죽은 건 아니었다.

저질렀다. 뒷일은 이제 모를 일이었다.

인상을 옅게 찌푸린 엘로라는 라하트와 어깨동무한 상태로 낑낑 그를 끌고 바다에서 나왔다. 그러면서도 "이건 다 꿈이에요."라고 세뇌하듯이 속삭였다. 효과가 있을지는 알 수 없지만 할 수 있는 대로 해 볼 뿐이었다.

오밤중에 이게 무슨 희극 같은 일인지 모르겠다.

바다에 나오자마자 모래사장에 대충 라하트를 던져 놨다. 지쳤다. 잠시 바람 쐬러 나왔다가 라하트의 등장으로 인해 일이 엉망진창이 돼 버렸다. 이 남자는 왜 이 시간에 굳이 이곳을 지나쳐서 만나게 된 걸까.

잠시 라하트의 얼굴을 내려다보았다.

눈을 감고 있으니 얼굴만은 멀쩡했다. 이 멀쩡한 얼굴을 가지고 왜 이렇게 사는 걸까. 이 시간에 돌아다닌 이유도 다 술 마시다가 그런 거겠지. 작게 한숨이 나왔다.

어쨌든 사람을 친 건 잘못한 거였다. 고개를 꾸벅 숙여 라하트는 절대 보지 못할 인사를 한 엘로라는 그대로 도망쳤다.

혹 깰까 봐 두려워 뒤도 돌아보지 않았다.

미안한 마음 반, 두려운 마음 반이었다.

누구도 쫓아올 수 없는 속도로 숙소로 달려갔다. 숙소에 도착하자마자 살금살금 방에 들어가서 빠르게 씻고 화장했다. 얼마 지나지 않아 한 번도 몰래 나간 적 없었다는 듯이 멀끔한 상태로 서 있을 수 있었다.

다들 곤히 자는 밤이다.

사람들은 엘로라가 나갔다 온지도 몰랐다.

완벽 범죄였다.

누구에게도 들키지 않은 건 좋았지만 엘로라는 무언가 찝찝한 마음으로 침대에 누웠다. 베개에 머리를 대고 있으니 걱정이 피어올랐다.

밤바람이 추울 텐데. 괜찮을까. 모래사장에서 뒹굴다가 괜히 모래를 한 움큼 먹는 건 아닐까 싶었다.

여러모로 근심이 깊어졌다. 어쩔 수 없이 저지른 행동이지, 악의를 가지고 한 행동은 아니었다.

괜히 이리저리 뒤척인 엘로라는 억지로 두 눈을 감았다.

라하트를 질질 끌고 숙소까지 오는 건 무리였다. 지금 해야 할 일은 완벽 범죄를 위해 아무 일 없었다는 듯이 두 눈을 감는 것밖에 없었다.

그렇게 그녀는 밤잠을 설쳤다.

아침 일찍 눈이 떠졌다. 잠을 자도 영 잔 것 같지 않았다. 온몸이 피곤에 절어 있다. 길게 하품을 한 엘로라는 억지로 몸을 일으켰다.
침대 옆자리는 비어 있었다.
역시. 아직 라하트는 오지 않았다.
살아 있을까. 밤에 이어 아침부터 걱정의 연장선이었다.
한숨을 푹푹 내쉰 엘로라는 먼저 화장부터 확인했다. 거울을 보니 다행히 화장 상태는 나쁘지 않았다. 대신 표정이 죽어 있었다. 애써 아무 감정이 담기지 않은 표정을 지어 보였다. 라하트가 오면 지어 줄 표정을 연습했다.
평소처럼. 평소처럼만 하면 되었다.
씻고 화장을 고쳤다. 그러는 중에도 라하트는 오지 않았다. 과연 오늘 함께 나갈 수 있을지 의문이었다.
때가 되니 시녀가 갖다준 아침 식사를 하고, 침대에 앉아 괜히 발만 동동 구르던 엘로라는 점심쯤에 라하트와 마주할 수 있었다.
일찍 점심 식사를 가져온 시녀인가 싶어, 문이 열리자 표정을 찡그린 엘로라는 초라한 남자의 모습에 굳고 말았다.
"몰골이 왜 그래요?"
아침에 표정 연습을 했건만 그 표정이 나오지 않았다. 목소리에서 당황함이 가득 배어 나왔다. 천천히 두 눈을 깜빡였다. 그런 엘로라와 짧게 시선을 맞춘 라하트가 피곤에 절어 보이는 모습으로 천천히 방에 들어왔다.
"늦어서 미안. 일단 씻을게."
"……네. 그러세요."

라하트는 온몸이 모래 범벅이었다. 이때까지 모래사장에 기절해 있다가 온 걸까. 그도 아니면 못 움직여서 이 시간에 온 걸까. 엘로라의 시선이 라하트를 좇았다. 걱정 어린 시선이었다. 피로 때문에 차마 그 시선을 느끼지 못한 라하트는 욕실에 들어가 씻고, 옷을 갈아입었다.

따듯한 물로 너저분하게 붙은 모래를 흘려보내니 그제야 정신이 드는 듯했다. 막 씻고 나오니 항상 자신을 경계하던 신부가 걱정이 담긴 시선으로 바라보는 게 느껴졌다. 그만큼 본인 꼴이 말이 아니었음을 실감하게 된 라하트가 쓰게 웃었다.

"미안."

라하트가 엘로라의 옆에 앉았다. 평소라면 슬금슬금 피했겠지만 양심이 찔린 엘로라는 얌전히 있었다. 짧지만 진심이 담긴 사죄도 양심을 쿡쿡 찌르는 데 한몫했다.

껄렁대는 목소리가 아니었다.

짙고, 낮은. 미안함이 듬뿍 담긴 목소리였다.

제대로 라하트의 얼굴을 보았다. 두 눈이 충혈돼 있었다. 몸은 씻었지만 아직 씻겨 내려가지 않은 흔적이었다.

미안하다고 해야 할 사람은 엘로라였다. 하지만 미안하다는 말을 할 수 없어 대신 다른 말을 꺼냈다.

"어쩌다 그러셨어요."

목소리를 쥐어짜 냈다.

모르는 척해야 했다. 마치 밤에 만난 적 없는 것처럼.

최대한 죄책감을 잊으려 하며 라하트를 보았다.

라하트가 고개를 돌려 그녀를 보았다. 시선이 꽂혔다. 강렬한 보랏빛 눈동자가 그녀를 담았다. 정확히는 그녀의 은발을.

닮았다.

손을 뻗어 은발을 만졌다.

예고 없는 손길에 엘로라가 움찔했다. 이대로 내쳐도 상관없었지만 빨갛게 충혈된 눈이나 하룻밤 사이에 초췌해진 얼굴을 보니 순간 미안함이 들어 차마 거부하지 못했다.

"……라하트 전하?"

대신 그를 불렀다. 목소리가 살짝 떨렸다.

불렀건만 대답하지 않고, 고귀한 것을 어루만지듯 엘로라의 은발을 어루만졌다. 부드러운 손길이었다. 여기서 조금만 이상한 행동을 해도 밀칠 의지는 있었다. 하나 그런 낌새는 보이지 않았다.

한참을 그렇게 엘로라의 머리칼만 만지던 라하트가 뜬금없는 말을 꺼냈다.

"바다 요정을 봤어."

"네?"

"인어인가. 요정인지 인어인지는 몰라도 신기한 걸 보느라 넋을 놓았어."

두서없는 말이었다. 하지만 알아들을 수 있었다. 라하트는 지금 화장이 지워진 엘로라를 인간이 아닌 신비의 생명

체로 인지한 것이었다.

머리를 가격당한 기억이 아예 없는 모양이었다. 그렇지 않고서는 라하트의 입에서 인어니, 요정이니 하는 단어가 나올 리 없었다. 세상에 사람의 뒷목을 치는 요정이라니. 동화와 거리가 멀어도 너무 멀었다.

"꿈꾸셨네요."

"그런 거지."

냉정한 엘로라의 반문에 라하트가 순순히 인정했다. 현실이라고 하기에는 너무나 매혹적인 광경이었기에 꿈이었다 하더라도 이상할 것 없었다.

이런 라하트의 행동에 엘로라는 안심했다. 사람이라고 생각하지 않는다는 건, 실존 인물과 연관 짓지 못한다는 의미도 되었다. 세뇌할 필요도 없었다. 괜히 긴장한 듯했다. 라하트는 원래 이렇게 엉뚱한 사람이었다.

"또 술 마시다 오신 거죠?"

"응."

"그러니까 헛것이 보인 거예요."

"역시 술기운이 남아 있었나 보네."

"얼마나 마신 거예요?"

"가볍게."

"알코올 중독자의 가볍다는 말만큼 믿음직스럽지 않은 말이 또 없죠."

"잘 알고 있네."

라하트가 낮게 웃었다. 처음에는 그러려니 했는데 웃음을 멈추지 않았다. 나사가 빠진 듯한 모습에 슬쩍 거리를 벌리려고 했다. 그런데 미친 듯이 웃느라 정신없는 줄 알았던 라하트가 거리를 벌리려고 하자마자 표정을 굳혔다. 순식간에 웃음소리가 뚝 그쳤다.

침묵이 깊게 내려앉았다. 라하트가 손을 뻗어 다시 은발을 어루만졌다. 거부할 수 없는 분위기라, 라하트의 손이 머리칼에 닿자마자 흠칫했다.

여전히 다정한 손길이었지만 무언가 달랐다. 분위기 탓일까. 잔뜩 긴장하고 있는데 라하트가 먼저 입을 열었다.

"그런데 순간 너인 줄 알았어."

"무슨 헛소리예요."

"바다에서 본 그거. 처음에는 너인 줄 알았어."

"말이 되는 소리를 하세요. 인어나 요정이라면서요. 전하의 머릿속에는 그들이 그렇게 못생겼어요?"

역시 이상한 사람이다. 방심할 틈을 주지 않았다.

라하트가 우긴다 하더라도 증거는 없었기에 당황한 티를 내지 않도록 노력했다. 어차피 얼굴이 생판 다른 사람이나 마찬가지이니 이번에도 헛소리를 하는 것뿐일 거다.

라하트가 엘로라의 얼굴을 계속 유심히 쳐다보았다. 부담스러운 시선이었다. 혹 의심이 깊어질까 봐 시선을 피하지 않았다. 당장에라도 고개를 돌리고 싶었다. 머리카락을 매만지고 있는 손길도 문득 부담스럽게 느껴졌다.

"아름다운 은발이었어."

"아, 머리카락 색이요."

그 사람이 그 사람이니 머리카락 색이 똑같을 수밖에 없었다. 닮았다고 한 이유는 머리카락 색 때문인 듯했다. 평범한 색이면 좋았으련만 하필이면 제국 내에서 아르미트 가문을 제외하면 거의 없다시피 한 은발인 탓에 라하트의 시선을 듬뿍 받고 있다.

"헛것이라고 인정하셨잖아요. 꿈에서는 별별 색을 다 볼 수 있죠."

"자세히 보니 진짜 닮은 것 같기도 하고."

"놀리지 마세요."

"진담이야."

표정은 진지했지만 화장 전후 얼굴이 얼마나 다른지 본인이 누구보다 잘 알고 있었다. 은발 하나만으로 동일 인물이라고 생각할 수 없었다. 지금 라하트가 하는 행동은 그저 환상을 좇고 있는 것뿐이었다. 심지어 얼굴을 제대로 보기 전에 기절시켰으니 지금 하는 말은 농담밖에 되지 않았다.

계속 무의미한 대치만 하게 될 듯해 근처에 있던 베개를 집어 그대로 라하트의 얼굴에 던졌다. 엘로라가 이런 식으로 과격하게 나올 줄 몰랐던 터라 방심하던 라하트는 정통으로 베개를 맞았다. 솜이 가득 찬 베개라서 아프지는 않았다.

"저랑 농담 따먹기 할 생각이면 나가요."

"또 소박맞게 생겼네."

"알면 하지 마세요."

차가운 대꾸에 라하트가 빙그레 웃었다. 한 대 맞았으면서 무엇이 그리 좋은지. 알 수 없는 남자다.

생글생글 웃고 있으니 처음보다는 덜 불쌍해 보였다. 그래도 죄책감은 남아 있어, 화제를 돌리는 것으로 은발 요정 논란을 종식시켰다.

"식사는 하셨어요?"

"아직. 너는?"

"저도요."

"그러면 나갈까? 늦었지만 데이트는 해야지."

먼저 일어난 라하트가 손을 내밀었다. 엘로라는 그 손을 빤히 쳐다보다가 알아서 일어났다. 허공에 내밀어진 손이 무안할 법도 한데 아무렇지 않은 표정으로 엘로라의 뒤를 따랐다.

"먼저 나가 계세요. 저는 나가기 전에 준비해야 해요."

사실 거창하게 외출 준비랍시고 할 건 없었다. 크게 꾸밀 것도 없을 뿐더러 불안한 마음으로 라하트를 기다리면서 이것저것 하다 보니 당장 나가도 이상하지 않은 상태가 되었다.

그럼에도 굳이 말을 꺼낸 이유는, 죄책감으로 인해 너무 물렁하게 나간 것 같았기 때문이었다. 일부러 못생긴 엘로라의 까칠함을 강조하기 위해 오랫동안 밖에서 기다리게 할 생각이었다. 약자에게는 강하고, 강자에게는 약한 콘셉트긴 하지만 까칠한 면모도 있었다.

괜히 바쁜 척을 하자 라하트가 그런 엘로라의 앞을 가로막았다.

"지금도 충분히 예뻐."

"놀리지 마시라니까요!"

"난 항상 진심이야."

조심스레 엘로라의 손목을 잡았다. 그리고 끌어당겼다.

얼떨결에 질질 끌려가게 된 엘로라는 소리를 질렀다.

"이거 놔요!"

"손목 아파?"

"아니, 그건 아닌데……."

물음이 너무 다정하여 실제 느끼는 대로 대답하고 말았다. 본인이 입 밖으로 내뱉고도 당황스러웠다. 뒤늦게 제 말실수를 깨닫고 이어 말하려고 했건만 그 전에 라하트가 선수 쳤다.

"그러면 됐어. 아프면 말해. 더 살살 잡을게."

논점은 그게 아니었다. 지금 준비하고 나가겠다는 사람을 억지로 끌고 가고 있는데, 손목이 아프고 안 아프고가 중요한가. 실제로 안 아프게 잡아서 끌고 가고 있긴 했지만 그것보다 막무가내로 나가는 것이 문제였다.

이런 얘기를 하기에는 애초에 말이 통하지 않는 상대였

다. 라하트는.

“가자, 데이트하러!”

활기찬 라하트의 외침에 엘로라가 이마를 짚었다.

핀트가 어긋나도 한참 어긋났다.

아직 술기운이 남아 있는 듯했다. 돌이켜 보면 밤에 만났을 때에도 제정신은 아니었다. 이런 남자 앞에서 들킬까 봐 벌벌 떨고 있었다니. 가끔 보여 주는 기행으로 인해 남자를 과대평가해도 한참 과대평가한 것 같았다.

괜히 꼬리를 밟힐 만한 일은 만들지 않는 게 좋긴 했지만.

굳이 뒷목을 치지 않았어도 됐는데 쳐 버린 듯해 썩 기분이 좋지 않았다.

“어디 가시려고 이 난리를 치는 거예요!”

“맞혀 봐!”

기분 탓인지 라하트의 목소리가 유쾌하게 들렸다. 어쩐지 즐거운 것 같았다. 한순간에 피곤함이 사라진 듯, 엘로라를 끌고 가는 라하트에게서 개구쟁이 소년 같은 면모가 느껴졌다.

한번 맞혀 보라고 했지만 맞힐 필요도 못 느낀 엘로라는 라하트의 그 찬란한 황금빛 머리통만 빤히 쳐다보았다. 그것마저 보폭을 맞춰 달리느라 힘들었다. 이대로 이상한 곳에 끌려가도 납득할 듯했다.

“전하. 잠시만요, 잠시만!”

질질 끌려가던 엘로라는 다급하게 라하트를 불렀다. 바

깥에 나온 후 주위 풍경이 휙휙 바뀌고 있었다. 워낙 빠른 걸음으로 라하트가 앞서갔기 때문에 그랬다.

그중 누가 봐도 음식을 파는 식당이 분명한 가게도 잔뜩 있었다. 거창하게 데이트라고 하긴 했지만 대화의 흐름으로 봐선 분명 식사하러 나온 듯한데 멀쩡한 식당을 다 지나치고 어디로 향하는지 알 수 없었다.

라하트 성격상 본인만의 맛있는 가게를 알고 있지 않을 듯했다. 술집이면 몰라도.

식사보다는 술을 가까이 두는 게 더 익숙한 남자였다. 불길한 생각이 문득 머릿속을 스치고 지나갔다. 지금 가는 곳이 식당이 아닐지도 모른다는 생각이.

“다리 아파?”

“그게 문제가 아니라니까요.”

“그러면?”

라하트가 살짝 속도를 늦췄다. 그래도 여전히 엘로라는 어딘지도 모르는 목적지를 향해 빠르게 걷고 있었다. 꼭 누군가에게 쫓기는 것 같았다.

“왜 이렇게 급하게 가시는 거예요.”

“아직 식사 안 했다며.”

“그거랑 이거랑 지금 무슨 상관이에요.”

“배고플 거 아니야. 그러니 빨리 가서 먹어야지.”

“미친 듯이 배고프세요?”

“난 별로.”

배도 안 고픈데 왜 이리 성급하게 구는 걸까. 한순간 말문이 막혔다. 앞뒤가 맞지 않는 행동이었다.

대답을 들어 보니 정말 배가 고프지 않은 것 같아 이상하게 생각하고 있는데, 문득 한 가지 가정이 엘로라의 머릿속에 떠올랐다.

"혹시, 전하. 지금 저 배고플까 봐 그러시는 거예요?"

"응. 당연하지."

너무나 당연한 세상의 진리를 물어본 듯한 반응이 돌아왔다. 전혀 당연한 게 아니건만 당연한 걸 묻는 듯한 반응을 보이고 있었다. 당황한 엘로라가 표정을 굳혔다. 이걸 보고 오해한 라하트가 되물었다.

"배불러?"

"……전하 때문에 뛰고만 있는데 배부를 리가 없잖아요."

"그러면 어서 가자. 이 근처야."

서두르는 이유를 알고 나니 라하트에게 모진 말을 할 수 없었다. 방식이 매우 막무가내이긴 했지만 본인도 상태가 썩 좋지 않은데 신부가 배고플지도 모른다는 생각에 황급히 식당으로 가다니.

역시 천성이 나쁜 사람은 아니었다. 그래도 확실히 짚고 넘어가야 할 것 같아 엘로라가 말을 꺼냈다.

"도대체 어디를 가시는 거예요?"

"식사하러 가는 거지."

"주로 주류 팔고, 마약 밀거래하는 그런 곳은 아니죠?"

"무슨 말을 하고 싶은 거야. 그런데 아니야."

재미있는 농담이라도 들은 것처럼 라하트가 크게 웃었다. 그 웃음소리가 보통 사람과는 살짝 달랐다. 아직 취한 것 같았다

원래 술기운이 늦게 도는지 물어보고 싶을 정도였다. 그도 아니라면 잘못 때려서 머리 쪽에 이상이 생겼을 수도 있었다.

엘로라가 의심의 눈초리로 라하트를 보았다.

"아, 저기다. 어서 가자."

이런 시선을 눈치채지 못한 라하트가 엘로라를 이끌었다.

라하트가 향한 가게는 생각보다 멀쩡한 곳이었다. 유동인구가 많은 거리에 있는 데다 겉으로 보기에도 깔끔하고 괜찮았다. 내부에 들어가니 인테리어 또한 흠잡을 데 없다.

전체적으로 푸른색과 하얀색으로 꾸며진 내부는, 커다랗게 창이 나 있어 탁 트인 느낌을 주었다. 심지어 그 창을 통해 바다가 보였다. 굉장히 아름다운 곳이었다.

대신 사람이 많았다. 언뜻 보아도 빈자리가 없었다.

"자리가 없는 것 같은데요."

"그건 신경 쓰지 않아도 돼."

"설마 권력 행사하시려는 건 아니죠?"

"권력 행사?"

엘로라의 말을 바로 알아듣지 못한 듯, 되묻던 라하트가 한 박자 늦게 이해하고는 미소를 지었다.

"이것도 권력 행사라면 일종의 권력 행사겠지."

"도대체 무슨 짓을 하셨기에……."

누가 봐도 기다리려면 한참 있어야 할 것 같은데 신경 쓰지 않아도 된다니. 저런 말이 라하트의 입에서 나왔다는 자체가 신뢰도를 바닥 찍게 했다.

불신의 눈초리로 라하트를 보고 있으니 종업원이 그들에게 다가왔다. 그런데 첫말부터 예상외다.

"라하트 전하를 뵙겠습니다. 총 두 분이시지요?"

"응."

"따라와 주세요."

종업원이 자연스럽게 그들을 안내했다.

이 상황에서 가장 어리둥절한 건 엘로라였다.

"어떻게 된 거예요?"

"미리 예약해 놨지."

"전하께서요?"

"나 아니면 누가 해."

오늘을 위해 식당 예약도 해 놓았다니. 몹시 의외였다.

이곳은 수도가 아닌 뷔로스였다. 그러니 가게 주인과 딱히 친분이 있는 건 아닌 듯하고. 정말 미리 와서 예약을 한 듯했다.

"예약도 힘들었을 것 같은데요."

"그건 네 말대로 권력 행사를 했지. 가장 많이 쓴 건 돈이지만."

황자라는 지위와 돈으로 모든 걸 해결했다는 발언이었다. 그 두 가지만 있다면 못할 게 없다는 걸 익히 아는 엘로라는 수긍했다. 단지 라하트가 이런 준비를 했다는 게 가장 놀라웠다.

그들은 종업원의 안내를 받아 바다를 가장 잘 볼 수 있는 창가 자리에 앉을 수 있었다. 메뉴판이 엘로라의 앞에 놓였지만 바다에 시선이 빼앗겨 고개를 돌릴 수가 없다.

반짝이는 푸른 눈동자로 바다를 구경하는 엘로라의 옆모습을 라하트는 조용히 주시했다.

설렘으로 가득 찬 눈이었다. 한 치의 거짓도 찾을 수 없는, 순수한 감정이 담긴 눈이기도 했다.

뒤늦게 정신을 차리고 엘로라가 바다에서 시선을 떼었다. 라하트는 아무것도 보지 않은 척 간단하게 메뉴 설명을 해 주었다. 꽤 오랫동안 바다를 구경한 것 같건만 라하트가 반응이 없자, 엘로라는 그가 다른 생각을 하고 있었다고 여겼다.

"부야베스가 가장 유명해. 생선 특유의 비린 맛이 없어서 웬만하면 입맛에 맞대. 혹시 해산물 싫어해?"

"딱히 가리지는 않아요."

"잘됐네. 여긴 해산물이 들어간 음식만 취급하거든."

라하트의 말을 듣자마자 뒤늦게 해산물을 못 먹는다고 했어야 했나, 라는 생각이 들었다. 하지만 이미 말은 엎질러졌다. 방금 가리지 않는다고 말했는데 뒤엎을 수 없었다.

그건 너무 속이 훤히 보이는 짓이니까. 또 이렇게 멋진 가게에서 행패를 부리고 싶지 않았다. 바다가 보인다는 것만으로, 엘로라에게 이곳은 잊을 수 없는 장소가 될 터였다.

라하트의 도움을 받아 음식을 시키고 나니 딱히 화목한 관계도 아니었기 때문에 테이블에 침묵이 맴돌았다.

할 말이 없었다.

라하트가 엘로라의 얼굴을 빤히 쳐다봤다. 정확히는 눈동자. 그 시선이 부담스러워 슬쩍 시선을 다른 곳에 주었다.

이 사람이 또 왜 이러나 싶었다.

"정말 닮은 것 같은데."

한참 엘로라를 쳐다보던 라하트가 중얼거렸다. 혼잣말에 가깝지만 엘로라도 충분히 들을 수 있을 정도의 소리였다.

지금 라하트가 그녀에게 닮았다고 할 만한 건 하나밖에 없었다.

솜털처럼 가벼운 사람이 왜 이렇게 집요하게 파고드나 싶었다. 이미 끝난 대화라고 생각했는데 또다시 수면 위로 떠오르게 만들었다.

"아직도 꿈꾸세요?"

"꿈이라니. 지금은 현실인데."

"헛소리를 계속하시니까 꿈꾸고 있다고 생각할 수밖에 없죠."

화장을 지우기 전과 후의 공통점이라고는 은발과 푸른 눈동자밖에 없었다. 은발이 워낙 눈에 띄는 탓에 라하트가 계속 걸고넘어지는 게 썩 기분 좋지 않았다. 계속해서 아니라고 못 박다 보면 그러려니 하고 넘어가길 바랐다.

"얼핏 눈을 마주쳤던 것 같아. 그 색이 너랑 비슷했어."

"꿈이에요."

"그 말도 꿈속에서 들은 것 같고."

순간 움찔할 뻔했다. 찔리는 게 있었다.

뒷목을 치고 바로 기절했다고 생각했는데 정신이 남아 있었던 걸까. 엘로라는 최대한 아무렇지 않은 척, 평정심을 가장하며 말했다.

"그럴 리가요. 착각이겠죠."

"음, 그런가."

라하트가 뒷목을 매만졌다. 애써 그 모습을 보지 않으려고 노력했다. 마침 음식이 오지 않았더라면 죄책감이 무겁게 엘로라의 양심을 짓눌렀을 거였다.

맛있는 냄새가 풍겼다. 라하트를 아예 보지 않고 차례대로 테이블 위에 올려진 음식만 보았다. 라하트가 그런 엘로라를 빤히 쳐다봤다. 시선을 무시한 엘로라가 먼저 조심스럽게 한 입 먹었다.

맛있었다. 식성이 까다로운 편이 아니긴 했지만 정말 맛있었다. 라하트가 말한 대로 생선 비린내도 나지 않았다.

하지만 이 감정을 라하트 앞에서 드러내지 않도록 노력했다. 그냥 그런 척, 천천히 포크와 나이프를 움직였다. 엘로라가 별다른 말없이 조용히 식사만 하자, 음식을 한 입도 대지 않은 라하트가 먼저 입을 열었다.
"마음에 들어?"
"……이런 곳은 어떻게 아셨어요?"
긍정하기보다는 말을 돌렸다. 이런 물음이 나올 줄 몰랐는지 잠깐 두 눈을 크게 뜨더니 가벼운 어조로 대답했다.
"응? 그냥 지나가다 들었는데."
"지나가다 들었다고요?"
"응."
정말 별거 아니라는 듯이 말했다.
성의라고는 한 톨도 느껴지지 않는 발언에 살짝 당황한 건 엘로라였다. 도대체 바깥에서 뭐 하고 다니는지 의문이었다.
"대화하다 보면 별별 말을 하니까 그 말을 주워듣는다 해서 이상할 건 없지."
"얻어걸린 것치고는 괜찮네요."
"마음에 드나 봐. 그렇게 말하는 거 보면."
"제 말뜻을 왜곡하지 마세요."
"응, 알겠어."
극구 부정했지만 무엇이 그리 좋은지 라하트가 헤실헤실 웃었다. 그런 라하트를 외면하며, 엘로라는 계속 식사했다. 이제 무슨 말을 해도 무시하고 꿋꿋하게 식사만 하려고 다짐했는데 라하트도 배가 고팠는지 이후로 음식을 먹느라고 조용했다.

또 닮았니 안 닮았니 하고 말씨름하지 않아도 되어 좋았다.

그렇게 만족스러운 식사를 끝내고 별 탈 없이 식당을 나왔다. 이제 어디를 갈 거냐고 물어보려 했던 엘로라는, 말을 꺼내기도 전에 성큼성큼 걸어가는 라하트를 따라갔다.

그렇게 보지 않았는데 어디 갈지 다 정해 놓은 걸까. 엘로라가 한 발자국 뒤에서 걸어오고 있음을 확인한 라하트가 속도를 늦췄다. 자연스레 나란히 걷게 됐다.

묘하게 배려해 주는 것 같아서 힐끗 라하트를 올려다보았다. 시선을 느낀 라하트가 고개를 돌려 엘로라를 보았다. 눈이 마주쳤다. 반사적으로 고개를 돌렸다. 그 반응에 라하트가 살포시 미소를 지으며 물었다.

“손잡아도 될까?”

“안 돼요.”

한 치의 망설임도 필요치 않았다. 단호한 대답이었다.

이에 기죽은 기색도 없이 라하트가 말했다.

“흠. 나는 잡았으면 좋겠는데.”

“왜요?”

“길 잃어버릴까 봐.”

“저 길 잘 찾아요.”

“아니, 내가 잃어버릴 것 같아서.”

순간 말문이 막혔다. 본인이 길을 잃어버릴까 봐 손잡자고 하는 사람은 또 처음 봤다. 어이없음이 표정으로 여실히 드러났다.

"가끔 방향 감각이 홱 하고 돌 때가 있거든."
"……술을 너무 많이 마셔서 그래요."
"그런가? 그런 이유면 어쩔 수 없지."
보통 이럴 때 건강을 위해서 금주해야겠네, 라고 대답하는 게 정상이 아닌가? 상태를 보니 빈말이라도 금주라는 단어를 올릴 만한데 라하트에게 그런 선택지는 아예 없는 듯했다. 답이 없는 남자의 속내를 알아 버린 엘로라가 한숨을 내쉬었다.
"그래서 손잡아 줬으면 좋겠는데, 정말 안 되겠어?"
엘로라는 어쩔 수 없이 라하트의 손을 잡았다. 막상 잡으니 누군가와 손잡고 다닌 적이 거의 없다시피 하여 불편했다. 살짝 인상을 찡그렸다.
당장 떨어져도 이상할 것 없을 정도로 약하게 잡은 탓인지 라하트가 맞잡은 손에 힘을 줬다. 불쾌하지 않을 만큼의 세기였다.
썩 내키지 않았지만 그렇게 손을 잡고 걷고 있는데 라하트가 불쑥 말을 던졌다.
"신기하네. 굳은살이 박여 있어."
깜짝 놀란 엘로라가 맞잡은 손을 거칠게 떨쳐 냈다.
철저하게 관리하여 겉으로 보기에 고운 손은 실제로 이런저런 일을 많이 하여 굳은살이 박여 있었다. 다른 누구도 아닌 귀족 영애의 손에 굳은살이라니. 심지어 집 밖으로 나가지 않는다고 알려진 엘로라였다. 손에 물 한 방울

묻히지 않을 것처럼 굴었는데 손바닥에 굳은살이 박여 있다는 사실은 의심받기 충분한 상황이었다.

"불쾌해요."

안일했다. 장갑이라도 꼈으면 덜 했을 텐데 라하트가 급하게 끌고 오느라 맨손이었다. 엘로라는 인상을 와락 찡그렸다. 그 얼굴을 본 라하트가 황급히 말했다.

"미안해. 내가 말도 안 되는 소리를 했지?"

"알면 그 입 닫아요."

날카로운 그녀의 대꾸에 라하트가 정말 입을 꾹 다물었다.

"한 번만 더 이상한 짓 하면 내버려 두고 갈 거예요."

쓸데없이 관찰력이 좋았다. 닮았다고 계속 말을 꺼내는 것부터 시작해서 손바닥에 굳은살까지. 함께 있는 시간이 길어질수록 초조한 건 엘로라였다. 그럼에도 당장 그를 떠나지 않는 이유는 이 말도 안 되는 데이트 신청을 받아들인 이유와 같았다. 적당히 장단을 맞춰 주다가 어서 뷔로스를 떠나는 게 엘로라의 바람이었다.

"알겠어. 안 그럴게."

"그러면 어서 가요."

두 사람은 손을 다시 잡지 않았다. 갑자기 방향 감각이 고장 날 때가 있다던 라하트는 엘로라의 눈치를 보았다. 다시 손잡자는 얘기는 꺼내지도 않았다. 다소 경직된 분위기 속에서 인파를 헤치고, 시장 거리를 걷게 되었다.

줄지어 이어진 가게를 유심히 보던 라하트가 조심스럽게

엘로라에게 저쪽으로 가자고 했다. 라하트를 따라 가판대 앞에 서자 아기자기한 장신구가 그들을 반겼다.

"이거 어때?"

작은 패류를 엮은 팔찌였다. 사이사이 푸른 비즈도 있었다. 조잡하다고 느낄 수 있지만 뷔로스의 특색을 잘 보여 주는 팔찌이기도 했다. 진짜 보석이 아니더라도 아름다웠다.

사람들이 기념품으로 많이 사 가는 것 같았다. 하지만 괜찮아하는 티를 내서는 안 되었다. 엘로라가 단호히 고개를 저었다.

"별로예요."

"너한테 어울릴 것 같은데."

"장신구 보는 눈이 진짜 없으시네요."

"어, 그래? 이상하다. 다른 사람이랑 다닐 때는 칭찬 많이 받았는데."

"그 사람도 센스가 없는 건 마찬가지네요."

"정확히는 사람들이야."

그렇게 말하며 라하트가 웃었다.

지금 여자 경험 많은 걸 은근슬쩍 자랑하려는 건가? 너무 속내가 뻔히 보여 썩 기분이 좋지 않았다. 인상을 찡그린 엘로라는 차갑게 대꾸했다.

"비위 맞춰 주려고 그런 거겠죠."

그런 엘로라를 빤히 쳐다보던 라하트가 살짝 허리를 숙여 눈높이를 맞췄다. 갑작스러운 라하트의 행동에 엘로라는 잔뜩 긴장했다.

"진심인지 아닌지는 이렇게 얼굴을 보면 알 수 있어."

"……."

"전하치는 눈동자."

보랏빛 눈동자가 올곧게 엘로라를 바라보았다. 속내를 꿰뚫어 보는 것 같았다. 한순간 방패가 되어 주던 화장이 지워진 듯한 착각이 들어 엘로라는 살짝 고개를 돌렸다.

분명 남들 다 피하는 못생긴 화장을 했건만 이상하게도 라하트에게는 무용지물이었다.

이러다 또 라하트의 페이스에 휘말리고 말 것이다. 그건 안 됐다. 마음을 가다듬은 엘로라가 입을 열었다. 잔뜩 날이 서 있는 말투가 나갔다.

"전하께서는 별로 즐겁지 않아 보이네요."

"네가 잘못 봤어. 나 지금 엄청 즐거워."

"제가 안 즐거워서 그렇게 보였나 보네요."

"재미없어?"

"네. 하나도 재미없어요."

시선이 강렬하게 꽂혔다. 그럼에도 엘로라는 동요하지 않았다. 마음만 먹으면 표정을 숨기는 것쯤이야 숨 쉬듯이 쉬웠다.

"진심으로?"

"진심으로요."

거짓말을 했다. 이것 또한 쉬웠다.

남에겐 항상 거짓말만 해 왔으니.

"외출한 적이 손에 꼽을 정도로 적다고 들었어. 시종도 없이 바깥을 돌아다닌 건 거의 처음일 거 아니야. 그런데도 즐겁지 않아?"

수도를 벗어난 건 처음이라 신선했다. 하지만 수도 내에선 항상 자유롭게 돌아다녔다. 타인의 얼굴과 이름을 쓰고 돌아다닌 것이긴 했지만 알맹이는 엘로라, 그녀였다. 그 사실을 밝힐 수 없으니 라하트의 말을 그냥 무시했다.

"난 네가 조금이라도 웃었으면 좋겠는데."

"……작업 멘트도 다양하시네요."

"계속해서 내 진심을 매도하네."

"믿을 만한 사람을 믿어야죠."

"그렇긴 해."

의외로 순순히 수긍한 라하트가 엘로라와 어울린다고 고른 팔찌를 집더니 성큼 가게 안으로 들어갔다. 그리고 빠르게 계산하고 나왔다. 이 사람이 또 왜 이러나 싶어 지켜보니 엘로라의 손에 억지로 팔찌를 쥐여 주었다.

"가져."

"필요 없어요. 이런 싸구려는 취급 안 하는 거 모르세요?"

"널 위해 산거니까 버리든, 태우든, 아니면 남에게 주든 마음대로 해."

"가정이 참 고약하네요."

"너라면 그럴 수 있으니까."

알면서 산 거다. 라하트는 그녀가 자신의 눈앞에서 팔찌를 버릴 수 있다는 걸 알면서도 주었다. 어찌 보면 성미가 고약한 건 라하트였다. 사람의 마음을 짓밟는 행위를 해도 상관없다고 하고 있으니.

솔직한 마음으로는 팔찌를 버리고 싶지 않았다.

라하트라 해도 상처받을 테니까. 엘로라는 누군가의 마음을 아프게 하고 싶지 않았다. 하지만 해야 했다. 대외적으로 알려진 못생긴 엘로라는 그런 사람이니까.

손이 떨릴 정도로 세게 팔찌를 쥔 엘로라는 그대로 바닥에 그것을 내동댕이쳤다. 처참하게 바닥을 나뒹굴게 된 팔찌가 이름 모를 사람들의 발치에 치였다. 그 모습을 지켜보던 라하트가 아무렇지 않은 표정으로 주머니에서 무언가를 꺼내, 또 엘로라의 손에 쥐여 주었다.

"사실 같은 걸 하나 더 샀어. 이것도 너 가져."

"……지금 저랑 장난해요?"

"아니. 진심인데."

표정만큼은 진지했다.

그 얼굴을 보고 있자니 엘로라는 허탈해졌다. 큰마음 먹고 팔찌를 라하트의 눈앞에서 버렸건만 똑같은 걸 주고 있었다. 엘로라가 팔찌를 버릴 거란 걸 미리 예상하고 똑같은 걸 샀다는 뜻이었다. 상대가 버릴 걸 알면서 준 데다, 몇 번이나 그래도 상관없다는 듯 주는 골 때리는 행위를 하는 것이 라하트답다고 해야 할지. 정말 알 수 없는, 아니. 이상한 남자였다.

"마음에 드는 거 있으면 언제든 말해. 사 줄 여력은 되니까."

"지금 아르미트 가문을 무시하시는 거예요? 저도 이런 거 하나 살 능력은 있어요."

"본인이 직접 사는 거랑 남에게 선물 받는 건 또 다른 기분이지. 이제 어디를 가 볼까."

"……."

"저기가 좋겠다. 이번에는 저기를 가 보자."

라하트가 먼저 나아갔다. 엘로라는 가만히 서서 그 뒷모습을 보았다. 햇살 아래 황금빛 머리칼이 유독 반짝였다. 입술을 꾹 다문 채 빤히 그 머리통만 보았다.

한두 걸음 앞으로 나가던 라하트는 엘로라가 따라오지 않자, 몸을 돌려 어서 오라고 손짓했다.

저 막무가내인 남자에게 할 말이 많았지만 그 말을 모두 삼키고 어쩔 수 없이 따라갔다. 이상하게 맞는 말만 하여 순간 할 말을 잃게 만드는 게 라하트의 특기인 것 같았다.

라하트를 따라가는 엘로라의 손에는 차마 버리지 못한 팔찌가 남아 있다. 또다시 바닥에 버릴 수 있었지만 그러는 대신 몰래 팔찌를 챙겼다.

이번에는 버리고 싶지 않았다.

버리지 않는 핑계야 다양했다. 그중 진심을 들여다보면 남자의 말대로였다. 직접 사는 것과 남이 주는 건 다르니까. 그 마음이 가볍든 무겁든 결국 한 사람을 위해 주었다는 사실은 변치 않았다. 더불어 같은 걸 두 번 내팽개칠 정도로 원래 엘로라의 마음은 모질지 못했다.

다행히 팔찌를 숨긴 걸 눈치채지 못한 듯했다.

그렇게 라하트를 따라다니게 된 엘로라는 데이트랍시고 구경하는 건 좋았지만 가는 길에 전리품처럼 무언가를 계속 사 주는 그의 행동이 부담스러웠다.

지나가다 괜찮다 싶으면 어울린다고 사 주고, 많이 걸었으니 배고프지 않냐면서 먹을 걸 쥐여 줬다. 거절하면 버려도 상관없으니 네 마음대로 하라면서 억지로 떠넘겼다. 정작 본인 것은 사지도 않고, 먹지도 않았다.

이건 명백한 돈지랄이었다.

"……전하."

"뷔로스에 오면 꼭 먹어 봐야 할 음식이래. 한번 가 보자."

"전하!"

참다못한 엘로라가 또 먼저 가려는 라하트의 팔목을 잡고 끌어당겼다. 강한 힘에 라하트가 뒷걸음질 쳤다. 동시에 머릿속이 빙빙 돌았다.

라하트는 느릿하게 두 눈을 깜빡였다. 한순간 초점이 흐릿해졌다가 돌아왔다. 눈가를 지그시 눌렀다. 일련의 행동을 지켜본 엘로라는 내색하지 않았어도 라하트의 몸 상태가 썩 좋지 않음을 알 수 있었다.

새벽부터 모래사장에 얼굴이 처박힌 채 기절 같은 잠을 잤는데 멀쩡하면 이상했다. 씻자마자 끌고 나와 지금까지 버틴 게 대단하다.

"피곤하신 거 아니에요?"

"아니. 나 엄청 멀쩡해."

라하트가 싱긋 웃었다. 나름 멀쩡하다는 표현으로 웃은 듯한데 일부러 그러는 게 뻔히 보여 더 안 멀쩡해 보였다.

라하트의 얼굴을 보던 엘로라는 잠깐 하늘을 올려다보았다. 이제 슬슬 돌아갈 시간이 되었다.

"돌아가요."

"돌아가다니."

"이만하면 됐어요."

"……."

"누가 봐도 신혼여행을 즐긴 부부처럼 보일 거예요."

여기서 더 돌아다니다가는 예정보다 늦게 출발하게 될 터였다. 일정이 미뤄지는 걸 바라지 않았다. 라하트의 상태도 썩 좋아 보이지 않고.

한 치의 물러섬 없이 단호한 엘로라의 말에 라하트가 씩 웃었다.

"이대로 돌아가기에는 아쉬운데."

"그건 전하만의 생각이죠."

"수도로 올라가면 언제 다시 올지 모르는데 미련이 남지 않나 봐."

"미련 남을 게 있나요. 사람 사는 곳이 다 똑같은데."

여기서 대화를 더 끌다가는 라하트가 바라는 대로 될 듯해 일부러 관조적으로 말했건만 깨달음을 얻은 듯한 표정을 지었다. 그리고 주위를 둘러보았다. 엘로라는 그 모습을 불길하게 쳐다보았다. 도대체 무슨 짓을 벌이려고. 이쯤 되면 촉이 왔다. 라하트가 또 예상치도 못한 일을 벌일 것이다.

"이리 와 봐."

"또 어디를 가시려고……!"

무언가를 발견한 라하트가 손짓했다. 성큼 걸음을 내딛는 그 뒷모습을 보며 엘로라는 한숨을 내쉬었다.

정말 사고방식이 어떻게 돼 먹었는지 들여다보고 싶었다. 분명 별다를 것 없는 말인데 어디서 또 핀트가 엇나갔는지 알 수가 없었다. 이대로 라하트를 내버려 두고 가면 딴 방향으로 샐까 봐 쫓아갔다.

나름 빨리 뒤쫓았는데 이미 계산까지 마친 라하트가 모자를 엘로라의 머리에 씌워 주었다. 챙이 넓은, 밀짚 모자였다.

"됐다. 이제 돌아가자."

"뭐예요. 대체."

"사람 사는 곳이 다 똑같다며. 계속 불편해하던 거 아니었어?"

지금 이 사람이 무슨 말을 하는가 싶어 곰곰이 생각해 보았다. 아무 생각 없이 한 말을 아예 다르게 해석한 게 분명했다. 불퉁한 표정으로 라하트를 보고 있으니 미소를 지었다. 그 보랏빛 눈동자를 본 엘로라는 라하트가 하고자 하는 말을 눈치채고 입술을 꾹 다물었다.

시선.

어딜 가든 못생긴 엘로라를 보는 시선은 같았다.

타인의 시선 때문에 수도나 뷔로스나 같다고 말한 줄 아는 모양이었다. 그 시선을 받지 않았으면 좋겠다는 의미로 챙이 넓은 모자를 씌워 준 것이고. 세상에서 제일 못났다는, 엘로라의 특수한 상황을 고려해 보면 충분히 그렇게 들릴 수도 있는 말이었다.

엘로라는 라하트가 억지로 씌워 준 모자를 꽉 쥐었다.

정말 온 세상을 뒤져 봐도 이만큼 이상한 남자는 찾지 못할 것이다.

"……누구 때문에 모자도, 장갑도 챙겨 오지 못한 건 알고 있죠?"

"미안. 하지만 즐거웠잖아?"

"거듭 말하지만 하나도 즐겁지 않았어요."

이러면 또 눈을 마주칠까 봐 모자를 눌러썼다. 얼굴이 보이지 않도록. "네가 그렇다면 그런 거겠지."라고 순순히 대꾸한 라하트가 이만 가자고 했다. 그런 그를 따라 숙소로 방향을 틀었다. 한 발짝 뒤에서 걸으려 했는데 라하트가 속도를 늦춰서 얼떨결에 나란히 걷게 되었다.

대화는 나누지 않았다. 그들의 공백에 타인의 대화가 끼어들었다. 시끌벅적한 시장을 벗어나, 바다 냄새가 물씬

나는 거리를 걷게 되었다. 어쩐지 위화감이 들었다.

살짝 옆을 본 엘로라가 흠칫했다. 여기서 조금만 더 가면 라하트의 뒷목을 쳤던 그곳이었다. 죄책감이 양심을 쿡쿡 찔러서 고개를 숙인 엘로라는 빠른 걸음으로 갔다. 모자를 쓰고 있었기에 보이는 건 오로지 자신의 발뿐이었다.

앞장서서 나아간 엘로라는 그 탓에 보지 못했다.

라하트가 걸음을 멈추고 멍하니 바다를 바라보고 있음을.

그가 상념에 젖어, 존재 여부도 의문스러운 바다 요정을 그리고 있다는 사실을 전혀 모르는 엘로라는 바지런히 걸음을 옮겼다. 머릿속에는 어서 숙소에 도착했으면 좋겠다는 생각뿐이다.

그렇게 묵묵히 바닥만 내려다본 채, 정해진 길을 걷던 엘로라를 누군가 치고 지나갔다. 어린아이였다. 툭 하고 쳤건만 사과의 인사 없이 쌩하고 달려갔다. 평소라면 바쁘면 그럴 수도 있겠다고 생각했겠지만, 불길한 느낌이 들어 황급히 주머니를 뒤졌다. 그리고 예상대로 사라져 있었다. 팔찌가.

하필이면 그 물건을.

아이가 사라진 방향으로 뛰듯이 걸으며 황급히 주위를 둘러봤다. 하지만 라하트는 없었다. 그림자조차 보이지 않았다.

뒤늦게 라하트가 옆에 없음을 알아챈 엘로라는 혼란스러워졌다. 이대로 사라진 라하트를 찾아야 할지, 라하트가 준 팔찌를 찾아야 할지 한순간 판가름이 나지 않았다.

사실 팔찌는 돈으로 따지자면 얼마 하지 않는 물건이었다. 가게에 돌아가 똑같은 물건을 열 개고, 백 개고 살 수 있었다. 그럼에도 얌전히 있지 못하고 초조해하는 건, 차마 팔찌를 버리지 못했던 이유와 같았다.

이 남자는 언제 중간에 샌 건지. 당연히 옆에 있을 줄 알았던 터라 발만 동동 굴리던 엘로라는 결국 아이를 쫓아 달렸다.

팔찌를 잃어버린 순간부터 마음은 라하트보다 팔찌에 기울어져 있었다. 다시 돌아갔을 때 남자가 숙소에 없다면 어차피 그가 있을 만한 곳은 술집뿐이니 수색 범위가 좁았다. 그러나 팔찌는 아니었다. 지금 잃어버리면 영영 찾지 못했다.

굽이 있는 힐을 신었다고 생각하지 못할 정도로 빠른 속도로 달렸다. 원피스가 거추장스러웠다. 바지를 입었더라면 더 빨리 달렸을 텐데. 어금니를 꽉 깨물었다. 다행히 아이는 시야에서 놓치지 않았다.

조금씩 거리를 좁혔다.

조금만 더, 조금만 더.

팔을 뻗었다. 조금만 더 거리를 좁히면 잡을 수 있었다.

넘어지지 않도록 조심하면서도 있는 힘껏 달린 엘로라는 아이의 옷자락을 낚아챘다. 손아귀에 옷자락이 잡혔다.

"남의 물건을 함부로 가져가서는 안 되지."

"히익."

타인의 손길이 닿자 아이가 소스라치게 놀랐다. 아이를 억지로 멈춰 세우고 어깨를 붙잡아 돌렸다. 겁에 질린 소년이 두 눈을 크게 뜨고 엘로라를 올려다보았다. 얼굴을 보자마자 충격에 휩싸인 표정으로 외쳤다.

"마녀다! 바다 마녀!"

오늘 라하트에게는 바다 요정 소리를 듣고, 꼬마에게는 바다 마녀 소리를 들었다. 그 차이가 어마어마했다.

요정과 마녀라니. 웃음을 터트린 엘로라는 꽥 소리를 지르는 아이를 무시하고 도망치지 못하도록 꽉 잡았다.

여자치고는 억센 힘에 기가 죽은 아이가 얌전해졌다. 아무래도 진짜 바다 마녀라고 생각하는 듯했다.

덕분에 수월하게 팔찌를 찾을 수 있었다. 손에 없기에 주머니를 탈탈 털어 내자 돈과 귀중품이 쏟아져 나왔다. 전문적이었다. 그중 팔찌를 찾는 건 어렵지 않았다.

"이걸 어떻게 하지."

팔찌는 찾았으니 됐고, 딱 봐도 훔친 금품은 어찌해야 하나 싶었다.

아이를 보았다. 꼬질꼬질한 모습을 보니 소매치기로 생계를 유지하는 것 같았다. 그렇다 하여 도둑질이 합리화되는 건 아니었다.

치안대에 넘기는 게 가장 쉽고 빠를 것이었다. 아무리 먹고살기 위해서라도 죄에 대한 정당한 벌은 받아야 했다.

생각을 정리하고 있으니 불길함을 느꼈는지 아이가 꽥 소리를 쳤다.

"손대지 마! 다 내 거야!"

"정말 네 거야?"

"내 주머니에서 나왔으니까 다 내 거지!"

말도 안 되는 논리였다.

대화가 통하지 않을 듯해 한 귀로 듣고 한 귀로는 흘려버린 엘로라가 아이의 손목을 잡았다. 치안대에 넘기고 숙소로 돌아갈 생각이었다.

낮고, 껄렁대는 남자의 목소리가 붙잡지만 않았어도 그랬을 거다.

"거, 아가씨. 우리 애가 실례를 끼쳤나 봅니다?"

고개를 돌렸다. 누가 봐도 친절한 사람은 아니었다. 심지어 한 명이 아니었다.

엘로라는 모자를 푹 눌러쓰고 슬금슬금 뒷걸음질 쳤다. 때를 노린 아이가 엘로라의 손목을 콱 물더니 아차 하는 사이 도망쳤다. 홀로 남겨진 엘로라는 주위를 둘러보았다. 아이를 쫓느라 이곳이 어디인지도 제대로 파악하지 못했다.

하필이면 사람이 지나가지 않는 골목이었다. 보는 눈이라도 많으면 소리를 질러 도움을 요청할 텐데 그것조차 되지 않았다.

"차림새를 보니 여행 온 귀족 아가씨 같은데, 우리 같은 불쌍한 사람들을 위해 적선도 안 하십니까? 거참, 너무하네."

"……."

"가진 것도 많을 텐데."

남자들이 앞뒤로 엘로라를 가로막았다. 도망칠 퇴로가 차단된 엘로라는 지그시 입술을 깨물었다. 상황이 이런 식으로 꼬일 거라 상상도 하지 못했는데 제대로 잘못 들어왔다.

"비키세요."

"이럴 땐 비켜 달라고 무릎 꿇고 빌어야 하는 건데. 아가씨가 너무 곱게 자라서 평민들의 방식을 모르나 봅니다."

우두머리 되는 남자가 낄낄 웃었다. 그를 따라 주위에 있던 남자들이 웃었다. 사위를 울리는 음흉한 웃음소리에 최대한 냉정을 찾으려고 노력했다. 침착해야 했다. 흥분한다 하여 해결될 일은 없었다.

"가진 게 있는지 뒤져 봐."

남자의 명령이 떨어지자마자 모자가 강제로 벗겨졌다. 동시에 시야가 환해졌다.

"우웩."

얼굴이 가감 없이 드러나자, 너 나 할 것 없이 구역질하는 시늉을 했다. 덤덤한 시선으로 그들을 보았다. 이곳에 있는 사람들 모두 그녀를 조롱하고 있었다.

"못생겨도 너무 못생겼는데?"

성큼 다가온 남자가 엘로라의 턱을 잡고 들었다. 발목부터 시작해서 벌레가 슬금슬금 기어오르는 느낌이었다. 뱀 같은 시선이 얼굴을 훑었다. 불쾌함에 얼굴을 찡그렸다.

"돼지 새끼도 이보다 예쁘겠네."
안 그래도 못생겼는데 찡그리니 더 못생겼다. 그 얼굴을 보고 있자니 짜증이 솟구친 남자는 커다란 손을 들어 그대로 엘로라의 뺨을 내리쳤다.
고개가 돌아갔다. 뺨이 얼얼했다.
순간 무슨 일이 일어난 건지 인식하지 못해 천천히 두 눈을 깜빡였다. 그런 엘로라를 보고 남자가 낄낄, 저급하게 웃었다.
"붙잡고 있을 테니까 몸 뒤져 봐. 분명 돈이 되는 걸 가지고 있을 거야."
"……."
"얼굴 꼬라지를 보니 건드려도 문제없을 것 같네."
뒤에 있던 남자가 양팔을 붙잡자 다른 남자가 몸을 더듬었다. 질척대는 손길에 구역질이 나올 것 같았다.
엘로라는 입술을 꽉 깨물었다. 상대는 남자인 데다 다수였다. 정면에서 승부를 보면 질 수밖에 없었다. 도박을 하더라도 승률이 높은 데에 걸어야 했다. 괜히 되지도 않은 저항을 했다가 그들의 신경을 건드려 더 험한 꼴을 보게 된다면 낭패였다.
"오호, 몸매는 괜찮은데?"
더러운 손이 허리를 만졌다. 성적인 의미가 다분한 손길이었다.
누군가 도와주러 왔으면 좋겠지만 그럴 리 없어 보였다.

다른 이의 기척이 전혀 느껴지지 않았다. 차라리 상대가 여자라고 방심하고 있는 틈을 노려 한 대 치고 도망치는 게 더 빠를 듯했다.

상황 판단을 마친 엘루라는 발로 남자의 정강이를 찼다 동시에 두 팔을 잡고 있는 남자의 턱을 머리로 강하게 쳤다.

"윽."

그들이 방심하고 있어서 가능한 일이었다.

구속돼 있던 두 팔이 자유로워지자 엘로라는 뒤도 돌아보지 않고 왔던 방향으로 정신없이 내달렸다. 이 상황에서 벗어나 안전한 곳으로 이동하는 게 최우선이었다.

고개를 숙이고 무작정 달리고 있는데 누군가와 부딪쳤다.

저들의 동료인가? 낭패였다.

다시 잡히면 또 도망칠 수 있을 거라 장담할 수 없었다. 아무리 검술을 배웠다 해도 무기가 없는 데다 혼자였다. 어금니를 꽉 깨문 엘로라는 남자의 명치를 주먹으로 치고 도망치려 했다.

그런데 곧이어 자신의 이름을 부르는 목소리가 익숙했다.

"……엘로라?"

"전하!"

"무슨 일이야?!"

라하트가 다급히 엘로라를 살폈다. 무슨 일을 당했는지 그녀의 뺨이 빨갛게 부어 있었다. 심지어 옷도 누군가 만진 듯 헝클어져 있었다. 빠르게 상황 파악에 나선 라하트는 엘로라의 뒤를 따라오는 낯선 남자들을 보았다.

"시발, 저년이!"

"감히 어딜 도망가려고!"

욕지거리를 하며 엘로라의 뒤를 따르던 남자들과 라하트의 시선이 딱 부딪쳤다. 그들은 갑작스러운 라하트의 등장에 흠칫했다.

금발에 보랏빛 눈동자, 거기에 화려하게 생긴 외모. 그 옆에 있는 못생긴 여자까지. 법도 모르고 뒷골목에서 돌아다니는 그들이긴 했지만 저렇게 모아 보니 정체를 모를 수가 없었다.

"형님, 못생긴 여자랑 금발에 자안인 남자의 조합이면 아무래도……."

근래 뷔로스를 방문했다는 둘째 황자.

그냥 못생겼다고 생각한 귀족 여자는 그 유명한 후작가의 여식일 터였다. 생각보다 거물급 인사들이었다. 머릿속 생각을 정리한 남자들은 후작가의 여식은 그렇다 쳐도 황자를 건드렸다가는 뼈도 못 추린다는 걸 깨닫고 슬슬 뒷걸음질 쳤다. 그리고 라하트가 정확하게 사태를 파악하기 전에 도망쳤다.

"아니, 도대체……."

묻지 않아도 엘로라를 이렇게 만든 건 저들이었다. 뒤쫓아 가려는 라하트를 엘로라가 붙잡았다.

"가지 마요. 지금 쫓아가는 것보다 치안대에 신고하는

게 나아요."

"……너는 괜찮아?"

두렵지 않았다면 거짓이겠지만 도망칠 수 있을 거란 확신이 있었다. 솔직히 말하면 굉장히 괜찮은 상태였기에 차분히 옷을 정리한 엘로라가 말을 돌렸다.

"어떻게 찾았어요?"

"지나가는 사람마다 붙잡고 물어봤지. 네 은발은 어딜 가나 눈에 띄니까."

그러고 보니 팔찌를 찾아야 한다는 생각에 꽂혀서 열심히 달렸지. 저도 모르게 뜨끔할 뻔했다. 너무 눈에 띄는 행동을 했다. 그러나 자세한 정황을 모르는 라하트는 왜 뛰었는지, 어째서 이런 꼴이 되었는지 설명해 주지 않는 한 모를 것이다.

그가 준 팔찌 때문에 이 사달이 났다는 걸 알릴 생각은 전혀 없었다.

추궁한다면 다른 이유를 댈 것이다. 엘로라는 이야기를 짜내기 위해 열심히 머리를 굴렸다. 최대한 비열하고 옹졸한 그녀에 걸맞는 사유여야 했다. 침묵 속에서 머리를 굴리고 있는데 정작 라하트의 입에서 예상을 벗어난 말이 나온다.

"미안해."

"오늘따라 전하께 미안하다는 소리를 참 많이 듣네요."

"화났어?"

“애초에 이런 걸로 화를 낼 관계가 아니잖아요. 저희는.”

표정을 보니 본인이 한눈팔아서 생긴 일이라고 생각하는 듯했다. 하긴, 소매치기 당했을 때부터 옆에 없었지. 어쩌면 한참 전부터 넋을 놓고 다른 장소에서 헤매고 있을지도 몰랐다. 가끔 방향 감각이 돌아 버릴 때가 있다고 했으니, 그때가 이때였을지도.

라하트가 엘로라에게 자세한 설명을 요구하지 않듯, 엘로라 또한 라하트에게 무엇을 하느라 옆에 없었는지 묻지 않았다. 이미 할 말은 다 정해져 있었다.

“이만 돌아가죠.”

신혼부부 놀이는 끝났다.

이제 정말 돌아갈 시간이었다.

“일정이 지체돼도 한참 지체됐네요.”

라하트는 의외로 덤덤한 엘로라를 보았다. 냉정해도 너무 냉정했다. 조금 전까지 험한 꼴을 당한 여자 같지 않았다. 아니, 그냥 사람 같지 않았다. 두려움을 느꼈을 터인데 약간의 빈틈도 보이지 않는 것이.

억지로 냉정함을 쥐어짜 내는 듯했다.

누가 보아도 손찌검을 당해 빨갛게 부어오른 뺨에 시선이 갔다. 아까 보았던 녀석들 중 하나의 짓일 것이었다. 바로 잡지 못한 게 후회가 됐다.

“뺨은…….”

손을 뻗었다. 다가오는 커다란 손에 엘로라가 반사적으

로 쳐 냈다. 짝, 하는 살갗과 살갗이 맞부딪치는 큰 소리가 났다.

라하트가 잘못한 건 하나도 없었다. 그걸 알지만 뾰족한 목소리로 대꾸했다 그녀가 만들어 낸 못난 엘로라는 이렇게 행동했겠지, 하면서.

"건들지 마세요."

"얼른 숙소에 가서 치료받아야겠다."

"그 정도는 알아서 해요. 어서 가죠."

어서 수도로 돌아가고 싶었다.

정확히는 수도에 있는 아르미트 저택에. 그곳에 그녀의 진짜 얼굴을 아는 사람들을 만나, 편히 쉬고 싶었다. 들뜬 마음을 안고 찾아온 뷔로스는 매일 긴장의 연속이라 그런지 피곤했다.

지친 기색이 역력한 엘로라를 본 라하트가 골목 안으로 들어갔다. 또 무엇을 하나 싶어 서 있던 엘로라는 잊고 있었던 모자를 들고 오는 그를 발견할 수 있었다.

성큼 다가온 라하트가 모자를 씌워 줬다. 불필요한 친절이었다. 한숨이 나왔다. 라하트는 모를 한숨이었다.

"볼일은 다 보셨어요?"

"응."

그들은 중간에 새는 일 없이 숙소로 갔다. 다행히 이번에는 별다른 일 없이 도착할 수 있었다.

손찌검을 당한 뺨에 약을 바르고, 그들이 없는 동안 돌아갈 준비는 끝났기에 바로 마차에 올라탔다. 그동안 두 사람은 한마디도 나누지 않았다. 엘로라는 라하트가 자신의 눈치를 보는 걸 느꼈지만 무시했다.

그들을 태운 마차가 떠났다.

막 도착했을 때의 두근거림은 잔뜩 식어 있었다.

05. 폭풍 전야

05. 폭풍 전야

돌이켜 보면 거창하게 한 일은 없는 듯한데 피곤했다.

수도에 도착한 엘로라는 잔뜩 지친 몸을 이끌고 저택에 들어섰다. 짐은 나중에 따로 저택으로 보내라고 했기에 혼자였다. 느릿한 걸음으로 저택에 들어서자 미리 기다리고 있던 가족들이 그녀를 반겼다.

"엘로라!"

들어가자마자 요제프가 그녀를 안았다. 순간 휘청거린 엘로라는 겨우 중심을 잡고 저를 안은 막내 오라버니의 등을 토닥여 주었다. 잠깐 보지 않았다고 열렬한 환영이었다.

"몸은 괜찮아? 뷔로스 음식이 입맛에 안 맞지 않았어? 그리고 처음으로 수도를 벗어난 거였잖아. 막 밤잠을 설쳤다거나 그런 건 아니지?"

질문을 쏟아 내는 요제프 탓에 정신이 없었다. 혼자 있을 땐 그토록 피곤했건만 이리 정신이 없으니 피곤함도 잊게 됐다.

요제프의 질문에서 걱정을 읽어 낸 엘로라는 작게 웃었다. 흥분한 요제프와 달리 차분히 대답해 주었다.

"다 괜찮았어. 제국을 나선 것도 아니고 고작 수도를 벗어난 건데 뭘. 오라버니. 그보다 나 숨 막혀."

"헉, 숨 막혀?"

"요제프, 이쪽으로 와."

보다 못한 에곤이 요제프를 질질 끌고 갔다. 그 힘에 사심이 들어갔는지 요제프가 옅게 짜증을 냈다.

"아, 진짜. 한 번 안았다고 되게 그러네."

"요제프."

"알았어, 알았어."

주위가 시끌벅적했다. 익숙한 공기가 온몸을 에둘렀다.

집이었다. 수도에 도착한 게 딱히 실감나지 않았는데 가족을 만나니 절절히 느껴진다. 그토록 보고 싶었던 가족이었다.

투닥투닥 싸우는 에곤과 요제프, 그리고 그걸 지켜보는 라엘을 보았다. 그들 뒤에는 멀찍이 떨어져 있는, 익숙한 얼굴의 시종들이 있었다.

드디어 유일하게 마음 놓고 다닐 수 있는 공간에 돌아왔다. 그런데 한 사람의 얼굴이 보이지 않았다.

"오라버니. 아버지는?"

"요즘 일이 많으셔서 오늘도 늦으실 거다."

"아, 바쁘시구나."

일 때문에 바쁘다는데 어찌할 수 없었다. 어차피 오늘만 날인 건 아니고, 입궁까지 시간이 남았다.

이혼 전까지 가족들의 얼굴 한 번 보는 게 힘들어질 테니 실컷 보고 입궁할 생각이었다. 어두운 기색을 지우고 활짝 웃은 엘로라가 오라버니들을 보았다.

"오라버니들은 어땠어? 나 없는 동안 재미있는 일이 있었던 건 아니지?"

"그럴 리가. 너 없는 동안 서로 머리카락 하나 구경하기도 힘들었어."

"왜? 많이 바빴어?"

자세한 설명이 힘든지 요제프가 시선을 돌렸다. 라엘에게 눈길을 주자 딱히 대답해 줄 생각이 없는 모양인지 입술을 꾹 다물었다. 이런 오라버니들의 반응에 더욱 궁금해졌다.

진짜 무슨 일이라도 있었던 걸까?

결국 시선의 끝은 에곤이었다. 반짝이는 푸른 눈동자와 마주한 에곤은 속으로 쯧, 혀를 찼다. 요제프가 괜한 이야기를 꺼냈다. 말을 하기 앞서 생각을 하라고 그리 일렀거늘. 남자 넷이서 만나기만 하면 라하트를 살해할 계획만 짜게 되어 아예 보지 않기로 암묵적인 합의를 봤다고 말할 수 없었다.

괜히 엘로라에게 걱정을 끼칠 수 없기에 진실을 숨긴 에곤이 화제를 돌렸다.

"며칠 못 본 사이에 핼쑥해졌어."

"제대로 잠을 못 자서 그래. 원래 얼굴을 들킬까 봐 밤에도 긴장해야 해서."

"지금 식사를 올리라고 할까?"

"아냐, 됐어. 오는 길에 먹고 왔는데 계속 마차 안에 있어서 그런지 소화가 잘 안 되네."

"그러면 소화제라도……."

"오라버니. 난 괜찮아."

내버려 두었다가는 아예 끌고 갈 것 같아 방긋 미소 지었다.

소화가 잘 안 된 건 사실이지만 피곤 때문도 있었다. 본인 몸 상태는 본인이 잘 안다고, 푹 쉬고 나면 괜찮아질 걸 알았다. 엘로라의 미소를 본 에곤은 한 수 접고 들어갔다. 덤덤하게 괜찮다면서 예쁜 미소를 지어 주는데 어떤 오라비가 계속 추근댈 수 있을까.

세상에서 제일 못났다고 불리는 화장을 했다 하더라도, 엘로라는 엘로라였다. 그들에게 하나뿐인 막냇동생.

"그래, 네가 괜찮다면 괜찮은 거겠지."

"고마워. 오라버니."

에곤이 쑥스러운지 괜히 뺨을 긁었다.

그걸 보고 작게 웃었다.

에곤도, 라엘도, 요제프도. 모두 그대로였다. 하긴 짧은 신혼여행 동안 그중 누군가가 바뀔 리 없었다. 오랫동안 지속해 왔던 긴장을 풀고 안도하고 있는데 계속 조용히 있던 라엘이 불쑥 엘로라를 불렀다.

"엘로라."

"응?"

"그 자식이 이상한 짓은 안 했어?"

"……그런 일 없었어."

"방금 뜸 들였는데?! 무슨 일 있었지?"

옆에 있던 요제프가 불쑥 끼어들었다.

이상한 짓이라는 말에 떠오르는 게 한두 개가 있었기 때문에 저도 모르게 뜸을 들인 거였다. 하지만 오라버니들이 말하는 이상한 짓과 엘로라가 당한 이상한 일은 명백히 달랐기에 손사래를 쳤다.

"무슨 일 있었으면 내가 가만히 있었을 리 없잖아. 아, 참. 정신이 없어서 따로 기념품 같은 건 사 오지 못했어. 미안해."

"기념품은 필요 없어. 네가 무사히 돌아왔다는 사실 하나만으로 충분하니까."

"맞아! 뷔로스의 기념품쯤은 우리 상단에서 구할 수 있다고."

역시 아르미트 가문에서 라하트의 신뢰도는 바닥이었다. 누구나 다 간다는 신혼여행인데 아무 일 없어서 다행이라니.

라엘을 빤히 쳐다보았다. 없는 동안 걱정이 이만저만이 아니었다는 걸 그 한마디로 절절히 알 수 있었다.

직접 겪어 보니 그리 걱정하지 않아도 되는 인물인데. 다들 라하트의 악명만 전해 듣다 보니 엘로라가 결혼하는 순간부터 발을 동동 구르고 있었다. 결혼식 날 라하트가 무례하게 군 게 걱정에 기름을 붓기도 했다.

"오라버니들도 다음에 신혼여행 가게 되면 뷔로스로 가길 추천할게. 바다가 아름다운 곳이야."

"그렇게 마음에 들었어?"

"처음이잖아. 모든 게 새로웠지."

"두 눈이 반짝반짝거려."

"오라버니들 앞이라 그래. 아니면 누구 앞에서 이런 말을 하겠어."

라엘이 엘로라의 머리칼을 쓱쓱 쓰다듬어 주었다. 새로운 장난감을 발견한 어린아이처럼 반짝이는 눈동자가 예뻤다. 혹 라하트가 해코지했을까 봐 근심 걱정이 많았는데 그런 일은 없었던 모양이었다. 관광지를 잘 둘러보고 온 듯해 보고만 있어도 뿌듯해졌다.

하나에 꽂히면 다른 걸 보지 않는 라엘과 다르게 엘로라는 어릴 때부터 이것저것 다양하게 알고 싶어 했다. 그런 모습을 지켜보고 있으면 신기하기도 하고 재미있기도 했다.

"피곤해서 이만 올라가 볼게."

"필요한 건 없고?"

"응. 없어. 오라버니들도 오늘 하루 힘들었을 텐데 쉬어."
"내일 보자."
손을 흔들어 주고 총총 계단을 타고 올라갔다. 방에 들어가니 대기하고 있던 히나가 따라 들어온다. 옷 갈아입는 걸 도와주기 위해서였다.
"여행은 즐거우셨어요?"
"응. 다음에 기회가 있다면 함께 가자."
"어머. 아가씨도 참."
그 기회는 안 올 확률이 높았다. 빈말에 가까웠지만 오랜만에 엘로라를 보게 된 것이 기뻐 히나의 입가에 미소가 지워지지 않았다.
혼자서 쓱쓱 화장을 지운 엘로라는 도움을 받아 옷을 벗고 잠옷으로 갈아입었다. 편한 옷으로 갈아입으니 잠깐 잊고 있었던 피로가 몰려왔다.
"아가씨, 옷 주머니에 이런 게 있는데 어떻게 할까요?"
"이리 줘."
침대에 누우려던 엘로라는 자리에서 일어났다. 수도까지 오는 길은 다시 긴장의 연속이라 주머니에 넣어 둔 걸 깜빡하고 있었다.
"팔찌네요. 뷔로스에서 사셨어요?"
"……응."
선물 받은 거지만.
라하트가 주었다고 하면 의심의 눈초리로 볼지도 몰랐

다. 소문만 들으면 그가 이런 걸 줄 남자는 아니니까.

말을 삼킨 엘로라는 팔찌를 보석함에 넣었다. 다른 장신구와 함께하게 된 팔찌를 잠시 내려다보다가 보석함을 닫았다. 라하트는 이것을 버렸다고 알고 있으니 앞으로 직접 착용할 일이 있을지 모르겠다. 어쩌면 영영 쓸 일이 없을지도.

그럼에도 소중히 보석함에 넣어 둔 이유는, 저걸 보고 있으면 뷔로스에서 있었던 일이 새록새록 떠오를 것이기 때문이다.

마지막에 썩 좋지 않은 일이 있었지만, 그게 나쁜 일로만 가득 찼다는 뜻은 아니었다.

슬픈 일도, 불쾌한 일도, 놀라웠던 일도, 당황했던 일도. 모두 지나갔기에 추억이 되었다. 미소를 지은 엘로라는 가벼운 발걸음으로 침대에 누웠다. “좋은 꿈 꾸세요.”라고 작게 속삭인 히나가 불을 끄고 나갔다.

갑갑했던 화장을 벗어 던지고 편히 잘 수 있는 집이다.

두 눈을 감은 엘로라는 푹신한 베개에 뺨을 대었다.

암전이었다.

신혼여행 기간에 선잠을 잔 탓인지 오랜만에 푹 숙면을

취한 엘로라는 평소와 다르게 늦게 일어났다. 그녀의 특수한 상황을 고려해 누구도 깨우지 않은 탓에 일어났을 때는 해가 중천에 떠 있었다.

씻고, 식사하니 할 일이 없다

이리 늦은 시간에 일어났는데 바쁘지 않은 건 또 처음이었다. 할 일이 아예 없었다.

당황한 엘로라는 방에 얌전히 있다가 이내 거실로 나왔다. 방에 처박혀 있어 봤자 심심하기만 하지, 할 일이 없었다. 가족들도 모두 일하러 나간 터라 저택은 발걸음을 죽인 시종 몇몇밖에 없었다.

애용하는 흔들의자에 앉았다. 고요 속에 혼자 시간을 죽이고 있으니 얼마 있지 않아 저택을 떠나게 되는 게 확 실감이 났다. 입궁한다는 말은, 제 아무리 아르미트가의 저택이라 하여도 출입이 자유롭지 않게 된다는 뜻과 같았다. 외출할 때마다 시선이 쏠릴 터였다.

이제 그녀는 정식으로 황자비가 되었다. 황실에 대한 소속감도 없건만, 그렇게 황실의 일원이 되어 버렸다.

고개를 들어 멍하니 천장을 보았다.

언젠가 떠날 거라고 생각은 하고 있었다. 그녀는 장자가 아니었다. 위에 오라버니가 셋이나 있으니 가문을 이어받을 확률조차 없었다. 지금은 뭉쳐 있어도 가주가 아닌 이상 결국 뿔뿔이 흩어지게 돼 있었다. 천년만년 이곳에 몸을 의탁할 수 없었다.

그게 먼 미래에 있을 일이라고 생각했는데 일시적이라도 '아르미트'를 버리고 다른 사람이 되는 순간이 성큼 다가오니 기분이 이상했다.

결코 결혼할 일은 없을 테니 아버지가 돌아가실 때쯤에야 저택을 벗어날 거라 예상했는데. 그 누가 그녀가 망나니 황자와 결혼하게 되리라 상상조차 했을까. 역시 인생은 예측할 수 없는 일의 연속이었다.

은발을 늘어뜨린 채 흔들의자에 몸을 맡겼다. 여러 생각이 머릿속을 스쳐 지나갔다. 앞으로의 일이나 이미 지나간 일을 되새겨 보던 엘로라는 기척을 느꼈다. 히나였다.

"오늘은 외출 안 하시네요."

"다 죽었으니까 나갈 일도 없지."

"아."

엘로라의 대답에 짧게 탄식했다. 오페라 가수인 로즈를 급하게 사망 처리하고 새로운 역할을 만들어 내지 않았기에 실제로 남은 건 화가인 로이스뿐이었다. 굳이 따지자면 못난이 엘로라도 하나의 역할이긴 했지만 그 역할은 이 생활을 유지하기 위한 방패였다.

평소 엘로라라면 새로운 일에 뛰어들 생각을 하거나 이미 새로운 일을 하게 되어 활기찰 텐데 전혀 그렇지 않았다.

기력을 불어넣을 일이 없어서 그러신 건가. 흔들의자에 몸을 맡긴 엘로라가 심드렁해 보여 조심스럽게 물었다.

"뷔로스에서 무슨 일 있으셨어요?"

"아니, 아무 일도 없었어."

엘로라는 그제야 히나가 자신을 걱정 어린 시선으로 보는 걸 느꼈다. 망아지 같은 눈망울로 흔들림 없이 자신만을 쳐다봤다. 이에 흔들의자에서 흔들대던 것을 멈추고 그린 듯한 미소를 지어 주었다.

"정말이야."

평소보다 차분한 건 곧 저택을 떠날 생각을 하니 절로 그렇게 되었다고 말할 수 없었다. 결혼식 날처럼 히나가 울음을 터트리면 마음이 아프니까. 그녀가 언제든 떠날 수 있다는 사실 하나로 히나를 울리기엔 충분했다.

평화를 깨뜨리고 싶지 않았다.

미래에 있을 일은 혼자 차분히 머릿속으로 정리해도 되었다. 그 언젠가 로즈나 로이스처럼 '엘로라 아르미트'마저 죽여 가문에서 아예 벗어나게 될 거라는 미래를.

"힘든 일 있으시면 언제든 말씀해 주세요. 제 역할은 아가씨의 말을 듣는 거니까."

"넌 지금도 충분히 그 역할을 수행하고 있어."

엘로라의 얼굴이 오늘따라 유독 창백해 보였다. 그 망나니 황자가 아가씨께 뭘 먹이긴 했는지 며칠 사이에 살도 쪽 빠진 것 같았다. 그 얼굴을 빤히 보다 울컥한 히나가 목소리의 떨림을 최대한 숨기며 엘로라를 걱정했다.

"식사는 제대로 하셨어요? 안색이 좋지 않아요."

"그동안 밖에 있어서 그런 거니 며칠 쉬면 괜찮아질 거야."

"혹시 드시고 싶은 디저트 있으세요? 아니면 지금 차라도 한 잔 갖다드릴까요?"
"미안. 둘 다 딱히 생각이 안 드네."
딱히 식욕이 들지 않아 거절한 건데 히나가 지나치게 걱정했다. 그렇다고 억지로 먹고 싶은 기분도 아니라 말을 바꾸지 않았다.
"오늘은 계속 집에 계실 거예요?"
"응. 나갈 일이 없으니까."
나갈 일도 없을뿐더러 나가고 싶지도 않았다. 아르미트 저택은 그녀에게 있어 유일한 안식처였다. 있을 수 있을 때 이곳에서 시간을 충분히 보내고 싶었다. 그런 엘로라의 마음을 읽은 히나가 고개를 끄덕였다.
"나 없는 동안 윌런에게 연락이 오지 않았어?"
"없었어요."
"다행이네."
"그러면 편히 쉬세요. 필요한 거 있으시면 부르시고요."
"응."
히나의 걸음 소리를 들으며, 엘로라는 지그시 두 눈을 감았다. 혼자가 되니 잡념이 복잡하게 얽혔다. 느릿하게 숨을 쉬며 어둠 속에 잠겼다.
가족들이 집에 돌아올 때까지 계속.
인형처럼 미동조차 하지 않는 엘로라를 살핀 히나는 깊은 한숨을 내쉬었다.

늦은 밤, 아르미트가의 세 아들이 한자리에 모였다. 웬만하면 셋이 모이는 일이 없는 이들이었다. 야심한 시각에 남몰래 모인 그들은 누가 봐도 수상하게 느껴졌다.

세 남자는 은발을 맞대고 잠깐 침묵을 유지했다.

오늘 그들이 모인 이유는 엘로라 때문이었다. 뷔로스에 갔다 온 이후로 눈에 띄게 우울해하는 그녀를 보고 참다못해 자리를 만들었다. 그들이 없는 사이 기분이 처져 있었다는 히나의 증언이 이들이 모이는 데 한몫하기도 했다.

"애초에 몰래 죽였으면 이런 일이 없었잖아."

침묵 끝에 요제프가 한마디 했다. 아직도 라하트를 암살하지 못한 것에 미련을 느끼는 그였다.

엘로라는 자신 때문에 가문이 반역했다는 오명을 뒤집어쓸까 봐 거절한 듯한데 그들에게는 돈도 명예도 있었다. 아무도 몰래 사람을 고용하고 일을 다른 이에게 뒤집어씌우는 것쯤이야 식은 수프를 누워서 마시는 것만큼 쉬웠다. 아직 한 번도 해 보지는 않았지만.

처음 소식을 접했을 때 그 녀석을 조졌어야 했는데!

지금 엘로라가 힘이 없는 건 아무리 봐도 라하트 탓이었다. 굳이 물어보지 않아도 알았다. 그들에게 라하트란, 만악의 근원이었다.

"엘로라가 반대했어."

"형은 그래서 계속 지켜보자고 할 생각인 거야? 누구 때문에 애 인생 망쳤는데!"

"반대한다는 건 싫다는 뜻이야."

라엘이 옅은 푸른 눈동자로 요제프를 직시했다. 낮게 울리는 라엘의 목소리에는 강경한 뜻이 담겨 있었다.

"싫어하는 일 하면 미움받아."

"알아. 나도 안다고. 하지만 이건 경우가 다르잖아."

알고 있었다. 멋대로 일을 저질렀다가 미움받을 거라는 것쯤은.

상대가 제아무리 제국의 근심이라 불리는 황자라 하여도 사람을 죽이면 그냥 미움받는 정도가 아닐 거란 것도 알았다. 남들의 질타보다 바로 옆에 있는 엘로라의 멸시가 더 무서웠다.

엘로라는 왜 이 결혼을 그대로 진행하고 있는 걸까. 그토록 고통받으면서.

엘로라가 라하트와 계약했다는 사실을 모르는 요제프는 머리를 쥐어뜯었다. 그런 요제프를 보던 에곤이 한숨을 내쉬고는 상황을 정리했다.

"일단 엘로라의 기분을 낫게 할 만한 일을 강구해 보도록 하지. 떠오르는 생각이 있으면 말해 봐."

순간 숨 막히는 정적이 흘렀다. 누구도 입을 열지 않았다.

엘로라가 라하트 때문에 기분이 저조한 건 알겠는데 막상 기분을 띄워 줄 만한 일을 생각해 보라고 하니 머릿속이 백지였다. 항상 제 할 일을 알아서 하는 동생이었기에 더욱 그랬다.

무언가 요구한 적도 없고, 원한 적도 없었다. 원하는 게 있으면 스스로 쟁취했다.

지금 엘로라를 기쁘게 할 만한 게 무엇인지 누구도 떠올리지 못했다. 그렇게 서로 눈치만 보다가 결국 요제프가 입을 열었다.

"아, 진짜! 형들이 여자를 만나 봤어야 뭐가 나오든 말든 할 텐데 다들 여자의 '여' 자도 모르잖아!"

"그러면 너는 알아?"

"나야 많이 만나 봤지!"

"정말?"

"다 일 때문에 만난 거긴 하지만……."

요제프가 라엘의 시선을 슬쩍 피했다.

이곳에서 가장 다양하고 많은 사람을 만나는 이는 요제프였다. 상단을 운영하다 보니 기본적으로 사람의 비위를 맞추는 걸 잘했다. 그러나 다 일에 연루된 관계다 보니 정작 가족인 엘로라가 좋아할 만한 게 무엇이냐고 물어본다면 막막했다.

제국에서 천재라 불리는 이들 셋이나 있건만 정작 답이 나오지 않았다. 머리를 맞대고 있어 봤자 0을 세 번 더해도 0일 뿐이었다.

엘로라의 기분을 당장 좋게 만드는 법.

언뜻 쉬워 보이는 이 일은 엄청난 난제였다.

오랜 시간이 흘렀다. 침음을 삼키던 에곤은 결국 다른 이의 도움을 받기로 결정했다.

"여자의 마음을 모르면 여자를 부르면 되는 것을. 너무 어렵게 생각하고 있군."

"엘로라 부르게? 형 미쳤어?"

"요제프."

"아니면 누구 부르려고. 형도 아는 여자 없잖아."

"왜 없다고 생각하는 거지."

그야 같이 있는 꼴을 못 봤으니까. 이 나이쯤 되면 혼사 얘기도 오고 가고, 만나는 여자가 있을 법한데 에곤이 어찌나 철벽인지 황태자와 사귄다는 소문이 암암리에 돌 정도였다. 두 사람이 소꿉친구인 데다 현재 황태자비 자리가 공석이다 보니 소문이 사라지지 않았다.

하지만 이 말을 했다가는 저택에서 영영 추방당할 것 같아 요제프는 입을 다물었다. 현명한 선택이었다.

애초에 대답을 바라고 물은 게 아니었기에 입술을 다문 요제프를 보고 에곤이 설렁줄을 당겼다. 대기하고 있던 시종이 들어왔다. 그에게 히나를 부르라고 하자, 다들 납득하는 분위기가 되었다. 오랫동안 엘로라를 보필해 온 히나라면 필시 이 엄청난 난제를 해결해 줄 터였다.

잠시 후 히나가 들어왔다. 갑작스러운 부름에 당황을 숨기며 고개를 숙이고 있으니 에곤이 앞뒤 설명 없이 본론에 들어갔다.

"네가 생각하기에 엘로라에게 당장 필요한 게 무엇이지?"

"예? 워낙 속내를 밝히지 않으시는 분이라 그건 저도 잘 모르겠습니다."

"부족해 보이는 건?"

"음……."

히나가 생각에 잠겼다.

아가씨에게 부족한 거라. 워낙 부족함 없이 자란 분이라 이 또한 딱히 없는 듯했다. 그럼에도 바로 대답을 놓지 않은 이유는 자신을 바라보는 세 남자의 부담스러운 시선 탓이었다. 뭐라도 제대로 된 대답을 해 줘야 할 것 같았다.

다들 긴장된 시선으로 히나를 쳐다보았다.

"대답이 될지 모르지만, 아가씨께서 오늘 제대로 식사를 드시지 못했습니다. 디저트도 안 드시고, 확실히 뷔로스에 가기 전보다 식사 양이 줄어드신 것 같아요."

히나의 말에 다들 심각한 표정이 되었다. 도대체 뷔로스에서 무슨 일이 있었기에 음식도 제대로 먹지 못하는 건지. 분명 라하트가 이상한 수를 썼다고, 마음껏 상상의 나래를 펼쳤다.

진실은 그냥 한동안 긴장해서 많이 못 먹는 것뿐이지만 이를 해명할 엘로라가 자리에 없었다. 꿈나라에 간 엘로라가 이 자리에 있었다면 필사적으로 해명했을 것이었다.

"식사도 제대로 못했다니까 식욕이 확 돋을 정도로 맛있는 걸 사 주면 되겠……."

"요리하자."

"응?"

라엘이 요제프의 말허리를 잘랐다.

사고 회로가 어찌 되면 결론이 저렇게 나는지 요제프는 이해할 수 없었다. 요리라니? 굉장히 뜬금없는 결론 도출이었다.

"써는 건 잘해."

"형은 살면서 검을 들었지 칼을 든 게 아니잖아."

"깔끔하게 자를 자신 있어."

"아니, 형. 그 말이 아니라……. 아니다. 됐다."

엘로라의 일이라면 물불 가리지 않는 라엘은 이미 요리에 꽂혀 있었다. 직접 만든 음식을 맛있게 먹을 엘로라를 상상하니 다른 말은 제대로 들리지 않았다. 원래 하나에 꽂히면 주위를 제대로 살피지 않는 걸 아니, 요제프는 라엘을 설득하길 포기했다. 서로가 서로를 너무 잘 알았기에 단념도 쉬웠다.

"큰형도 작은형 의견이랑 같아?"

"요리라. 나쁘지 않지."

첫째인 에곤이 반대하면 라엘을 막을 수 있을 거라 생각하고 물은 거였다. 그런데 반응이 너무 긍정적이라 당황스러웠다. 한 번도 요리해 본 적이 없으면서 저건 또 무슨 자신감인지.

항상 냉정하고 이성적이던 에곤답지 않았다. 이것저것 따져 봐도 직접 만들어서 주는 것보다 제대로 된 완성품을 사서 주는 게 시간이나 효율 면에서 나았다. 이곳에서 그걸 아는 사람은 요제프뿐인 듯했다.

"요리라니! 아가씨께서 정말 좋아하실 거예요!"

심지어 히나도 찬성이었다. 다수결로 먹고 들어가는데 이러면 요제프가 열렬히 반대한다 하여도 들어줄 사람이 없었다. 이대로 직접 요리하여 엘로라를 기쁘게 하는 걸로 결정이 나는 분위기였다.

"과연 제대로 된 음식이 나올까."

결정이 났으니 바로 실행에 옮겼다.

주방으로 질질 끌려가면서 요제프는 걱정을 지울 수 없었다. 귀족으로 나고 자란 이들이 음식을 먹는 것만 할 줄 알지 음식을 제대로 만들 수 있을지. 눈앞이 깜깜했다.

이런 요제프의 걱정을 읽기라도 했는지 다행히 주방장을 깨워 도움을 받은 덕에 못 먹는 음식이 태어날 일은 없었다.

그리고 그날. 동이 틀 때까지 주방은 분주했다.

❦

푹 자고 나니 평소 컨디션을 회복한 엘로라는 일찍 일어나 아침 식사를 하기 위해 내려갔다. 그런데 시간이 지나도 아버지 외에는 식사하러 오지 않았다.

뒤늦게 단체로 사라진 오라버니들의 행방을 물어본 엘로라는 그들이 식사도 하지 않고 벌써 출근했음을 알 수 있었다. 매우 이례적인 일이었다.

아무리 바빠도 가족끼리 식사하는 이 시간만큼은 놓치지 않았으니까. 게다가 한 명도 아닌 세 명 다 바쁘다는 핑계를 대며 나갔다니. 우연이라고 하기에는 기가 막혔다. 혹시나 하여 황궁 사정을 잘 아는 아버지께 물어봐도 에곤과 라엘의 업무가 그리 많지 않다는 답만 돌아올 뿐이었다.

이쯤 되면 수상하게 여기고 싶지 않아도 수상했다.

촉이 왔다. 그녀와 아버지를 왕따 시키고 셋이서만 작당을 벌이고 있는 게 분명했다. 무슨 꿍꿍이를 숨기고 있기에 셋이서 연합했는지.

별다른 일은 아닐 거라 믿고 있지만, 셋이서만 무슨 일을 벌인다는 게 영 상상이 가질 않았다. 워낙 본인들이 잘하는 분야만 파는 사람이라 웬만해서는 셋이 뭉치는 경우가 드물었다.

에곤은 냉정하고, 라엘은 자신이 원하는 것 외에 비협조적이며, 요제프는 이해타산적이었다. 분명 같은 부모 아래 태어나 같은 환경에서 자라났건만 개개인의 특성이 도드라지는 삼 형제였다.

무엇이 그들을 움직이게 했는지 모르는 엘로라는 그저 오랜만에 아버지와 오붓하게 식사할 수 있어 좋았다.

뷔로스에서 돌아온 후 첫 만남이라 할 얘기가 많았기에 더욱 특별한 시간이었다.

식사가 끝난 후, 아버지가 아쉬운 기색을 감추지 못하며 황궁으로 가고 다시 혼자가 된 엘로라는 저택을 돌아다녔다.

나고 자란 곳이었다. 눈을 감고도 길을 찾을 수 있었다. 어디에 무엇이 있는지도 훤히 알았다.

1층부터 저택을 돌아다닌 그녀는 곳곳에서 오랜 추억을 떠올릴 수 있었다. 웃고, 울고, 기뻐하고, 화내고. 다양한 감정이 공간에 스며들어 있었다.

멀지 않은 미래에 다시 볼 수 없다고 생각하니 항상 그 자리에 있던 화병마저 새롭게 느껴졌다. 특히 벽에 걸린 어머니의 초상화를 볼 때 오랫동안, 아주 오랫동안 서 있었다.

소중한 시간이었다.

저택을 한 바퀴 다 돌고나서 거실로 돌아온 그녀는 흔들의자에 앉았다. 잠시 쉬다가 식사를 할 요량으로 두 눈을 감고 있는데 얼마 지나지 않아 저택이 소란스러워졌다.

저택을 방문할 손님은 없었다. 오늘도 어제처럼 조용하다고 알고 있었다.

눈을 뜬 엘로라는 무슨 일인지 알기 위해 히나를 부르려고 했다. 그런 그녀의 시야에 걸어 들어오는 세 남자가 보였다.

"웬일이야. 셋이 오는 길에 만나기라도 했어?"

아침 일찍 나가더니 무슨 일인지 이 시간에 같이 귀가했다. 희귀한 장면인 터라 엘로라는 눈을 크게 떴다.

정말 오는 길에 만났을 리가 없었다. 단체로 이른 귀가라니.

알고 보면 오늘이 특별한 날인 건가?

상대방의 마음을 간파하는 독심술은 배운 적이 없었기 때문에 엘로라는 멀뚱히 오라버니들을 바라볼 수밖에 없었다.

대체 무슨 일이 벌어지고 있는지 작은 실마리도 잡지 못했다.

"엘로라."

"응?"

"나가자."

앞뒤 다 잘라먹은 라엘의 말에 엘로라가 천천히 두 눈을 깜빡였다. 어디로 가자는 건지 짐작도 가지 않았다. 예상치 못한 시간에 저택에 들어와 미지의 목적지를 향해 가자고 하는 것도 당황스러웠다.

하지만 상대는 오라버니들이었다. 그녀에게 해코지를 할 사람이 아니었다. 이유가 있으니 저렇게 행동하겠지, 하고 지레짐작한 엘로라는 자리에서 일어났다.

그녀는 맨얼굴로 나갈 수 없는 입장이었다. 밖에 나가기 위해서는 다른 이들보다 배로 분주히 움직여야 했다. 머릿속에 지금부터 해야 할 화장을 그렸다. 어디를 가는지 모르지만 시종처럼 변장하면 될 것이었다.

"여기서 기다리고 있어. 금방 준비하고 내려올게."

"준비하지 않아도 돼. 정원에 갈 거야."

"정원?"

"응."

정원이라면 타인의 시선이 닿지 않는 곳이니 굳이 변장할 필요가 없었다. 그런데 굉장히 뜬금없었다. 정원이라니.

비장한 표정으로 가자고 하기에 아주 먼 곳으로 떠나는 줄 알았다. 그도 아니라면 아주 중요한 일이 생겨 부득이하게 외출할 수밖에 없는 상황이라고 생각했다. 그러나 정작 라엘의 입 밖에 나온 단어는, 저택에서 벗어나지 않은 장소였다.

살짝 당황함을 감추지 못한 엘로라가 아무 말도 하지 않고 서 있기만 하니 요제프가 끼어들었다.

"준비는 다 해 놨어. 넌 그냥 같이 나가면 돼."

"오늘 무슨 날이야?"

"응? 아무 날도 아니야. 그런데 아직 식사 전이라며. 배고프지?"

"엄청 허기진 건 아닌데……. 혹시 오라버니들 식사하러 왔어?"

"뭐?"

"그곳 식사가 마음에 들지 않아서 새벽부터 농성을 벌이다가 온 거야?"

"그런 거 아니야."

요제프가 극구 부인했다. 하지만 딱히 그들의 행동을 설명할 만한 가설이 없었기에 엘로라가 게슴츠레 눈을 뜨며 차례대로 오라버니들을 보았다.

다들 엘로라가 한 말이 웃긴지 미소를 감추지 못하고 있었다. 진실과 동떨어진 그녀의 물음이 귀여워 에곤마저 표정 관리를 하지 못했다.

"정말 뜬금없다."

"그런 날도 있는 거지. 자, 어서 가자."

결국 진실을 알아내지 못한 엘로라가 오라버니들과 함께 정원으로 향했다. 평소보다 걸음이 빠르다. 그들의 걸음에 맞춰 잰걸음으로 간 엘로라는 어리둥절했다.

"진짜 무슨 일 있는 거야? 누가 보면 정원에 금은보화라도 숨겨 놓은 줄 알겠어."

"금은보화라니. 더 대단한 거야."

"뭘 숨겨 놓긴 숨겨 놓았다는 말이네."

"요제프."

"실수, 실수."

곧 정원에 도착하는데 실마리를 주었다. 에곤이 낮게 경고하자 요제프가 웃음으로 무마하려 했다.

금은보화보다 더 대단한 거라니. 다른 이들이면 몰라도 요제프는 황금의 가치를 가장 최고로 치는 자였다. 그보다 더 대단한 물건이 쉬이 떠오르지 않았다. 금은보화보다 더 대단하다는 것이 그들이 꽁꽁 숨기고 있는 것에 대한 단서인데, 그 단서 하나로 답이 나오지 않았다.

의문을 품은 채 정원으로 간 엘로라는 덩그러니 놓여 있는 돗자리와 피크닉 바스켓을 볼 수 있었다. 녹음이 우거진 정원 한가운데 있었지만 한 폭의 그림처럼 어울리는 색감이라 처음에는 위화감을 느끼지 못했다.

"자, 여기 앉아."

요제프가 엘로라를 자리에 앉혔다.

엘로라는 자리에 앉은 후 주위를 둘러보았다. 내리쬐는 햇살 아래 평소와 같이 잘 꾸며진 정원. 바뀐 건 돗자리와 피크닉용 바스켓뿐이었다.

아무리 봐도 이건…….

"소풍 온 거네."

"멀리 가지 못하니까."

"생각해 보니까 정말 오랜만이야. 이렇게 한자리에 모여 있는 건."

어릴 때는 넷이서 자주 놀았는데. 나이가 들면서 자연스레 할 일이 많아졌다. 에곤은 에곤 나름대로, 라엘은 라엘 나름대로, 요제프는 요제프 나름대로. 다들 제 갈 길을 찾아 떠났기에 서로 함께하는 시간은 아침 식사 시간과 저녁밖에 없었다. 오라버니들도 서른이 다 돼 가는데 언제까지 함께 놀 수는 없었다.

엘로라가 생각에 잠긴 사이 형제들이 바스켓에서 음식을 꺼냈다. 새벽까지 열심히 요리해서 만든, 영광스러운 생애 첫 작품이있다.

“엘로라.”

부름을 듣고 고개를 돌리니 라엘이 포크에 샐러드를 찍어 엘로라의 입 근처에 갖다 대었다. 먹여 주겠다는 의지가 가득했다. 웃음을 터트린 엘로라는 입을 벌렸다. 벌어진 입술 사이로 샐러드가 쏙 들어갔다.

“내가 만들었어.”

“오라버니가 만들었다고?”

“응. 내가 만든 거야.”

라엘이 음식을 만들었다고? 충격적인 소식이었다.

놀라움으로 눈이 크게 떠졌다.

“정말이야?”

“응.”

귀족이 요리하는 경우는 전무했다. 평생 주방에 들어가 보지 못한 귀족이 널리고 깔린 볼흐라스에서 샐러드를 만든 아르미트가의 차남이라니. 평생 손에 검만 쥘 것 같은 남자가 식칼을 쥐었다는 것 자체도 의미가 컸다.

라엘이 만들었다는 샐러드를 유심히 보았다. 사실을 알

고 나니 새로웠다. 어쩐지 더 맛있게 느껴지는 듯했다.

"맛있어. 그동안 몰랐는데 오라버니 요리에 재능 있었네."

엘로라의 반응에 라엘이 뿌듯한지 작은 미소를 지었다. 칭찬을 받아서 기뻐 보였다. 엘로라는 포크를 들어 샐러드를 한 번 더 먹었다. 빈말이 아니라 정말 맛있었다.

그렇게 두 사람의 훈훈한 모습을 옆에서 지켜보던 요제프가 초를 쳤다.

"형은 자르기만 했잖아."

"옆에서 도와주기도 했어."

"자르기만 잘 자라서 주방장이 제발 썰기만 해 달라고 빌었잖아. 잊었어?"

하나부터 열까지 맞는 말이라 라엘이 입술을 꾹 다물었다. 애초에 주방이 낯선 라엘에게는 칼 외에는 다 잘 모르는 것뿐이었다. 다른 걸 해 보려다가 망치기 일쑤라 유일한 특기인 자르기만 열심히 했다.

"오라버니, 왜 그래. 최선을 다했잖아."

"네가 그때 주방 꼴을 봤다면 말문이 막혔을걸."

주방과 연이 없는 남자였다. 이것저것 호기심에 만졌다가 주방장의 사색이 된 표정을 본 건 당연한 일이었다. 제대로 용도를 알고 쓰는 건 오로지 칼뿐.

그걸 옆에서 지켜본 요제프는 새벽에 있던 일을 떠올리고는 고개를 가로저었다. 이에 웃음을 터트린 엘로라는 기가 죽은 라엘의 손을 꼭 잡고, 잘했다고 칭찬해 주었다. 슬쩍 고개를 숙이던 라엘의 눈동자에 생기가 돌았다.

"그리고 형만 만든 게 아니야. 나도 만들었어. 이거 먹어 봐."

요제프가 샌드위치를 건네주었다. 샌드위치를 받아든 엘로라는 살포시 미소를 지었다. 요제프다웠다. 괜히 거창한 음식을 하지 않고, 속 재료만 제대로 준비되면 실패할 확률이 적은 메뉴를 고른 것이.

샌드위치를 한 입 물었다. 엘로라가 우물우물 먹고 있는 모습을 지켜보던 요제프가 음식이 목구멍에 넘어가기도 전에 참지 못하고 질문을 쏟아 냈다.

"맛있어? 음료도 있는데 줄까?"

"맛있어. 오라버니도 보고만 있지 말고 먹어."

맛있다는 말이 나오자 요제프가 활짝 웃었다. 먼저 먹어 봤지만 엘로라의 반응이 신경 쓰이던 차였다. 그 누구도 아닌 엘로라를 위해 만든 음식인 만큼, 다른 사람들이 다 맛있다 하여도 엘로라가 맛없다고 하면 꽝이었다.

이런 요제프의 마음을 꿰뚫어 본 듯, 엘로라의 손에서 요제프가 만든 샌드위치가 게 눈 감추듯이 사라졌다. 그 모습을 만족스럽게 본 요제프가 그제야 준비한 음식을 제대로 먹기 시작했다. 라엘 또한 마찬가지였다.

"에곤 오라버니?"

라엘이 만들었다는 샐러드를 한 입, 요제프가 만들었다는 샌드위치를 한 입. 번갈아 가며 먹던 엘로라는 지나치게 조용한 에곤을 보았다. 아까부터 별말 없이 엘로라를 바라보기만 하고 있었다. 무슨 일이라도 있는 걸까? 먹던 샌드위치를 내려놓고 에곤을 불렀다. 모두의 시선이 에곤에게 꽂혔다.

"왜 혼자 무서운 표정을 짓고 있어."

"맞아, 형. 아까부터 왜 그래. 형은 만든 음식 자랑 안 할 거야?"

"에곤 오라버니도 만들었어?"

"당연하지. 셋이서 정말 고생했다고."

셋이서 행동했으니 에곤 또한 요리를 했을 거라 짐작했지만, 들어도 생경한 건 어쩔 수 없다. 그들은 정말 '주방'이나 '요리'와 같은 단어에 동떨어진 사람이니까.

놀라움을 감추지 못한 엘로라가 에곤을 빤히 쳐다봤다. 그런데 에곤은 아무런 표정 없는 얼굴로 엘로라를 바라볼 뿐이었다. 이상했다.

"오라버니. 무슨 고민 있어?"

정말 무슨 일이 있었던 것 같은데. 걱정 가득한 얼굴이 되어 에곤과 눈을 마주쳤다. 그 얼굴을 보던 에곤이 깊은 한숨을 내쉬었다. 그리고 한참 뜸을 들이더니 진중하게 운을 띄웠다.

"그놈이 널 때렸다고 들었다."

"그놈?"

"숨기려 하지 않아도 된다. 이미 다 들었으니까. 뷔로스에 가서 네가 어떤 취급을 받았는지 하나도 빠짐없이."

에곤의 말을 조합했다. 남자에게 맞은 건 맞지만 생판 남인 사람이었다. 뷔로스에서 당한 취급이야 평판이 바닥을 기는 엘로라에겐 당연한 것이었다. 오히려 시종과 시녀를 못살게 군 듯해 아직 마음에 내켰다. 그런데 말의 흐름으로 보아 굉장한 오해를 하고 있는 듯했다.

소용히 듣고 있던 요제프와 라엘 또한 의문을 가졌다.

"네가 무슨 생각을 하고 있는지는 몰라도 여자에게 손대는 놈에게 널 보낼 생각이 없다. 아버지께서는 아직 사태를 모르는 듯하지만, 이 소식을 들으면 이혼시키자는 의견에 찬성하실 거다."

그제야 에곤이 하고 있는 말을 이해할 수 있었다. 어디서 무슨 소리를 들었는지 몰라도 에곤은 지금 오해하고 있었다. 라하트가 엘로라의 뺨을 때렸으며 라하트 때문에 엘로라가 뷔로스에 가서 처량한 신세가 되었다고. 엄청난 오해였다. 사색이 된 엘로라는 다급히 해명하려 했다.

"오라버니, 오해야."

"거듭 얘기하지만 원한다면 당장 이혼시킬 수 있어. 우리 가문은 충분히 그럴 능력이 있으니까."

목소리가 낮아졌다. 에곤의 회색 눈동자가 날카롭게 엘로라를 꿰뚫었다. 그 시선을 맞받아친 엘로라는 자세를 바로잡았다. 당장 주절주절 해명한다 하여 들어 줄 기세가 아니었다.

"지금 내가 오라버니의 의견에 긍정하길 바라는 거지?"

에곤이 고개를 끄덕였다. 알겠다는 말만 떨어진다면 당장 황궁으로 달려가 이혼을 추진할 듯했다.

엘로라는 한숨을 내쉬었다. 어쩌다 이 얘기가 와전되어 에곤의 귀에 들어갔는지.

대충 예상은 갔다. 보는 눈과 듣는 귀가 많았는데 별말을 하지 않았으니 그들에게는 그렇게 보일 법했다.

신랑의 손에 질질 끌려간 신부가 한쪽 뺨이 퉁퉁 부어오른 채 돌아왔다. 심지어 둘은 이전까지 사이도 좋지 않았고, 라하트의 평소 행실도 있으니 그런 말이 떠돈다 하여도 이상할 건 없었다.

라하트와 사이가 좋지 않다는 소문이 돌아 나쁠 건 없었기에, 에곤의 귀에 들어갈 것까지 섬세하게 신경 쓰지 못한 건 그녀의 실수였다.

"일단 걱정 끼쳐서 미안해."

엘로라는 차분한 목소리로 말했다. 고요한 공간에 그녀의 목소리가 오롯이 퍼졌다.

라하트에게 뺨을 맞았다는 말을 듣고 에곤이 느꼈을 감정은 충분히 상상이 됐다. 결혼 소식이 퍼졌을 때부터 노발대발했던 사람이었다. 지금 이렇게 최대한 감정을 죽이고 말하는 것도 대단했다.

"오라버니 귀에 들어갈 줄 몰랐어."

"너는 내가 몰랐다면 그냥 없었던 일인 척하려 했다는 말인 거냐!"

"단순 사고였어. 그리고 뺨을 맞은 건 맞지만, 그가 한 일이 아니야."

"네가 그 꼴을 당하는 걸 내버려 둔 것만으로 그놈을 질책하기에는 충분해."

막무가내였다. 그동안 라하트가 얼마나 밉보였는지 알 수 있었다. 라하트가 엘로라를 때렸다는 소식은 에곤의 마음에 불씨를 지핀 것일 뿐이었다. 언제든 계기가 있었다면 적극적으로 이혼을 권유했을 터였다.

"오라버니."

"네가 무슨 말을 한다 하더라도 이번에는 의견을 굽히지 않을 거다."

"다른 건 몰라도 한 가지는 약속할 수 있어."

"무엇을?"

"이 결혼 생활은 길지 않을 거야."

"……."

"당장은 아니어도 멀지 않은 미래에 이혼할 테니까 너무 걱정하지 마. 그리고 그 사람, 생각만큼 나쁘지 않았어."

엘로라도 라하트를 옹호할 날이 올 줄 몰랐다. 하지만 직접 만나 본 라하트는 정말 나쁜 사람이 아니었다. 적어도 무자비하게 여자를 폭행할 만한 남자는 아니었다.

엘로라가 라하트를 옹호해 줄 거라는 건 예상치 못했는지 인상을 찡그린 에곤이 날카롭게 말했다.

"넌 속고 있는 거다."

"속고 있다니."

"그놈이 어떤 놈인 줄 네가 자세히 모르니 그런 말을 하는 거다. 취해 있지 않은 날보다 취해 있는 날이 더 많고, 항상 여자를 끼고 다녀 이때까지 사생아가 없는 게 이상한 놈이다. 네 생각만큼 좋은 놈이 아니야."

그 정도는 알고 있었다.

익히 들었고, 그게 사실이라는 것 또한 보았다.

"알아. 그가 그런 사람인 건 직접 봐서 잘 알아."

"그런데 어째서……!"

그걸 알면서도 라하트를 옹호하는 게 믿기지 않는 모양이었다.

에곤이 잔뜩 흥분했다. 평소보다 말하는 속도도 빨랐다. 이런 에곤의 모습은 드물었다. 그만큼 엘로라를 걱정하고 있기에 하는 행동이었다. 그는 엘로라의 인생에 라하트 같은 양아치가 끼어드는 게 정말 아니라고 생각했다.

"그 사람, 오라버니가 생각하는 것보다 더 이상한 사람이거든. 화장한 내 얼굴을 보고 인상을 찡그리기는커녕 아무렇지 않게 대화를 하고, 심지어 눈도 마주쳤어."

다시 떠올려 봐도 정말 이상한 남자였다. 남들은 보자마자 피하는 얼굴을 정말 아무렇지 않게 보았다. 그냥 평범한 얼굴을 바라보듯. 그 탓에 가끔은 화장이 지워진 건 아닌지 의심할 정도였다.

행동도, 말도, 사고방식도.

하나부터 열까지 이상한 남자. 그게 라하트였다.

"얼굴을 마주한다는 행동 하나가 얼마나 힘든지 알고 있잖아."

"그것 하나만으로 녀석이 너와 결혼할 만한 인물이라는 게 입증되는 건 아니야."

"알아. 하지만 사랑도 애정도 없는 결혼이기에 지나가는 인연과 다를 바 없어. 언제든 헤어질 수 있지만 그게 지금 당장이 아닐 뿐이지."

"황실의 눈치를 보라는 거라면 내가 손쓸 수 있어."

황실과 아르미트 가문 사이에 문제를 만들고 싶지 않아 그녀 선에서 처리하려고 했던 건데 에곤이 당장이라도 나서려고 했다. 엘로라는 미소를 머금었다.

"오라버니. 나 때문에 무리하지 마. 결혼 생활이라고 해 봤자, 입궁하게 된다고 자주 보는 건 아니잖아. 그냥 관계만 부부일 뿐이고, 내가 잠시 아르미트 가문의 여식으로 생활하게 된다는 것만 제외하면 달라진 건 없어."

할 말이 많은 듯했다. 그럼에도 더 반박하지 않는 건, 엘로라의 단호함 때문이었다. 항상 그래 왔다. 그들은. 엘로라의 일이라면 물불 가리지 않고 달려들었고, 엘로라의 의견이라면 한 수 접고 들어갔다.

"내 선택을 조금만 더 믿어 주면 안 될까?"

"……가까운 시일 내에 이혼하는 것, 확실한 거지?"

"그러면 내가 그 남자와 백년해로할 줄 알았어?"

"끔찍한 소리를."

결국 에곤이 의견을 굽혔다. 원래 에곤의 고집이라면 계속 말씨름을 하다가 멋대로 이혼을 추진할 수도 있는 일이었다. 하지만 믿어 달라는 말에 에곤은 백기를 들고 말았다. 엘로라는 그런 그에게 그저 고마울 뿐이었다.

냉전된 분위기가 금세 화기애애해졌다. 엘로라는 오라버니들이 다시 라하트에 대한 말을 꺼내기 전에 화제를 돌렸다.

"이 시간에 여기 있어도 괜찮아? 다들 바쁜 몸이잖아."

"하루 정도는 쉬어 줘야지. 불평해도 어쩌겠어. 우릴 대신할 사람이 없는데."

요제프가 자신감이 넘치는 대답을 했다. 웃음이 나오는 한편 반박할 수 없었다. 그만큼 능력 있는 자들이었다. 다들 제국에서 이름만 대면 다 아는, 내로라하는 인재였으니 뻐겨도 이상할 것 없었다.

라엘과 요제프는 엘로라가 에곤과 대화를 마친 후에 이혼에 대한 얘기를 꺼내지 않았다. 처음 에곤의 말을 들었을 때 옹호하는 입장이어서 티는 내지 않았지만 잔뜩 열을 올리고 있었다.

워낙 에곤이 물러섬 없이 몰아붙여서 아무 말도 하지 않은 거였다. 그런데 엘로라의 말을 듣다 보니 덩달아 설득당해 버려 화를 낼 타이밍을 놓치고 말았다. 이를 아는 엘로라는 미소를 지우지 않은 채 에곤에게 시선을 돌렸다.

"에곤 오라버니. 오라버니도 요리했지? 무엇을 만들었어?"

순간 에곤이 당황한 표정을 지었다. 무언가를 급히 숨기려 들었다. 누가 봐도 에곤이 만든 음식이었다. 어째서 숨기려 드는지 이해가 가지 않았다.

“오라버니?”

“엘로라. 내가 만든 건 굳이 먹지 않아도…….”

“다 이유가 있어서 저렇게 행동하는 거지.”

“요제프.”

“어차피 들고 온 이상 보여 줘야 하잖아.”

“맞아, 오라버니. 숨기지 말아 줘.”

차마 엘로라를 탓할 수 없고, 능글맞게 웃는 요제프를 쏘아보던 에곤이 한숨을 내쉬며 뒤로 숨겼던 음식을 꺼내 보였다.

에그 타르트였다. 반쯤 타 버려, 검은 부분이 반이나 되는 에그 타르트.

에곤이 왜 숨기려 들었는지 바로 이해할 수 있었다. 완벽주의자인 그에게 타 버린 음식을 남에게 보여 주는 건 꽤 많은 용기가 필요했으리라.

처음 만들었을 텐데, 그런 것치고는 모양도 냄새도 그럴싸하다. 엘로라는 에그 타르트를 들었다. 그리고 탄 부분만 떼서 한 입 먹었다. 그리 달지 않아 많이 먹을 수 있을 것 같았다.

“아쉽다. 타지 않았으면 이 맛있는 걸 더 먹을 수 있었을 텐데.”

"……미안하다."

"미안할 게 뭐 있어. 살짝 아쉬운 것뿐이지, 탓하는 게 아니야."

"졸지만 않았어도 완벽했을 텐데. 내 실수다."

"졸았다고?"

에곤이 천천히 고개를 끄덕였다.

얼마나 피곤했으면 깜빡 졸았을까. 새벽 일찍 나간 이유가 음식을 만들기 위함이라고 생각하고 있던 엘로라는 세 남자를 찬찬히 보았다. 그러고 보면 갑자기 무슨 바람이 들어 안 하던 요리를 하게 되었는지도 의심스럽다.

"사실 급하게 계획을 짠 탓에 밤을 새워서 만들었어. 그래도 네가 좋아하니까 다행이다."

요제프가 괜히 뺨을 긁적였다. 밤을 새운 탓에 몰골이 초췌하기도 하였고, 엘로라가 음식을 발견하면 낭패인 터라 의심을 살까 봐 도둑처럼 음식을 들고 동이 틀 때 저택을 나왔다. 엘로라를 깜짝 놀라게 하기 위해 신경을 많이 썼는데 예상보다 더 많이 좋아해 주어 덩달아 기분이 좋았다.

비록 몇 시간 자지 못했지만, 잠이야 나중에도 잘 수 있는 거였다.

엘로라는 자세한 사정을 몰랐지만, 밤을 새워 만들었다는 말에 그들이 이 자리를 만들기 위해 각고의 노력을 했다는 걸 알 수 있었다.

"어째서 그렇게까지……."

"네가 우울하다고 들었어."
"내가?"
"응."
라엘이 고개를 끄덕였다. 다른 이들을 보니 같은 반응이었다.
"그렇게 보였구나."
그냥 생각에 잠겨 있었는데 우울해 보인 듯했다. 다들 세심히 그녀를 관찰하고 있었다. 특히 신혼여행을 다녀온 직후라서 더욱 신경 쓴 듯했다.
"계속 걱정을 끼치고 있었네."
나이 차가 많이 나는 만큼, 세 형제는 엘로라에게 일종의 책임감을 느끼고 있음을 알고 있었다. 에곤은 장자였기에 더욱 그랬다.
그는 어머니가 돌아가시고 아버지가 실의에 빠진 그 순간부터 빈자리를 메우기 위해 배로 노력했다. 특히 어린 엘로라에게는 부족함 없는 사랑을 주기 위해 노력했다. 표현은 서투르지만 절절하게 느낄 수 있었다.
덕분에 어머니가 그리울 때가 있어도 어머니가 없어서 외롭다는 생각은 들지 않았다.
언뜻 애정이 과해 보여도 딸에게 느끼는 감정과 비슷할 것이다.
"우울하지 않아. 내 곁에는 언제나 든든한 가족이 있는데 우울한 틈이 있을 리가 없잖아."

다른 누구면 몰라도 가족에 대해서는 어떤 일이 있어도 절대 등을 보이지 않으리라는 확신이 있었다.

"고마워. 정말 고마워."

엘로라에게 있어 가족은 든든한 버팀목이었다. 혈연이라는 관계로 견고하게 세워진 버팀목. 덕분에 과분한 사랑을 받고, 쓰러질 위기에도 쓰러지지 않고 나아갈 수 있었다.

형제가 처음으로 만든 음식을 열심히 먹었다. 부스러기라도 흘리지 않도록 조심하면서. 그런 엘로라를 보고 다들 미소를 지었다.

바람이 아르미트 남매들을 스쳐 지나갔다. 찬란한 햇살 아래, 시원한 바람이었다.

며칠 후, 윌런에게서 연락이 왔다. 얼굴을 보고 얘기했으면 좋겠다는 전언이었다. 전시회가 코앞인 걸로 알고 있는데 혹 무슨 일이 생긴 건 아닌지 불안했다. 웬만해선 말을 전하는 걸로 될 건데 굳이 얼굴을 보자고 하다니.

잠시 가난한 화가 로이스 씨로 돌아갈 시간이었다.

약속 시간 전 엘로라는 다른 누구보다 일찍 준비했다. 옷을 갈아입은 그녀는 깔끔하게 가발망을 쓰고, 짧은 흑색 가발을 씌웠다. 혹 은발이 삐져나오지는 않았는지, 가발인 게 티가 나지는 않는지 몇 차례 확인을 거쳐 화장을 시작했다.

기초가 튼튼해야 화장이 쉽게 무너지지 않았다. 피부 표현부터 신경을 많이 썼다. 만남이 길어지진 않을 테지만 애써 한 화장이 무너지면 곤혹스러울 테니까. 최대한 티가 나지 않고 무너지지 않는 화장은 엘로라가 항상 신경 쓰는 사항이었다.

피부는 창백하게, 눈 밑에는 깊은 다크서클을 만들고, 눈매는 축 처지도록.

오랜 시간 공을 들인 끝에 병약한 화가 로이스가 탄생되었다.

"조심해서 다녀오세요."

"응. 금방 갔다 올게."

나쁜 소식이 있을 수도 있지만 아직 모를 일이니 발걸음도 가볍게 약속 장소로 향했다.

오랜만에 밖에 나온 거였다. 만약 윌런이 만나자고 하지 않았더라면 계속 나가지 않았을 거였다. 익숙한 거리를 걸은 엘로라는 항상 만나는 장소인 카페의 테라스에서 윌런을 볼 수 있었다. 엘로라는 느린 걸음으로 그에게 다가갔다.

"안녕하세요, 윌런 씨."

콜록콜록. 잔기침을 쏟아 냈다. 윌런을 본 순간부터 이 자리에 있는 사람은 엘로라가 아닌 로이스였다.

"오랜만에 뵙네요. 한동안 건강 상태가 악화됐다고 들었는데, 괜찮으신가요?"

"예. 항상 있는 일이라 별로 이상할 것도 없죠."

어쩐지 처연해 보이는 대답에 윌런이 안쓰럽게 쳐다본다. 동정 어린 시선을 받은 엘로라는 씁쓸한 미소를 지으며, 윌런의 맞은편 자리에 앉았다.

"그런데 오늘은 무슨 일로 부르셨나요?"

"다름이 아니라 사람들에게 보낼 전시회 초대장과 포스터가 만들어져 직접 전해 드리려고 자리를 마련했는데, 제가 폐를 끼친 건 아닐지 뒤늦게 걱정이 됩니다."

"폐라니요. 그런 생각 하지 마세요."

"날이 갈수록 로이스 씨의 안색이 창백하여 걱정하고 싶지 않아도 걱정되네요. 요즘 식사는 제대로 하고 다니십니까?"

그러고 보면 여기저기서 엘로라가 잘 먹고 다니는지 걱정하는 듯했다. 정작 삼시 세끼 꼬박꼬박 챙겨 먹고, 거기에 디저트까지 먹을 때가 많은데.

누구보다 잘 먹고 있는 엘로라는 이 소식을 주방장이 들으면 조금 슬퍼할지도 모르겠다는 생각을 잠깐 했다. 엘로라의 입맛에 맞는 음식을 만들기 위해 누구보다 노력하는 이였으니.

"네. 꼬박꼬박 먹고 있어요."

"건강이 최고의 자산입니다. 이쪽 업계에서 단명하는 천재를 많이 봤습니다. 로이스 씨만은 그러지 않았으면 좋겠네요."

단명이라는 말에 순간 뜨끔할 뻔했다. 로이스는 곧 죽을 운명이었으니까. 하지만 사람은 제 수명이 언제 다할지 모르는 법이었다. 언젠가 로이스를 죽일 계획을 짜고 있으면서 아무렇지 않은 척, 태연하게 대꾸했다.

"원래 저 같은 사람이 가늘고 길게 사는 법이죠. 걱정 마세요."

"그렇게 말씀하시면 한시름 덜겠지만……."

로이스는 선천적인 지병을 앓아 연약했다. 건강과 동떨어진 이미지이다 보니 괜찮다고 대답해도 영 못마땅한 모양이었다. 그도 그럴 게 엘로라가 보기에도 로이스 분장을 한 후에는 툭 하고 치면 픽 하고 쓰러질 것 같았다. 상황이 이렇다 보니 자신이 발굴한 인재가 언제 지병으로 쓰러질지 몰라 안절부절못하는 펠런이었다.

"그러면 용건은 끝나셨나요?"

"네. 부끄럽지만 그렇습니다."

엘로라는 초대장과 포스터를 보았다. 초대장은 군더더기 없이 깔끔했다. 포스터는 그녀가 그린 그림이 커다랗게 그려져 있어 살짝 부끄럽기도 하고 신기하기도 했다. 그동안의 노력이 결실을 맺으니 기분이 묘했다.

"잘 만들었네요."

"감사합니다. 정말 신경 써서 만들었습니다."

"감사해요."

“로이스 씨를 위해서라면 이 정도는 당연하지요.”

당찬 뮐런의 말에 엘로라는 은은한 미소를 머금었다.

재능을 의심 없이 믿어 주는 사람이 있다는 건 행운이었다. 때문에 벌시 않은 미래에 헤어지는 게 아쉽다는 생각을 자주 하고는 했다.

가만히 포스터를 내려다보았다. 마음에 쏙 들었다.

한참을 손에 쥔 포스터만 보던 엘로라는 천천히 입술을 열었다. 나쁜 소식일지도 모른다는 예상을 뒤엎고 좋은 선물을 받아 기뻤지만 용건도 끝났으니 슬슬 저택으로 돌아갈 시간이었다.

시도 때도 없이 병약함을 겉으로 드러내야 하는 로이스인 채로 오래 있어 봤자 좋을 건 없었다.

“제가 마음 같아서 뮐런 씨와 오래 대화를 나누고 싶은데 일이 있어서 먼저 자리에서 일어나야 할 것 같네요. 괜찮을까요?”

“이렇게 시간을 내 주신 것만으로도 감사하지요. 일이 있으시다면 어서 가 보세요.”

“예. 그러면 이만.”

자리에서 일어났다. 등을 돌리는데 뮐런이 그런 엘로라를 붙잡았다.

“로이스 씨!”

“예?”

“전시회에 꼭 오십쇼.”

"……그 날 몸 상태를 보고 결정할게요."

일부러 우수에 젖은 미소를 지어 주고는 자리를 떠났다.

초대장과 포스터를 꼭 챙기고 저택으로 돌아가는데 무언가 허전했다. 왜인지 곰곰이 생각하던 엘로라는, 이번에 쓴 커피를 마시지 않았음을 깨달았다. 입에 맞지 않은 커피를 마시지 않아 다행이라고 해야 할지. 이제 그 커피를 마실 날도 얼마 없는데 아쉽다는 감정이 불쑥 들었다.

"미련 갖지 말아야 하는데."

미련은 독이었다. 한 역할에 미련을 가져서 좋을 게 없었다. 결국 그녀는 아르미트 가문의 엘로라였다. 그마저도 가면 놀이일 뿐이라고 느낄 수 있지만, 가족에게 사랑받는 모습만큼은 진실되었다.

자신이 만든 거짓 환상에 현혹되어서는 안 됐다. 화장이라는 가면을 쓰고 느끼는 감정은 진짜지만 결국 그녀가 그가 될 수 없듯, 영원할 수 없었다.

어쩐지 씁쓸한 기분이었다. 금세 그 감정을 떨쳐 낸 엘로라는 저택 뒷문으로 슬금슬금 들어갔다. 문을 열자마자 미리 대기하고 있던 히나가 엘로라를 반겼다. 그런데 어쩐지 평소보다 흥분된 표정이었다.

"아가씨, 왜 이렇게 늦게 오셨어요!"

윌런과의 대화가 길어졌던가? 분명 평소대로 온 것 같은데.

당황한 엘로라가 두 눈을 크게 떴다. 다정하게 자신을 반겨 줄 히나가 정신없이 구는 것이 낯설었다. 무슨 일이 있는 게 분명했다.

"어서 올라가서 화장 고치세요."

"왜 그래, 히나?"

"라하트 전하가 오셨어요!"

"……뭐?"

들어도 믿겨지지 않는, 충격적인 소식이었다.

세상에. 잘못 들은 게 아닐까 고민해 보아도 히나의 입에서 나온 이름은 분명 라하트였다. 러하트나, 루하트나, 라허드 같은 이름이 아닌 라하트. 히나는 그녀의 하나뿐인 남편 라하트가 지금 저택에 와 있다고 말하고 있었다.

"미리 온다는 연락 하나 없었잖아!"

"그게 문제죠. 아가씨께서 준비하고 계신다고 일단 응접실에 앉혀 놨어요. 어서 준비하고 내려가세요."

"엄청 오래 걸릴 텐데."

"남자가 여자를 기다리는 미덕쯤은 있어야죠. 아가씨와 혼인한 사인데 그런 것도 못 참으면 어떻게 남편 역할을 해내겠어요."

히나에게 라하트가 단단히 미운털이 박혔나 보다. 히나가 새초롬하게 말했다. 웃음을 터트리고 만 엘로라는 이럴 시간이 없음을 깨닫고 방으로 올라가기 위해 걸음을 뗐다.

"최대한 빨리 준비하도록 할게."

"그분이라면 한 십 년은 기다리게 내버려 둬도 괜찮을 것 같긴 해요."

"그 사람이 그렇게 오랫동안 이곳에 머물렀으면 좋겠어?"

"앗, 아니에요. 제가 실언했어요. 한시라도 빨리 황궁으로 돌아가셨으면 좋겠어요."

황급히 말을 바꾸는 히나가 귀여웠다. 미소를 짓던 엘로라는 문득 드는 생각에 따라오려는 히나를 저지했다.

"히나, 너는 전하께서 얌전히 계신지 지켜보고 있어."

워낙 돌발 행동을 자주 하는 남자라서 한시라도 눈을 뗄 수가 없었다. 안 그래도 제대로 밉보였는데 저택 내에서 소란을 일으켰다가는 오라버니들이 들고 일어날지도 몰랐다.

황자 하나 족치는 것쯤이야 아무렇지 않다는 오라버니들을 겨우 달래 놨는데 라하트가 스스로 제 명을 재촉하게 둘 수는 없었다.

"준비하는 건 나 혼자로도 충분하니까 굳이 도와줄 필요 없어."

"네. 문제 있으시면 언제든 부르세요."

"응. 수고해."

조용하던 아르미트 저택이 순식간에 비상 상태가 되었다. 빠른 걸음으로 방에 들어간 엘로라는 대충 아무 데나 초대장과 포스터를 두고 화장을 지웠다. 화장 지우는 것쯤이야 그리 오래 걸리지 않았다. 문제는 화장을 하는 시간이었다.

따로 머리 세팅을 할 시간이 없었다. 가발을 벗고, 대충 아무 옷이나 갈아입었다. 지금 입은 옷은 남성용이었기 때문에 빨리 갈아입을 필요가 있었다.

두 손이 분주했다. 은발을 대충 늘어트려 놓고 옷을 다 갈아입은 엘로라가 화장을 시작했다. 아무리 빨리 한다 해도 티 나지 않게 분장하는 건 일정 시간을 소요하는 일이었다.

너무 오래 기다리게 하면 라하트의 의심을 살까 봐 평소에 하던 속도의 배로 빠르게 작업했다. 신혼여행을 나갔을 때도 이렇게 조급하지 않았다.

숨 쉬는 법도 잊어버리고 화장을 한 엘로라는 꼼꼼히 제 모습을 확인했다. 성급하게 한 것치고는 괜찮았다.

머리, 얼굴, 복장. 아무것도 하지 않은 머리가 조금 거슬리긴 했지만 그것까지 신경 쓸 여유가 없었다. 일단 화장만 제대로 했으면 반은 먹고 들어갔다. 숨을 가다듬은 엘로라는 이제 방을 나서려 했다. 그런데 어쩐지 바깥이 소란스러웠다.

"전하, 아니 됩니다."

"그러니까 이 방이라는 말이지?"

문 너머로 들리는 목소리는 분명 히나와 라하트였다. 라하트가 왜 여기 있는 거지. 당황한 엘로라는 표정을 빠르게 갈무리했다. 정색한 채 문을 보고 있으니 벌컥 문이 열리고 라하트가 활짝 웃으며 들어왔다.

"이게 무슨 소란이지요?"

"오랜만이네."

태평하게 오랜만이라고 인사를 할 만한 상황이 아니건만

눈치가 없는 건지 생각이 없는 건지. 엘로라는 관자놀이를 꾹 누르고 싶은 걸 참았다.

준비가 다 끝나고 올라와서 다행이지, 화장할 때 들어왔다면 정체가 들키는 건 한순간이었다. 상상만 해도 끔찍했다.

"일단 응접실로 가시죠."

"여기서 대화해도 괜찮은데."

"제가 안 괜찮아요."

"무슨 일 있었어? 준비하는 데 오래 걸리네."

"언질이라도 주셨다면 기다리는 시간이 배는 단축됐을 텐데 참 안타깝네요."

"표정은 전혀 안타까워 보이지 않는데."

"제 얼굴이 원래 이렇게 생긴 걸 어쩌겠어요."

차갑게 대꾸한 엘로라는 라하트를 데리고 내려가려고 했다. 정체를 유추할 만한, 수상한 물건은 없었지만 이곳은 그녀의 개인적인 공간이었다.

남편이라 하더라도 마음에도 없는 남자를 이곳에 오래 두고 싶지 않았다. 하지만 이런 엘로라의 바람과 다르게 라하트는 꼼짝하지 않았다. 오히려 그녀의 방이 신기한지 두리번거렸다.

"전하. 지금 무례한 행동을 하고 있다는 것쯤은 자각하고 있으시겠죠?"

"미안. 내가 좀 참을성이 없어서."

"미안하다는 걸 아시면……."

"근본 없는 놈이라 이만큼 오래 기다려 본 적이 없거든."

불쑥 거리를 좁힌 라하트가 얼굴을 들이밀었다. 키스를 할 듯 마주한 얼굴이 가까웠다. 라하트의 반짝이는 보랏빛 눈동자를 응시한 엘로디는 당황하지 않고 침착하게 대꾸했다.

"앞으로 참을성을 기르세요."

"내가 원래 이렇게 태어난 놈인 걸 어쩌겠어."

아까 그녀가 한 대답을 똑같이 따라하고 있었다. 인상을 미미하게 찡그린 엘로라가 라하트를 밀어냈다. 의외로 쉽게 뒤로 물러선 라하트가 싱긋 웃었다.

동네 양아치 같아 보여도 신분이 높은 자였다.

저 웃는 면상에 주먹을 날릴 수도 없고. 주먹은 있으나 무력은 가하지 못하는 현실이었다. 오늘따라 얄미운 라하트를 차갑게 보았다. 그 시선을 맞받아치던 라하트의 눈길이 그녀의 뒤편으로 향했다. 무언가를 발견했는지 성큼 나아가 테이블 위에 있던 무언가를 집었다.

"이런 데에 관심 있어?"

미처 치우지 못한 초대장과 포스터였다. 화장을 하느라 정신이 없어 치워 놓는 걸 깜빡했다. 실수였다. 속으로 잔뜩 당황한 엘로라가 슬쩍 고개를 돌렸다. 그녀의 시야에 히나가 사로잡혔다.

"아, 아니요! 히나!"

"예, 아가씨."

"오라버니의 물건을 여기 두다니. 손님이 와 있으니 당장 책하지는 않으마. 어서 저걸 치워 놔."

지금 이 위기에서 벗어나려면 히나를 탓할 수밖에 없었다. 눈치 빠른 히나는 라하트가 집은 것이 로이스 관련 물품임을 알고 서둘러 그것을 받아 갔다. 그리고 라하트가 더 관심을 주기 전에 방에서 나갔다.

"음. 네 물건이 아니었어?"

죽었다 깨어나도 라하트가 전시회에 대해 호기심을 품을 대답은 하지 않을 거였다. 엘로라는 마치 대답할 가치도 없다는 듯이 화제를 돌렸다.

"저랑 말씨름하러 오셨어요? 용건 없으시면 이만 돌아가세요."

"용건이야 있지. 결혼한 지 얼마 되지 않았는데 우리 신부님 얼굴을 한동안 못 봤잖아. 잘 있는지 확인하러 왔지."

"용건이 그게 다예요?"

"너무 냉정한 거 아니야? 신혼부부에게는 충분한 용건이 될 수 있는걸."

매일 술 마시느라 바쁜 남자가 그딴 이유로 굳이 이곳까지 행차한 것 같지는 않았다. 느낌이 왔다. 분명 꿍꿍이가 더 있었다. 그렇지 않고서는 나름 멀쩡한 얼굴로 왔을 리가 없었다.

"……일단 응접실로 가시죠. 그러지 않으면 쫓아낼 거예요."

"알았어."

두 손을 든 라하트가 순순히 엘로라를 따라 응접실로 갔다. 자리에 앉아 있으니 대기하고 있던 시종이 따듯한 차를 가져왔다. 찻잔에 찻물이 쪼르르 떨어지는 소리가 들렸다.

마주 앉은 라하트와 엘로라는 아무 말도 하지 않고 조용히 있었다. 가만히 있던 엘로라는 힐끔 라하트를 보았다. 입을 꾹 다물고 있을 뿐인데 낯설었다. 입만 다물고 있으면 평범한 남자인데 입만 열면 어째 이상한 사람이 있었다.

시종이 사라지자 라하트가 여기까지 온 용건을 꺼냈다.

"다들 네가 언제 입궁하냐고 신경 쓰고 있어."

"저를 그렇게 신경 쓰고 있는 줄 몰랐네요."

"내가 매일 밖에 싸돌아다니니까 빨리 결혼 생활을 했으면 좋겠다는 거겠지."

"전하가 모든 일의 원흉이군요."

결혼한다고 사람이 한순간에 바뀌는 건 아니었다. 특히 라하트처럼 본인이 망나니임을 알면서도 그 짓을 계속하는 구제 불능일 경우는 더했다. 입궁한다 해서, 대외적인 결혼 생활을 한다 해서 바뀌는 건 아무것도 없는데 폐하는 아니라고 생각하나 보다.

어쩌면 바뀌든 바뀌지 않든 상관없는 걸지도 몰랐다. 그녀는 그저 도구일 뿐이니까. 죄책감 따위 한 톨도 가지지 않아도 되는.

"재촉하지 않아도 곧 할 생각이었어요."

전시회가 끝나면 곧바로 황궁에 들어갈 테니 멀지 않았

다. 그새를 참지 못하고 재촉하러 온 걸 보면 어지간히 마음이 급한 듯했다.

목이 타서 차를 한 모금 마셨다. 이 자리가 썩 반갑지 않았다. 그런 엘로라를 뚫어져라 쳐다보던 라하트가 툭 하고 말을 내뱉었다.

“유령이 나온다는 소문까지 도는, 시설이 낙후된 궁으로 가기로 했다며.”

“빨리 아셨네요.”

“내가 좀 빠르지.”

전혀 칭찬이 아니었다. 비꼬는 말임을 알 텐데 저런 식으로 나왔다.

뿌듯한 미소를 짓고 있는 라하트를 보고는 미미하게 인상을 찡그린 엘로라가 최대한 차분하게 말했다. 차분하다 하더라도 말투가 뾰족하게 나가는 건 어쩔 수 없었다.

“제가 어느 궁에 있던 그건 전하가 알 바가 아니죠. 어차피 이혼할 사이인데.”

“아무리 미래에 이혼을 약속한 사이라 하더라도 하루 이틀 있다 갈 것도 아니니까 신경 쓰이는 게 당연하지.”

“제 일은 제가 알아서 해요. 그리고 폐하의 명이라고 해도 오기 전엔 미리 연락 주세요. 계약서에도 분명 명시했는데, 잊으셨어요?”

“마음이 급했어.”

“…….”

"네가 보고 싶었거든."

시선을 마주한 채, 답지 않게 목소리를 깔고 속삭였다. 그 말을 듣는 순간 엘로라는 '지랄도 유분수지!'라는 말이 목 끝까지 올라왔다. 입 밖으로 내뱉지 않은 게 용했다.

"새삼 반했어?"

이대로 입을 열었다가는 욕설을 내뱉을 것 같아 잔뜩 굳어 있는 걸 이상하게 오해한 듯싶었다. 싸늘하게 식은 표정으로 라하트를 보았다. 누가 봐도 사람 한 명 죽일 듯한 기세에도 전혀 물러섬이 없었다.

"전혀요. 전하께선 죽어도 입만 살아 있을 것 같다고 생각하고 있었어요."

"칭찬이네."

"귀 청소도 필요하신 것 같네요."

라하트가 웃음을 터트렸다. 뭐가 그리 즐거운지 소리 내어 웃는 남자를 보았다. 그리고 조금 진정이 됐다고 판단이 됐을 때, 가차 없이 축객령을 내렸다.

"할 말 다 하셨으면 이만 떠나세요."

"아니야. 아직 할 말 많이 남았어."

"뭔데요?"

"취미가 뭐야?"

"도대체 무슨 의도죠?"

정말 뜬금없었다. 갑작스럽게 취미라니.

물론 별것 아닌 물음이긴 했다. 하지만 꿍꿍이를 숨겨 놓은 듯해, 순순히 대답해 줄 수 없었다.

"어머니께서 너와의 오붓한 시간을 바라시는 것 같아서 남들이 한다는 물음을 해 봤어."

"……."

"이곳에 온 이유이기도 하니까."

한숨을 내쉬었다. 보고 싶었니 뭐니 해도 결국 이런 이유였다. 그 또한 등 떠밀려 온 거였다. 제 아무리 강제적인 혼인이라 하더라도 최소한의 교류는 있어야 하니 황실 측에서 억지로 그를 보낸 게 분명했다.

엘로라는 겉으로는 부부인 척 해야 하는 건 맞으니 대충 대답하고 내쫓을 계획을 세웠다.

"취미 같은 건 없어요."

"좋아하는 건?"

"전하와 함께하는 시간을 제외한 모든 것이요."

라하트의 웃음보가 또 터졌다. 공식적으로 처음 만났을 때처럼 미친 듯이 웃는 건 아닐까 긴장했다. 다행히 그 정도로 미친 상태는 아닌지 금세 웃음소리가 잦아들었다.

"그렇게 싫어?"

"그러면 전하께서는 좋아요?"

"응, 난 아주 좋은데."

"악취미시네요."

"재미있잖아."

뭐가 재미있는 거지? 재미있을 만한 상황은 하나도 없었다. 라하트는 개그 코드마저 이상하다는 걸 또 다시 깨닫게 됐다.

“근래 들어 가장 즐거운 것 같아.”

“혼자만 즐거워서 좋으시겠어요.”

심드렁하게 대꾸했다. 이제 슬슬 대화할 거리도 바닥을 보이는 듯하니 라하트를 내쫓는 것 외에 다른 생각이 들지 않았다.

이 남자와 함께 있으면 평소보다 배로 피곤했다. 당장 쉬고 싶다는 욕구가 무럭무럭 들었다.

“그러고 보니 반지는 어쨌어?”

“……네?”

“손가락에 결혼반지가 없네. 난 이렇게 끼고 왔는데.”

라하트의 눈길이 정확히 왼손 약지에 꽂혔다. 아무것도 끼지 않은 맨손에.

반지를 낀 지 얼마 되지 않아 끼지 않아도 크게 위화감을 느끼지 못했다. 그래서 차마 반지를 다시 끼어야 한다는 생각을 떠올리지 못했다. 급하게 준비한 것 또한 원인 중 하나이기도 했다.

라하트의 질문이 예리했다. 엘로라는 당황하지 않은 척 태연하게 대답했다.

“아까 씻느라 빼 놨는데 깜빡했네요.”

“사랑의 증표인데 잘 간직해야지.”

“그렇게 말하시니 깜빡하길 더욱 잘한 것 같네요.”

로이스로 변장하기 전에 씻었으니 틀린 말은 아니었다. 스스로가 듣기에도 평소와 같은 목소리라 의심받을 일은 없을 듯했다.

"신혼 여행지에서는 씻을 때도 꼭 끼고 다니더니."

"끼고 빼는 건 제 마음이죠."

"그렇지. 네 것이니 네 마음이지."

아닌 척하더니 그런 소소한 것까지 다 관찰하고 있었다. 솔직히 라하트는 반지를 끼든 말든 신경 쓰지 않을 것 같았다. 본인 것도, 상대의 것도. 그런데 성실하게 반지를 끼고 다니는 데다 세심하게 주시하고 있었다는 점이 의외였다.

엘로라는 괜히 왼손을 숨겼다. 나쁜 의도로 뺀 건 아니지만, 항상 끼고 있다가 빼고 있음을 알고 나니 신경 쓰였다. 그 모습을 보고 눈꼬리가 휘어지게 웃은 라하트가 자리에서 일어났다.

"네 취미와 좋아하는 걸 알아냈으니 이만 가 볼게."

"앞까지 바래다드릴게요."

"내 신부님을 괜한 걸음 하게 만들 수 없지. 배웅하지 않아도 돼."

"그래도……."

따라 일어난 엘로라 앞에 라하트가 성큼 다가왔다. 또 무슨 일을 벌이나 싶어 잔뜩 긴장하고 있는데, 조심스럽게 엘로라의 손을 들더니 손등에 입을 맞췄다. 가벼운 입맞춤이었다.

"다음에는 황궁에서 봐."

"안 하던 짓을 하시네요."

"재미있잖아."

그러면 그렇지. 쾌락주의 삶이었다.

싱긋 눈웃음을 지은 라하트가 등을 돌렸다. 배웅은 거절했기 때문에 굳이 그를 따라가지 않았다. 라하트가 시야에서 벗어나자 긴장이 풀렸다. 다시 자리에 앉은 엘로라는 다 마시지 못한 차를 입에 댔다. 휴식 시간이었다.

조용히 차를 즐기고 있으니 기척이 났다. 히나였다.

"아가씨, 죄송해요. 어디인지 알려 주지 않으니 일일이 문을 다 열어 보시길래……."

"네 잘못 아니야."

애초에 히나에게는 라하트를 지켜보라고만 했다. 히나가 막는다 하여 제가 하고 싶은 일을 하지 않는 남자가 아니니까. 황제도 감당하지 못한다는 그 남자를 일개 시녀인 히나가 어떻게 할 수 있을 리 없었다.

"대충 예상은 했어. 그만큼 막무가내인 남자니까."

조금만 더 느리게 화장을 했더라면 아찔한 상황이 연출되었을 테지만 다행히 그런 일은 없었다. 그걸로 되었다. 엘로라는 원래 얼굴을 들키지 않았고, 갑작스러운 라하트의 방문도 잘 대처했다.

"그보다 초대장과 포스터는 어디다 놨어?"

"전하께서 가시는 걸 확인하고 들고 왔어요."

"잘했어."

히나가 테이블 위에 초대장과 포스터를 올려놓았다. 짧게 그것을 본 엘로라는 두 눈을 감았다.

"빨리 이 일이 끝났으면 좋겠다. 전시회도, 결혼 생활도."

라하트가 정신을 쏙 빼 놓아서 그런지 어느 날보다 간절한 바람이다. 피곤했다.

폭풍 같은 하루의 끝이었다.

눈 깜짝 할 사이에 전시회 날짜가 다가왔다. 설렘으로 밤잠을 설친 엘로라는 새벽부터 일어나 외출 준비를 했다.

사실 로이스가 아닌 다른 얼굴로 변장할까 말까 고민을 많이 했다. 초대장도 있으니, 대충 분위기만 살피고 나오려면 다른 얼굴로 변장하는 게 나았다. 그러나 간곡하게 부탁하던 윌런의 얼굴이 계속 떠올라 결국 로이스로 변장하기로 마음먹었다.

처음부터 로이스라고 밝힐 생각은 없었다. 분위기를 보다가 로이스임을 밝힐 필요가 있을 때 얼굴을 드러낼 생각이었다. 모자를 푹 눌러쓰고 나갈 채비를 마쳤다.

물론 전시회 소식을 전해 들은 아버지와 오라버니들이 찾아오겠다는 걸 말리느라 힘들었다. 말리지 않았다면 서로 경쟁하듯이 전시회에 있는 그림을 모두 구매했을 게 뻔했다.

곧 로이스를 정리해야 하는 입장에서 괜히 사람들의 입에 오르내릴 만한 일을 만들고 싶지 않았다. 세간의 관심이 집중되면 죽이기도 힘들었다.

무명이었던 벤더티는 조용히 아사시키고, 유명 오페라 가수였던 로즈는 화재로 화려한 죽음을 맞이한 것과 같은 차이였다.

세기에 길이 남을 화가가 되기 위해 '로이스'라는 가명을 쓴 게 아니었다. 재능이 있기에 표출하는 것뿐이었다. 마음껏 그림을 그리고, 가장 밑바닥부터 시작하여 재능을 인정받고, 그림에 대해 진지하게 고민하고. 일련의 과정이 즐거웠다.

유명하지 않더라도, 작업물을 좋아하는 사람이 한 명이라도 된다면 그걸로 되었다.

이른 시간부터 준비했기 때문에 엘로라가 로이스로 변장했을 때는 전시회까지 시간이 제법 많이 남아 있었다. 아침 일찍부터 찾아갈 수 없는 노릇이었기에 흔들의자에 앉아 시간을 보냈다. 히나는 거실을 지나갈 때마다 초조함으로 안절부절못하는 엘로라를 볼 수 있었다.

해가 기울어질 때쯤, 드디어 엘로라가 자리에서 일어났다. 표정에서 감정이 오롯이 드러났다. 누가 보아도 들떠 있었다. 아직 어린아이같이 순수한 모습을 간직한 엘로라는 히나의 배웅을 받고 쏜살같이 전시회장으로 향했다. 어찌나 이 순간을 기다렸는지 심장이 터져 버릴 것만 같았다.

한 걸음, 한 걸음 내디디는 순간이 설렘으로 가득했다.

그동안 그린 작품들이 많은 사람들 앞에 노출된다고 생각하니 기대됐다. 살짝 떨린 마음으로 전시회장에 도착한 그녀는 초대장을 보여 주고 무사히 내부로 들어갈 수 있었다.

전시회장은 첫날이었기에 사람이 제법 있었다. 이때까지 로이스로는 륄런만 만나 왔기 때문에 얼굴을 알아볼 사람은 없었지만 혹시 몰라 모자를 푹 눌러쓰고 몸을 움츠렸다.

조심스럽게 걸음을 옮겼다. 벽에는 그동안 그렸던 그림이 걸려 있었다. 사람들이 그림을 보며 한마디씩 던지고 갔다. 긍정적인 말일 때도 있었지만, 부정적인 말일 때도 있었다.

그들의 말을 바로 옆에서 들었음에도 엘로라는 상처받지 않았다. 그림 실력이 아직 부족한 것이 맞았고, 다수 앞에 서게 된다면 혹평을 받을 거라는 것쯤은 예상하고 있었다.

사람들의 말을 듣기보다는 그림 감상에 집중했다. 하나, 하나 볼 때마다 감회가 새로웠다. 그림을 그릴 당시 느꼈던 감정이나 짧은 일화 같은 게 떠오르기도 했다.

기분 좋게 관람하고 있으니 저 멀리서 륄런이 보였다. 륄런은 금발 남자와 대화를 나누고 있었다. 금발 남자는 엘로라에게서 등을 돌리고 있었기 때문에 얼굴이 보이지 않았다. 아무리 보아도 일하는 도중이었다.

전시회의 목적은 전시뿐만이 아니라 판매도 있었다. 밀런은 미술상이었다. 지금쯤 저 얼굴 모를 금발 남자에게 그림을 영업하고 있을 거였다.

밀런과 일정 거리를 유지했다. 지금 그에게 인사한다면 왠지 밀런이 우리 작가님이라며 주위에 소개를 할 것 같아, 인사를 할까 말까 고민하던 차였다.

대화가 끝났는지 밀런과 금발 남자가 악수를 했다. 그리고 금발 남자가 고개를 돌림과 동시에 엘로라는 입을 틀어막았다. 있을 거라 예상도 못했을 뿐더러 절대 있어서는 안 될 남자가 지금 이곳에 있었다.

라하트. 분명 라하트였다!

저 사람이 왜 여기 있지?

그는 예술에 관심 없는 사람이었다.

보통 귀족이라 하면 예술가들의 창작 활동에 지원도 해 주고 정기적으로 그림을 구입하거나 오페라를 구경하러 가고는 했다. 특히 근래 전쟁이라고는 없는, 평화의 시기인 만큼 황실에서는 예술 활동에 전폭적인 지지를 해 주고 있었다. 그래서 황실의 누구누구가 예술 활동을 한다는 소식이 알고 싶지 않아도 들려오고는 했는데, 라하트는 아니었다.

그런 그가 왜? 도대체 왜?!

그 많은 화가 중에 하필이면 왜 로이스인가!

엘로라는 뒷걸음질 쳤다. 여기서 나가야 했다. 왜 여기 온 줄 모르겠지만 라하트와의 접점을 늘리고 싶지 않았다.

로즈와 못생긴 엘로라에 이어 로이스의 얼굴까지 아는 사람이라니. 게다가 라하트는 이상한 곳에서 날카롭게 치고 들어오고는 했다.

변장은 완벽했지만, 결국 한 사람이었다. 로즈, 못난 엘로라, 로이스. 이 세 사람을 살피고 무언가 실마리라도 얻게 된다면 낭패였다.

"로이스 씨!"

뮐런의 목소리가 들렸다. 루이스도, 조이스도, 모리스도 아니었다. 뮐런이 부르고 있는 이는 분명 로이스였다. 얼굴이 가려질 정도로 모자를 푹 눌러쓰고 있건만 어떻게 알아본 건지 의문이었다.

화들짝 놀란 엘로라가 슬금슬금 뒤로 물러섰다. 시선이 꽂히는 게 느껴졌다. 라하트가 관심을 가지기 전에 도망쳐야 했다. 마치 뮐런의 부름을 듣지 못한 척, 몸을 돌려 뛰쳐나가려던 엘로라는 손목이 잡혔다.

"로이스 씨. 로이스 씨 맞으시지요?"

"……아, 예……."

확신을 가지고 부른 건 아닌 모양이었다. 하지만 아니라고 우기기에는 지나치게 가까웠기 때문에 떨떠름하게 대답했다. 대답하는 목소리가 쥐 죽은 듯 작았다.

"설마 했는데 로이스 씨가 맞으셨군요."

아무 말도 할 수 없었다. 괜히 눈치가 보였다. 엘로라가 얌전히 있자, 처음에는 소란스러워 이쪽에 관심을 보이던 사람들이 다시 자신의 할 일을 했다. 다행이라고 생각하며 힐끗 다른 쪽도 보는데 그곳에 라하트가 있었다.

절묘한 타이밍으로 눈이 마주쳤다. 황급히 시선을 돌렸다. 라하트가 이쪽을 쳐다보는 게 느껴졌다. 바늘로 찌르듯 따끔따끔했다. 오페라 가수인 로즈야 그렇다 쳐도, 로이스에게는 왜 관심을 주는지 이해하지 못했다. 이토록 강렬한 관심이라니.

마치 그 사람이 그 사람이고, 저 사람이 저 사람인 걸 알기라도 하는 것처럼 가는 곳마다 그와 만나게 됐다.

"안색이 좋지 않으시네요. 혹 무리해서 오신 겁니까?"

"……예. 그래서 조용히 구경만 하고 가려고 했어요."

"꼭 와 달라고 했던 부탁을 들어주셔서 감사합니다."

"제 전시회이기도 한걸요."

우수에 젖은 미소를 지은 엘로라는 이만 자리를 뜨기 위해 입술을 열었다. 하지만 잔뜩 흥분한 펠런이 더 빨랐다. 누가 봐도 기뻐 보이는 얼굴로 속사포처럼 말을 쏟아 냈다.

"로이스 씨, 안 그래도 로이스 씨께 인사드릴 분이 있는데 잘 오셨습니다."

불길했다. 경험상, 이런 기분을 느낄 때는 예상을 빗나간 적이 없었다. 흔들리는 시선으로 펠런을 보았다. 설마 인사드릴 분이라는 사람이 그 사람은 아니겠지?

"저, 지금 너무 몸이 안 좋아서 다음에 소개를……."

"전하, 이분이 그림을 그린 로이스 씨입니다."

이미 늦었다. 펠런의 눈짓에 이곳을 주시하고 있던 라하트가 성큼 다가왔다. 어찌나 빠른지 그렇게 빠져나갈 타이밍을 놓치고 말았다.

"로이스 씨. 라하트 전하이십니다."

"저, 전하라고요?"

"예. 제국의 둘째 황자이신 라하트 전하입니다."

최대한 라하트를 처음 본 사람처럼 굴었다. 저 얼굴을 잊을 수 없을 만큼 자주 보았지만 로이스는 한 번도 보지 못했으니 이 반응이 옳았다.

엘로라는 어색함이 한가득 담긴 표정으로 꾸벅 인사를 했다. 이 자리가 불편했다. 그래서 긴장으로 인해 잊은 척, 모자를 벗지 않았다. 그녀가 고개를 푹 숙이고 있어도 다들 그러려니 하는 분위기였다.

제아무리 망나니라 하더라도 황자는 황자였다. 펠런은 심약한 로이스가 너무 높은 지위의 사람을 만나 잔뜩 긴장했다고 생각했다. 평소에 쌓아 온 이미지가 있어 다행인 일이었다.

"전하께서 모든 그림을 상한가로 부르셨습니다."

"……예?"

"첫날임에도 불구하고 로이스 씨의 그림이 모두 판매되었다는 말입니다."

이 남자가 도대체 왜 이러지?

원래 죽을 때가 다 되면 안 하던 짓을 한다는데 지금이 딱 그 경우가 아닐까. 전시회에 온 것부터 그림을 전부 구매한 것까지. 상대가 다른 귀족이면 몰라도 라하트라는 점에서 이해가 가지 않았다.

엘로라는 순간 불손한 눈빛이 되었다. 모자에 얼굴이 가려졌기에 누구도 보지 못한 눈빛이었다.

"훌륭한 그림이니 제값을 줘야지."

"안목이 상당하십니다."

오고 가는 대화를 듣고 있자니 헛웃음이 나오려고 했다.

뮐런의 아부 솜씨가 장난이 아니었다. 역시 사회 활동을 하려면 아부는 기본이었다.

두 사람의 대화를 듣고 있으니 이 자리가 죽을 만큼 불편해진 엘로라는 조금씩 뒷걸음질했다. 제발 이쪽에 관심을 두지 않길 바라며. 하지만 오늘은 신께서 그녀를 도와주지 않는 날이었다.

한참 뮐런과 칭찬을 주거니 받거니 하던 라하트의 시선이 그녀에게로 꽂혔다.

"로이스라고 했나. 내가 부탁을 하나 하고 싶은데."

"부, 부탁 말입니까?"

"응."

정체가 탄로 난 것 같지는 않았다. 고작 눈 몇 번 마주쳤다고 알아차릴 만큼 허술한 화장 실력이 아니었다. 그렇다면 애초에 일개 그림쟁이인 로이스에게 부탁할 게 있어 찾아온 듯한데, 부탁이라니. 무엇을 말할지 짐작조차 가지 않았다.

고상한 취미가 없는 라하트가 로이스에게 할 만한 부탁이 전혀 없었다.

"초상화를 그려 줘."

"……예?!"

"원래 한 사람 것만 부탁하려고 했는데 실력을 보니까 좋아서 내 것도 부탁할게."

초상화라니. 말이 되는 소리를 해야지.

초상화를 그리게 된다면 같이 있는 시간이 길어졌다. 더는 라하트와의 접점을 늘려서는 안 됐다. 엘로라는 최대한 의심을 살 만한 발언을 하지 않으려 노력하며, 그의 제안을 거절하려 했다.

"황실 화가가 따로 있는 걸로 압니다만……."

"가끔 새로운 사람한테 일을 맡겨야 재미있지."

"그분의 실력과 제 실력은 천지 차이라 분명 실망하실 겁니다. 차라리 다른 화가를 찾아보심이 어떻습니까."

"내가 보기에는 실력은 충분한데. 그리고 다른 사람은 재미없어. 너여야만 해."

저놈의 쾌락주의.

절대 물러섬이 없는 라하트의 대답에 엘로라의 상황만 난처하게 돌아갔다. 애초에 로이스의 모습으로 전시회에 와서는 안 됐다. 바보 같은 엘로라. 그와 만날 미래를 모르고 좋다고 전시회에 와서는.

과거로 돌아갈 수 있다면 절대 전시회장 근처에도 오지 않았을 터였다. 하지만 이미 일은 엎질러졌다. 그녀 앞에는 "나쁘지 않은 제안일 거야."라고 하는 라하트가 있었다.

목 끝까지 "싫어요."라는 말이 차오른다. 그럼에도 한마디도 하지 못하는 이유는, 이 남자는 거절하면 곧바로 받아들이지 못한다는 걸 알고 있기 때문이었다.

앞선 경험을 통해 깨달은 바가 있었다. 어찌나 집요하게 따라오던지. 그 집착을 올바른 데에 썼더라면 그의 평판은 판이했을 것이다.

이도 저도 못하는 상황에서 엘로라는 선택을 해야 했다.

시간만 흘려보낼 수 없는 일이었다.

마른침을 삼켰다. 잔뜩 긴장한 그녀는 순간 기침을 했다. 콜록콜록. 어깨가 들썩였다. 보통 기침이 아니었다. 거의 토하는 수준인 격렬한 기침 소리에 이목이 집중됐다.

"로이스 씨, 괜찮으십니까?"

"……죄송합니다. 아무래도 오늘 외출은 무리였네요."

콜록콜록. 손바닥으로 입술을 막았다. 안타깝게도 이럴 줄 모르고 피를 대체할 만한 소품을 준비하지 않아 손바닥에는 침만 묻었다.

피가 나와야 죽을 만큼 아프다는 걸 바로 인식할 텐데. 인상을 와락 찡그린 엘로라는 혼신의 연기를 펼쳤다.

이것이 그녀의 선택이었다. 거절해도 집착한다면 회피할 수밖에.

지금 아프다는 핑계를 대서 서둘러 돌아가 급히 로이스를 처리해야 했다. 제안을 하자마자 죽은 로이스에 대해 라하트가 이상하게 생각해도 어쩔 수 없었다. 계속 초상화를 그려 달라는 그를 붙이고 다닐 바에 인생을 조기 종료하는 게 현명하다고 판단했다.

"좋지 못한 모습을 보여 죄송합니다. 제가 몸이 안 좋아서 이만 집에 가 봐야 할 것 같네요."

"예, 로이스 씨. 어서 돌아가십쇼. 내일도 날이니 이에 대해서는 천천히 얘기해도 될 겁니다. 아, 아니. 내일도 아프시면 모레에 찾아오십쇼."

"……감사합니다. 뮐런 씨."

아무도 연기라는 걸 눈치채지 못했다. 속으로 안도의 한숨을 내쉰 엘로라는 서둘러 집에 가라고 하는 뮐런에게 고마움을 느꼈다.

돌아가라고 부추기는데 빨리 나가야지. 하지만 너무 서두르면 티가 날까 봐 고개를 숙여 인사를 하고 잔기침을 내뱉으며 등을 돌리려 하는데 조용히 있던 라하트가 나섰다.

"선천적으로 몸이 약하다고 했지? 내가 데려다줄게."

"제가 낯을 가려서……."

이건 한마디로 싫다는 뜻이었다.

어서 꺼지라는 의미도 되었다.

하지만 이 깊은 뜻을 이해하지 못한 라하트가 제 의견을 내세웠다.

"이대로 걸어가다간 또 쓰러지게 될 거야. 형편이 좋지 않다고 알고 있는데, 같이 마차 타고 가자. 원한다면 의원을 부를 수도 있어. 비용은 전부 내가 부담할게."

"저 같은 것 때문에 전하의 귀한 시간을 낭비할 수 없습니다. 마음만 받도록 하겠습니다."

"안 그래도 더 얘기하고 싶은 게 있어. 당장 대답해 달라는 뜻이 아니야. 넌 그냥 듣기만 하면 돼."

무슨 얘기를 그리 나누나 했더니 윌런이 로이스의 가난한 집안 사정에 대해 모두 털어놓은 듯했다. 라하트가 계속 건강이나 가난을 이유로 밀어붙인다면 거절할 수가 없었다. 아까 한 기침은 누가 봐도 길 가다 툭 쓰러질 것 같은 엄청난 기침이었으니까. 결국 제 무덤을 스스로 판 꼴이 되었다.

"……그렇다면 집에 약이 있으니 의원은 되었고 마차만 부탁드립니다."

"좋아. 일단 나가자."

라하트가 부른 의원이 온다면 십중팔구 '매우 건강하십니다.'라는 진찰 결과가 나올 것이었다. 선천적인 병이고, 기침이고 다 허사가 되는 순간이 될 터였다. 그러니 그녀의 대답은 방금 라하트가 내민 제안의 타협점이었다.

"조심히 들어가실 바랍니다."

고개를 끄덕인 엘로라는 터벅터벅 라하트를 따라 나갔다.

분명 전시회장에 올 때만 해도 설렘 가득한 날이었건만

밖으로 나가는 지금, 슬픔만이 가득했다. 어쩌다 이렇게 된 걸까. 어디서부터 잘못된 건지 조용히 반추해 보았다. 아무리 생각해 보아도 시작부터 잘못된 듯했다.

바보 같은 엘로라!

겉으로는 멀쩡해 보여도 엘로라가 자책하고 있는 줄도 모르고 라하트가 마차를 불렀다. 도착지를 말하고 마차에 올라타니 어색한 기류가 흘렀다. 뷔로스에 오고 갈 때는 그나마 나았던 것 같은데 이 남자와 좁은 공간에 있으니 어색해 미칠 지경이었다. 참다못한 엘로라가 입을 열었다.

“하실 말씀이 무엇입니까?”

“곧 도착할 텐데 나중에 얘기하는 게 나을 것 같네.”

누가 들어도 집까지 들어오겠다는 말이었다. 어쩔 수 없었다. 속으로 한숨을 내쉰 엘로라는 고개를 끄덕이고는 잔기침을 하는 걸 잊지 않았다.

대화가 끝나니 정적만 흘렀다. 엘로라는 어색해 미칠 것 같은 가운데, 잔기침만 계속했다. 아프지 않은데 아픈 척하는 것만큼 힘든 일이 없었다. 멀쩡한 목을 계속 혹사시키니 없던 병도 생길 듯했다. 하지만 갑자기 멀쩡한 상태가 되면 의심을 피할 수 없었기 때문에 어서 도착하기만을 바랐다.

그렇게 엘로라의 바람 끝에 마차가 멈췄다. 라하트를 따라 내린 엘로라는 한 집 앞에 섰다. 도시 외곽에 위치한, 허름한 집이었다. 잠시 대문을 보던 엘로라는 초인종을 눌렸다.

“어머니, 저예요. 로이스.”

가볍게 문을 두드리자 문이 열리고 노파가 모습을 드러냈다. 주름이 잔뜩 진 그녀의 얼굴을 보니 지나간 세월의 흐름을 가늠할 수 있었다.

“……로이스?”

“손님을 데리고 왔어요.”

뒤에 서 있던 라하트를 소개했다. 잠깐 놀라움이 가득한 표정이 된 노파가 이내 상황을 파악하고 길을 비켜 주었다. 애초에 그녀는 엘로라가 자신을 ‘로이스’라 칭했을 때부터 상황을 대충 예상하고 있었다.

“차를 대접해 드려야 되겠구나. 누추한 곳이지만 편히 있다 가시지요.”

외관이 허름한 만큼 좁은 집이었다. 거실에 들어선 라하트는 주위를 둘러보더니 별다른 불평 없이 자리에 앉았다. 맞은편 자리에 앉은 엘로라는 괜히 고개만 숙이고 있었다. 멀리 떨어지지 않은 곳에서 노파가 차를 우리는 소리가 났다.

늦은 시각에 찾아왔건만 바로 역할에 임해 주는 노파가 고마웠다.

그녀는 아르미트 가문에서 일하던 유모였다. 일평생을 아르미트 가문을 위해 힘쓰다가 나이 탓에 퇴직하여 현재는 잠시 로이스의 어머니 역할을 하고 있었다.

윌런이 로이스를 찾으러 올 때마다 여러 핑계를 대며 대신 전해 주겠다고 하고, 또 뭘런이 한 말을 아르미트 가문에 전달해 주었다.

한 사람의 일생이었다. 인물과 배경을 만들었는데 정작 실체가 없으면 들통 나기 쉬웠다. 일부러 그녀에 대해 모르는 도시 외곽에 이사 와서 노파와 병약한 화가에 대한 소문을 퍼트렸다. 이러니 누구도 로이스가 가상 인물이라고는 짐작하지 못했다.

노파가 갓 우린 차를 앞에 놓아 주었다. 작게 고개를 끄덕여 감사의 인사를 한 엘로라는 약도 부탁하였다. 약 먹는 모습을 보여야 의원을 부른다는 말을 다시 꺼내지 않을 테니까.

눈치가 빠른 노파는 서둘러 미리 준비된 작은 알약을 건네주었다. 사탕이었다. 그대로 목구멍에 넘겨도 괜찮을 만큼 작은 크기인.

라하트가 보는 앞에서 약이랍시고 사탕을 먹은 엘로라는 괜히 테이블 밑에 손을 두고 만지작거렸다. 어서 라하트가 용건을 꺼내 주길 바랐다.

이런 생각을 읽기라도 했는지 라하트의 목소리가 들렸다.

"모자 안 벗어?"

"죄송하지만 낯을 가려서 지금이 편하니 양해 부탁드립니다."

"그렇다면 어쩔 수 없지. 모자를 쓴다고 하여 들리지 않는 건 아니니."

그가 이런 데에 격식이 없어서 다행이었다. 권위를 내세워 강압적으로 나온다면 일개 평민인 로이스는 순순히 따를 수밖에 없었다. 변장했다 하더라도 괜히 얼굴을 노출하고 싶지 않았기 때문에 숙인 고개를 들지 못한 채, 조심스럽게 라하트에게 물었다.

"……저, 그래서 하실 말씀이?"

"너 은발의 여자를 알아?"

"예?"

눈치챈 건가? 라하트가 칭하는 은발 여자라 하면 엘로라, 본인밖에 없었다. 일단 제국 내에서 은발을 가진 여자는 그녀뿐이었다.

"정확히는 은발 여자를 만난 적이 있어?"

"아, 아니요. 없습니다."

정확한 사정을 모르니 일단 오리발을 내밀었다. 마음 같아서는 라하트가 무슨 생각을 하고 있는지 직접 들여다보고 싶었다.

이 남자는 항상 상황을 곤혹스럽게 만들었다.

"그러면 그 그림은 어떻게 그린 거야?"

순간 라하트가 무슨 그림을 말하는지 몰라 골똘히 생각했다. 그 그림이라니? 은발 여자와 그림이라는 말로 얼마 지나지 않아 가장 최근에 그린 그림을 떠올릴 수 있었다. 침잠하는 은발의 여인이 그려진 거대한 그림을.

은발 여인에 대한 물음은 그녀의 정체에 대해 의심한 게 아니라 그림을 보고 물은 듯했다. 엘로라의 진짜 얼굴과 닮은 듯 닮지 않은 여인이 새겨진 그림이었다. 백발에 가깝게 표현했기 때문에 누구도 알아보지 못할 거라 생각했다. 그런데 뷔로스에서 얼굴이 한 번 들켜 조금 난처하게 되었다.

"오로지 상상에 의지하여 그린 겁니다. 누군가를 모델로 삼은 적이 없습니다."

"그렇다는 건 얼굴이 예쁜 은발 여자도, 못생긴 은발 여자도 본 적이 없다는 말이지."

"예, 그렇습니다."

그리 꿈이라고 세뇌시켰건만 미련을 버리지 못한 듯싶었다.

전자는 뷔로스에서 본 엘로라의 실제 얼굴을 뜻했고, 후자는 그가 알고 있는 화장 후의 엘로라였다. 결국 한 사람인데 다르게 칭하는 게 웃기기도 했다. 예쁜 은발 여자와 못생긴 은발 여자라니. 동일 인물을 향한 지칭이 판이하다.

"만난 적이 없다는데 그녀는 널 어떻게 알았을까."

혼잣말에 가까웠지만 엘로라가 충분히 들을 수 있을 정도의 크기였다.

엘로라는 헛숨을 삼켰다. 기억하고 있었다. 급하게 숨긴다고 숨겼는데 라하트는 지금 분명 전시회 초대장을 기억하고 있었다. 심지어 오라버니의 물건이라는 변명을 믿지 않은 듯했다.

라하트가 무언가를 골똘히 생각했다. 로이스와 엘로라의 관계에 대해 추측하는 듯해 급하게 아무거나 생각나는 대로 질문을 던졌다. 화제를 바꾸기 위함이었다.

"그림 두 점을 요청하셨는데, 한 점은 전하를 그리는 거라면 다른 한 점은 누구를 말씀하시는 건가요?"

떠올려 보면 라하트가 요청한 그림은 총 두 장이었다. 설마 이 솜씨로 황제나 황후, 혹은 아히발트를 그리라고 하는 건 아니겠지. 차라리 길거리에서 만난 비렁뱅이를 그려 달라는 부탁을 했으면 좋을 듯했다.

딱히 부탁을 수락할 마음은 없었다. 라하트 하나만 해도 벅찬데 다른 황실의 인원까지 로이스의 존재를 알게 되는 걸 원치 않았다. 필요 이상으로 유명해지는 건 사양이다.

황제냐, 황후냐, 아히발트냐.

잔뜩 긴장하고 있는데 라하트의 입에서 뜬금없는 대답이 튀어나왔다.

"아. 누구냐면 내 신부님."

……신부님?

엘로라가 두 눈을 깜빡였다. 부탁한 적도 없는데 초상화나 그림이라니. 라하트가 또 라하트 나름대로 사고 회로를 이상하게 돌리는 듯했다.

"네 그림을 좋아하는 듯한데 아닌 척하더라고. 수줍음이 많은 사람이라 그녀에게는 말하지 마."

정말 골 때리는 남자였다. 좋아한다고 말한 적 없다. 오라비의 핑계를 대며 숨긴 걸 은밀한 취미 생활이 들켜 그리했다고 생각하는 모양이었다. 게다가 수줍음이 많다니. 언제 그런 모습을 보인 적이 있던가?

분명 제대로 연기한 듯한데 라하트는 다른 사람을 본 듯했다. 좋아하지만 아닌 척하고, 수줍음이 많은 여자. 누가 그 엘로라 아르미트에게 붙은 수식어라 생각하겠는가.

술에 취해 사리 분별이 제대로 되지 않는 게 분명했다. 남자의 환상을 깨어 주기 위해 엘로라는 천천히 운을 떼었다.

"혹시 제국에서 제일 추하다는 그분 말씀하시는 겁니까?"

"응? 아마 맞을 거야. 내 신부님이 그쪽으로 유명하지."

못생겼다고 아주 유명했다. 가끔 지나가다가 '너 그러다 얼굴이 아르미트 영애처럼 된다!', '엘로라보다 못생겼어!'라는 말을 듣고는 했다.

아르미트 영애나 엘로라라는 단어가 추하다는 뜻과 동일시되고 있었다. 그런데 '아마 맞을 거야'라니. 이 남자, 알고 보면 소문에 무지한 건 아닌가 싶었다.

"제가 듣기로는 생긴 건 마치 괴물과 교배한 듯이 추악하고 성격 또한 외모와 다를 바 없다고 했습니다. 사람을 벌레 취급하는 건 물론이고, 어여쁜 여인을 잡아먹는다는 소문도 있습니다. 전하께서 말씀하시는 신부라는 사람이 그 아르미트 가문의 따님이라면 저는 이 의뢰를 거절하고 싶습니다."

미리 완성된 대본이 있는 것처럼 말을 줄줄 하다 보니 은근슬쩍 속마음이 나왔다. 결론은 거절이었다.

지금 라하트가 그녀의 의사를 존중한다면 전시회가 끝날 때까지 로이스로서 남아 있을 테고, 그렇지 않다면 내일이나 모레 안에 숙을 목숨이었다.

"나도 그 소문 들었어. 재미있는 소문이지."

소문을 안다면 이해해 줘야 했다. 입궁과 함께 로이스를 정리해야 하는 건 당연한 수순이긴 했지만 전시회 도중 끝내려니 마음에 걸렸다.

엘로라는 자신의 무책임한 행동이 반복되고 있음을 충분히 인지하고 있었다. 그래서 되도록 로즈 때처럼 중간에 끝내는 일이 없길 바랐다. 하지만 이런 엘로라의 생각을 읽지 못하는 라하트가 잠깐 깊게 생각하더니 소신껏 대답했다.

"소문을 믿고 네가 그리 그녀를 싫어한다면 어쩔 수 없지. 하지만 네 그림이 그녀의 유일한 관심사인 듯하니 마지막으로 한 번 더 부탁할게."

"……."

"내가 아는 그녀는 소문과 같지 않아. 네가 생각하는 것보다 훨씬 더 연약하고, 고립되어 있던 사람이야. 그것 하나는 장담하지. 그러니 소문만 믿고 내 부탁을 거절하지 말아 줘."

"……그분께 큰 빚이라도 지셨나 봐요. 간절하시네요."

"어떻게 알았어?"

"예? 진짜 빚이 있으세요?"

언제 몰래 나쁜 짓이라도 했나. 빚이라니.

당황함으로 고개를 든 엘로라는 두 눈을 크게 떴다. 어쩐지 이상하다 했다. 형식상 부부 관계임을 그렇게 강조했는데 라하트는 지금 과하게 신경 쓰고 있었다. 초대장 하나만 보고 팬일 거라 지레짐작해서 그림을 부탁한다는 것 자체가 관찰력과 애정이 없다면 불가능한 일이었다.

계약서 내용을 누설이라도 한 것일까.

괜히 사람 위하는 말을 하여 감동받아 흔들리던 결심이 다시 굳건해진 기분이었다. 역시 누군가의 호의에는 그냥이 없었다. 이유 없는 친절은 의심하고 봐야 했다.

라하트가 몰래 무슨 나쁜 짓을 했을까 잔뜩 추측했다. 라하트라면 어떤 예측 밖의 행동도 할 수 있었다. 의심의 눈초리로 보고 있는데 시선을 느끼지 못한 라하트가 살짝 입꼬리를 올리며 대답했다. 그 웃음이 어쩐지 평소와 다르게 억지로 웃고 있는 듯했다.

"내가 멍청하게 군 탓에 약속 시간을 지키지 못할 뻔했어. 그 탓에 밉보였나 봐. 감점된 건 회복해야지."

고작 그 이유로? 이 정도 친절이면 분명 더 큰 잘못이 있다고 생각했다. 그런데 뷔로스에서 있었던 일 때문이라니.

라하트가 약속 시간을 지키지 못한 이유의 9할은 엘로라의 잘못이었다. 엄청난 힘으로 급소를 가격했으니 쉬이 깨어나기도 힘들었을 거다. 본인은 잠을 잤다고 생각하겠지만 그건 명백한 기절이었다.

그에게서 거듭 미안하다는 말을 듣긴 했지만 사람이라는 게 시간과 함께 망각하는 동물이었다. 지금쯤이면 까맣게 잊었을 거라 생각했다. 엘로라 또한 그 일에 대한 미안함을 희석하는 중이었고.

하지만 잊기는커녕 아직도 마음에 걸려 하고 있다니. 지금 이 기분을 무어라 표현해야 할지 모르겠다. 천천히 두 눈을 깜빡이던 엘로라는 괜히 다른 질문을 했다.

"그런데 그분은 예술보다는 보석에 관심이 더 많다고 알고 있는데 제 그림이 그분의 관심사가 아니면 어쩌죠?"

"그래? 보석을 좋아하는 것 같긴 하던데 네 그림도 좋아하던걸. 그런 일은 없을 거야."

누가 들으면 엘로라의 방에 로이스 그림이 전시돼 있는 줄 오해할 법했다. 방은커녕 저택 그 어느 곳에서도 로이스의 흔적을 찾을 수 없는데. 아르미트 후작은 딸이 그린 그림을 누구나 볼 수 있는 곳에 걸어 두기를 원했지만 엘로라가 칼같이 거절한 적이 있었다.

지금 생각하면 잘한 일이었다. 고작 초대장 하나로 팬이라 하는데 저택 어딘가에 그림이 걸려 있는 걸 봤으면 그림에 환장한다고 표현했을 터였다. 라하트라면 가능했다.

"그녀에게는 초상화가 아니어도 좋아. 그녀가 좋아하는 그림만 그려 주면 돼."

대외적으로 엘로라는 못생긴 얼굴이 콤플렉스였기 때문

에 그걸 고려하여 굳이 초상화가 아니어도 된다는 거였다. 사소한 것에서부터 배려해 주고 있었다. 막무가내로 그림을 부탁한 건 배려심이 없는 거지만.

일일이 태클을 걸기도 힘들었다. 이제 원래 이런 남자니 그러려니 하게 됐다.

"……결혼하신 지 얼마 되지 않아서 그런지 부부 사이가 좋으시네요."

이곳에 있는 사람은 로이스였다. 배려를 하고 있음이 명백한 말을 듣는다면 그들의 사정을 모르는 남은 둘 사이가 좋구나, 지레짐작할 거라 생각하고 예의상 한번 말해 보았다. 한마디로 사회생활을 해 본 엘로라의 습관적인 입에 발린 말이었다.

말하면서도 답변을 예측할 수 있었다. 엘로라가 라하트를 밀어내어 사이가 좋았던 적은 한 번도 없으니 아니라고 할 줄 알았다. 그런데 반응이 예상과 사뭇 달랐다.

"그렇지?"

활짝 웃었다. 분명 기뻐 보이는 웃음이었다.

엘로라는 순간 넋을 놓고 말았다.

이거 완전 날조 대왕이잖아!

도대체 왜 좋아하는 건지 이해하지 못하겠다. 사이가 좋았던 적도 없으면서. 이쯤 되면 이 남자가 이상한 취향을 가지고 있는 게 아닐까 싶었다. 지금 이곳에 있는 사람은 로이스였기에 슬쩍 라하트를 떠보았다.

"그분을 사랑하시나 봐요."

"응? 그건 아닌데."

대답이 너무 단호했다. 물어본 사람이 무안해질 정도였다.

이 모든 일이 단순히 빚을 졌다고 생각하기 때문인 건가?

라하트를 빤히 쳐다보았다. 뇌에 아무것도 들어 있지 않은 것처럼 생글생글 웃던 라하트가 무슨 생각이 퍼뜩 떠올랐는지 "아, 맞아." 하고 입을 열었다.

"내가 보수에 대해 얘기하지 않았네. 그냥 해 달라는 게 아니야. 돈은 물론이고 저택 또한 하사해 주지. 원한다면 당장 이사 가능해."

"아, 아니. 딱히 그런 건 바라지 않아요."

"노쇠하신 어머니와 네 지병을 생각해서라도 하루빨리 좋은 환경에 사는 게 낫지 않을까?"

로이스의 상황을 고려한다면 거부할 수 없는 제안이었다. 일만 잘 해결된다면 돈과 명예를 한 번에 거머쥘 수 있으니.

거절해야 하는 상황이지만 그녀가 설정한 '로이스'라는 인물에 대해 떠올리면 거절의 말이 쉽게 나오지 않았다. 그는 어머니를 위하는 효자였고, 빚을 갚기 위해 성실히 그림을 그리는 청년이었다.

엘로라가 머뭇거리고 있자, 라하트가 무언가를 꺼냈다. 제법 묵직한 주머니였다. 왠지 열어 보지 않아도 안에 든 게 무엇인지 알 것 같았다.

"선금이야."

미리 선금까지 준비하다니. 제법 계획적이다.

헛웃음을 지은 엘로라는 손을 내저었다. 이 정도 부담감이면 거절할 명분이 생겼다.

"죄송하지만 당장 이렇게 큰돈을 주시니 너무 부담스럽네요."

"선금은 적게 주고 일이 끝나면 많이 줄까?"

"아, 아니. 이 상황 자체가 제게는 부담스러워요. 아직 그만한 그릇이 아니어서 그런가 봅니다."

"그렇다면 내일 또 올게."

"예?"

"당장 대답하기 힘든 듯하니까 시간을 줄게. 사실 성격이 급해서 기다리는 걸 좋아하지 않아. 기다렸다가 좋지 못한 일을 겪기도 했고."

그가 말하는 좋지 못한 일은 로즈에 대한 얘기였다. 속으로 뜨끔했다. 어찌 찔리는 일이 한두 가지가 아니다.

"하지만 모든 일에는 때가 있는 법이겠지."

라하트답지 않게 굉장히 이성적인 말이었다. 계속 다그칠 줄 알았건만 대답을 기다리겠다는 그의 말에도 좋아할 수는 없었다. 분명 로이스를 처리하기까지 시간을 벌게 되었는데 왜 이리 답답한 걸까.

"돈은 두고 갈게."

"아니, 들고 가세요."

"정 뭣하면 좋은 그림을 구경한 값이라고 생각해."

"……."

"내 부탁을 들어주기 싫다고 해서 거둬 가지 않을 테니까."

그가 자리에서 일어났다. 덩달아 일어난 엘로라는 문 앞까지 라하트를 배웅해 주었다.

문을 열자 찬 공기가 훅 끼쳤다. 짙은 밤이었다. 수도 외곽, 가난한 자들이 밀집되어 사는 곳이라 그런지 하늘만이 빛을 선사했다.

"생각보다 이야기가 길어졌네. 뭐, 그럴 수도 있는 거겠지. 그러면 되도록 빠른 대답 기다리고 있을게."

"예, 안녕히 가세요."

꾸벅 인사한 엘로라는 어서 문을 닫았다.

드디어 라하트가 떠났다. 방음이 잘 안 되는 탓에 그의 발걸음 소리가 점점 멀어지는 게 들렸다. 가만히 문에 귀를 대고 있던 엘로라는 사위가 고요해졌을 때 한숨을 내쉬었다. 긴장이 풀렸다.

이제 바로 아르미트가의 저택으로 돌아가 로이스를 죽일 계획을 짜야 했다. 차라리 어영부영 있지 말고 전시회가 끝나는 날 답을 주겠다고 하는 게 옳았을까. 그랬다면 라하트는 로이스에게서 로즈를 떠올리지 않았을까.

모든 게 애매했다. 확실히 결단을 내리지 못하고 있었다.

이 모든 게 그 바보 같은 남자가 이상한 말을 해서 그런 거였다.

소문과 같지 않다니. 훨씬 더 연약하고 고립되어 있는 사람이라니. 헛웃음을 터트렸다. 라하트는 로이스를 완벽한 타인이라고 인식하고 있었다. 괜히 혼자 들킨 건 아닐까 불안해해서 그렇지, 로이스에게서 누군가를 떠올리는 것 같지는 않았다. 제국에서 제일가는 못난이와 병약한 화가의 접점이 없으니 당연했다.

그래서 더 기분이 이상한 거였다. 못난 화장을 한 상태에서 라하트가 그런 식으로 얘기했더라면 아부나 농담 치부했을 터였다. 그런데 타인 앞에서 엘로라의 추함에 대해 언급하지 않았다. 못생긴 데다 까칠한 여자라고 언급할 법도 한데 오히려 나쁜 사람이 아니라고 옹호했다. 그게 진짜 라하트의 속마음인 것이다.

어째서. 고작 늦었다는 이유 하나만으로 빚을 졌다고 생각하고 이리 노력하는 것일까. 손으로 얼굴을 감쌌다. 정말 모르겠다. 그동안 수많은 사람을 만나 왔지만 라하트 같은 유형은 전혀 없었다.

"그분은 가셨나요?"

"응. 방금 갔어."

상황이 정리된 것을 눈치챈 유모가 다가왔다. 빠르게 손을 내리고 짐짓 아무렇지 않은 척했다. 그런 엘로라를 미소 지으며 바라봤다.

"갑자기 찾아와서 놀랐지? 정말 미안해."

"아가씨께서 미안해할 것은 없어요. 그런데 아까 그분은 혹시…….”

“응, 라하트 황자 전하야.”

“아가씨의 남편 되시는 분이 맞았군요.”

“일단은 그렇지.”

뚱한 답이었다. 갑작스러운 결혼이었기에 좋아하지 않으리라 예상했지만 생각보다 더 반응이 별로다. 미소를 지우지 않은 유모가 다정하게 물었다.

“세간의 평판보다 괜찮으신 분인 듯한데 아가씨 마음에 들지 않는 건가요?”

“애초에 줄 마음도 없어.”

그가 좋은 사람이든 나쁜 사람이든 상관없었다. 근본적으로 혼인할 마음이 없는 사람을 데려다가 억지로 붙여 놓은 거니까.

“누군가의 장신구가 되고 싶은 생각은 추호도 없거든.”

서로의 이득을 위해 결혼하고, 결국 여자는 남자를 위한 도구로 희생됐다. 제아무리 아름답고 똑똑하여도 누구도 그 여자를 한 사람으로 보지 않았다. 아름다우면 함께 있기 좋은 장신구일 뿐이었다.

“돌아가신 아가씨의 어머니께서 장신구였다고 생각하세요?”

“아니. 아버지는 어머니를 사랑해. 그건 의심할 수 없는 진실이지만 모든 사람들이 부모님과 같지 않잖아.”

“두려우신 거군요.”

"낮은 확률에 의지하여 헛된 희망을 가지는 것보다 낫지."

기대가 없으면 실망도 없었다. 애초에 자신을 그저 한 사람으로 봐 줄 상대를 찾으리라는 기대를 걸지 않았다. 어렸을 때부터 깨달음을 얻었기에 언뜻 거짓으로 포장된 듯한 이 생활을 영위하고 있는 거였다.

"차는 마음에 드셨나요?"

"응. 마치 어렸을 때로 돌아간 기분이었어."

"손님은 오랜만이라 걱정했는데 다행이네요. 급하게 내오느라 쿠키가 있다는 걸 잊었는데 드시고 가겠어요?"

"곧 식사 시간이라서 가 봐야 해."

"각하나 도련님들께서 걱정하고 계시겠군요."

"지금쯤 발을 동동 굴리고 있을걸."

생각보다 시간이 지체되었다. 저택으로 돌아가 식사하고, 잠시 쉬다가 차후 일에 대해 고민하고 싶었다. 지금 당장은 마음이 기울어져 있음을 누구보다 본인이 잘 알았다.

"저는 가끔 아가씨께서 혼자 너무 많은 짐을 지고 있다고 생각해요."

유모가 부드럽게 손을 잡아 주었다. 주름진 손이었다. 세월의 흔적이 무수히 박힌.

따듯한 온기가 번진다. 어쩐지 위로가 되는 기분이었다.

"요즘 고민이 많으신 듯한데 편히 생각하세요. 언제나 현명한 선택을 할 수 없다는 걸 아시잖아요."

"일부러 멍청한 선택을 한다는 거야?"

"인생이란 게 뜻대로 되지 않을 때가 있죠."

목소리와 눈빛에서 연륜이 느껴졌다. 그 시선을 받아치던 엘로라는 느릿하게 고개를 끄덕였다. 유모가 무슨 말을 하고 싶어 하는지 알 것 같았다.

"노파심에 한 말이라고 생각해 주세요. 아가씨라면 어떤 고난도 다 헤쳐 나갈 수 있을 테니 이 늙은이의 조언 따위 필요치 않으시겠지만."

"아냐. 그런 식으로 말하지 마. 유모가 한 말 모두 새겨듣고 있어."

다급한 엘로라의 말에 유모가 웃음을 터트렸다. 화장으로 이목구비가 달라지고, 키가 훌쩍 컸다 하더라도 엘로라는 여전히 엘로라였다. 어릴 적부터 봐 왔던 모습이 얼핏 보였다.

"지금 나가실 거지요? 쿠키는 따로 챙겨 드릴 테니 들고 가세요. 에곤 도련님께서 좋아하시던 쿠키랍니다."

"고마워. 유모가 줬다고 하면 오라버니들이 기뻐할 거야."

"혹 맛이 달라지진 않았을까 걱정이 되네요."

"아까 차 맛도 그대로던데 쿠키라고 크게 달라졌을 리가 없어."

"그렇게 말씀해 주시니 몸 둘 바를 모르겠네요. 금방 내어 드릴 테니 잠깐 기다려 주세요."

잠시 후, 유모가 주머니를 두 개 들고 왔다. 하나는 쿠키였고 다른 하나는 라하트가 남기고 간 돈주머니였다.

"갓 만든 걸 드리고 싶은데 죄송해요."

"아니야. 준 것만으로 충분한걸. 고마워. 잘 먹을게."

"그리고 깜빡 잊으신 듯한데 이것도 들고 가세요."

깊은 한숨을 내쉰 엘로라가 그 두 주머니를 받아 챙겼다. 돈주머니가 묵직했다. 경제관념이라고는 눈곱만큼도 없는 이 황자는 도대체 얼마를 챙겨 준 걸까. 열어서 세어 보기 겁이 났다.

"길이 험한데 마차를 불러 드릴까요?"

"혹시 모르니까 걸어서 갈게. 걸음이 빨라서 금방 도착할 거야."

"예, 조심해서 돌아가세요."

고개를 끄덕인 엘로라는 슬금슬금 바깥으로 나왔다.

바깥에는 아무도 없었다. 단 한 명도. 보통 지나가는 사람이 있을 법도 한데 너무나 조용했다. 멀지 않은 곳에 빈민촌이 있어서 그런지 치안 문제로 인해 이곳에 사는 사람들은 웬만하면 바깥에 나오지 않았다. 보이지 않는 계급이 또 있는 것이다.

조심스럽게 걸음을 뗐다. 저택으로 가는 지름길을 알고 있었다. 시간을 재 보았다. 빨리 간다 하더라도 식사 시간은 지나 있을 터였다. 너무 늦게 가면 가족들이 걱정하겠지. 살짝 아슬아슬했다.

어둠을 뚫고, 잰걸음으로 나아갔다. 혼자 있으니 잡생각이 많아졌다. 특히 라하트의 의뢰에 대해서. 받아들이는 것도 나쁘지 않을까, 하는 생각이 계속 들었다. 무조건 거절하려고 했건만 대화가 끝난 후에 여운이 오래 남았다.

차근차근 라하트와 나눴던 대화를 머릿속에 정리했다. 떠올리면 떠올릴수록 마음이 한쪽으로 기울었다.

당장이 아니더라도 전시회가 끝난 후 로이스가 죽는다면 그는 로즈를 떠올리지 않을까. 어쩌면 의심할지도 몰랐다. 반복되는 일에 대해. 그리고 마음 안타까워하겠지. 어쩌면 슬퍼할지도. 여러모로 마음이 무거웠다.

저택 근처에 도착했을 때, 엘로라는 결정을 거의 내렸다. 스스로도 믿기지 않았지만, 조금 전 나눈 대화가 큰 변수가 되었음을 인정할 수밖에 없었다.

쓴웃음을 삼킨 그녀는 저택에 들어갔다.

가장 먼저 집사가 그녀를 반겼다. 아버지와 오라버니들이 아직 식사하지 않고 있다며, 씻고 먹을지 아니면 바로 먹으러 갈지 물어보았다. 누구 때문에 먹지 못하고 있는지 훤히 아는데 또 기다리게 할 수 없었다. 대충 가발을 벗은 엘로라는 그대로 식사를 하러 갔다.

엘로라가 도착했을 때부터 귀를 쫑긋 세우고 기다리고 있던 가족들이 그녀가 들어서자 눈에 띄게 반가워했다.

“왜 안 먹고 있었어.”

“금방 갔다 온다는 말을 들었으니까 기다리고 있었지. 어서 앉아.”

자리에 앉자, 준비돼 있던 음식이 차례로 나왔다. 음식을 보자 허기짐을 느끼며 포크와 나이프를 들었다.

엘로라가 조용히 먹고만 있으니 다들 눈치를 주고받았다. 오늘 늦은 이유가 알고 싶어, 누구든 좋으니 말을 걸어 보라는 제스처였다. 그걸 눈치채지 못한 엘로라는 묵묵히 먹었다. 결국 아르미트 후작이 말을 걸었다.

"엘리, 전시회는 어떠했니."

"괜찮았어요."

그 뒤로 정적.

장황한 대답을 바란 건 아니지만 뒤에 따라올 말이 있길 바라며 기다리고 있던 사람들이 당황한 표정을 지었다. '그게 다야?' 다들 이런 반응이었다.

할 말을 마친 엘로라는 음식을 먹었다. 모두가 그녀의 표정을 살폈다. 어쩐지 이상했다.

"무슨 일이 있었던 것 같아."

"그래 보여?"

"응."

라엘의 말에 그제야 정신을 차린 엘로라가 두 눈을 껌뻑였다. 무엇이 문제인지 순간 인식하지 못하고 있었다. 잠깐 고민하다가 조금 전 대화를 떠올리고 전시회에서 있었던 일을 얘기했다. 마치 오래전 일인 듯해, 다시 침묵했던 건 덤이었다.

"별일 없었어. 구경하러 온 사람도 꽤 많았고, 하루 만에 그림이 다 판매되었거든."

"엄청난 건데, 그거."

구매한 사람이 한 명이 아니었더라면 엘로라 또한 그리 생각했을 거였다. 하지만 안타깝게도 그 많은 그림을 산 구매자는 한 명이었고, 오롯이 로이스의 노력이 아니었다.

"역시 재능 있다니까. 우리 상단에서 공식적으로 널 후원해야 했어."

"그러지 마. 곧 이 세상에 존재하지 않을 사람을 후원해서 무엇 하려고."

"곧 사라진다 해도 손해 보지 않을 장사니까 나쁘지 않지."

"내 쪽에서 사양이야."

"네가 긍정할 거라고 기대도 하지 않았어."

방긋, 미소를 지은 요제프가 엘로라의 표정을 유심히 살폈다. 아까보다는 훨씬 나아진 듯한데 그래도 조금 전 들은 얘기를 생각하면 텐션이 지나치게 낮았다.

"전시회 첫날에 그런 일이 있었다는 건, 지금 기뻐서 춤을 춰도 모자란데 왜 그렇게 울상이야?"

고민했다. 그 후에 있었던 일을 얘기해야 할지.

얘기를 꺼내게 된다면 '라하트'라는 단어를 언급하지 않을 수 없는데, 라하트의 '라' 자만 나와도 아마 다들 흥분할 거였다. 그렇다고 숨기고 있자니 영원히 숨길 수 있는 비밀도 아니었다. 로이스로 활동하게 된다면 결국 가족들의 귀에 들어갈 수밖에 없었다.

지금 본인 입으로 말하느냐, 나중에 소문으로 듣게 하여 배신감을 느끼게 하느냐. 엘로라는 전자를 택했다.

“개인 의뢰를 받았어.”

“나쁘지 않지. 개인 의뢰.”

“나 어쩌면 초상화를 그릴지도 몰라.”

머릿속으로 생각하는 것과 입 밖으로 내뱉는 건 또 달랐다. 말을 꺼내고 나니 결정에 대한 확신이 서는 듯했다. 고민했던 것이 무색해질 정도였다.

“누구의 초상화를?”

“……라하트 전하.”

“뭐?!”

다들 이구동성으로 외쳤다. 소리가 컸다. 예상했던 반응인지라 딱딱하게 굳은 가족의 표정을 보며 엘로라는 어색한 웃음만 지어 보였다. 다들 이 엄청난 발언을 믿지 못하는 듯했다.

“말도 안 되는 소리 하지 마라.”

에곤이 서늘하게 말했다. 차라리 농담이라고 눙쳐 넘기면 하는 바람이 있었다. 하지만 엘로라는 그런 말을 할 생각이 없어 보였다. 입을 꾹 다물고 있는 엘로라를 보고 있자니 속이 탔다. 도대체 왜? 어째서? 의문만 계속 들었다.

“그놈이 널 돈으로 협박했어? 그래서 못 이기는 척 수락한 거야? 원래 너라면 돈 따위 신경 쓰지 않았겠지만 화가인 너는 가난하다며. 그래서 그런 거지?”

요제프가 속사포처럼 말을 쏟아 냈다. 차라리 돈으로 협박당하여 어쩔 수 없이 제의를 수락한 척했다고 말해 주길 바랐다. 엘로라의 의지가 아닌 로이스로 변장했기에 어쩔 수 없는 상황이길. 그런 불가항력이라면 옆에서 어떤 방식으로는 도와줄 의지가 있었다.

"아직 확정 난 건 아니야."

협박당한 적이 없었다. 그래서 요제프의 열성적인 물음에 대답하기보다 과열된 분위기를 식히기 위해 애매한 말을 던졌다. 하나 식혀지기는커녕 오히려 더 질색했다.

"그렇다면 하지 마."

"맞아! 왜 해! 그 녀석 얼굴이 뭐라고 그려 주고 앉아 있어!"

에곤의 말이 끝나자마자 흥분을 가라앉히지 못한 요제프가 외쳤다. 라하트에 대한 격렬한 거부감이었다. 얼마나 라하트를 질색하는지 절절하게 느껴졌다.

입에서 불을 뿜어낼 듯이 잔뜩 열이 오른 요제프와 에곤이었다. 요제프가 겉으로 드러나는 분노라면 에곤은 차가운 분노에 가까웠다. 크게 소리를 치지 않았지만 표정만 봐도 그 감정을 알 수 있었다.

"엘로라."

인상을 찡그린 채 무언가를 골똘히 고민하던 라엘이 그녀를 불렀다. 무슨 말을 먼저 꺼내야 할지 몰라 난처하게 앉아 있던 엘로라가 부름을 듣고 라엘을 보았다.

"정말 협박당했어?"

"아니, 그건 아니야. 그저……."

차라리 협박당했으면 완벽히 거절로 마음이 기울어졌을 것이다. 로이스를 당장 죽여야 한다는 마음에 분주히 움직였겠지. 하지만 라하트는 협박하지 않았다. 오히려 속내를 보여 주었다. 거짓 없는 얘기를.

"진심을 짓밟기가 어려웠어."

가까스로 말을 골라냈다.

엘로라의 말에 사위가 조용해졌다. 침묵이 맴돌았다.

침묵 속에서 엘로라는 지금 자신이 느끼는 감정을 정리할 수 있었다. 라하트는 엘로라에게 빚을 졌다고 생각하지만, 실제 빚을 졌다 생각해야 할 사람은 엘로라였다. 화를 내도 될 사람이 미안하다면서 다가오니 마음이 약해질 수밖에 없었다.

심경이 복잡해 보이는 엘로라의 표정에 다들 라하트와 엘로라 사이에 무슨 일이 있었음을 짐작할 수 있었다. 구체적으로 물어보기에는 너무 밀어붙이는 듯해 누구도 자세한 사정을 묻지 않았다.

기나긴 고요 끝에 에곤이 말을 꺼냈다.

"현명한 선택이라고 생각되지 않아."

"……."

"초상화를 그리려면 오랜 시간이 걸릴 텐데, 입궁 후에는 어쩌려고 그러는 거야."

현실적인 문제를 짚고 넘어갔다. 누가 보아도 신분을 숨기고 있는 엘로라에게 독이 되는 제안이었다. 심지어 곧 입궁할 몸인데 초상화라니. 풍경화면 몰라도 초상화는 그림 모델과 자주 만나야 했다. 정체를 들키기 쉬워도 너무 쉬운 환경이다.

"거기에 대해서는 생각해 둔 게 있어. 괜찮을 거야. 아마."

이에 대해 엘로라가 고심하지 않은 건 아니었다. 한 달. 초상화를 그리는 데 소요될 예상 시간은 총 한 달이었다. 그동안 라하트의 눈을 속일 방안을 몇 가지 세워 놓았다.

힘든 길임은 맞았지만 라하트의 얼굴을 볼 때마다 죄의식을 짊어질 바에 한 달이라는 기간 동안 조금 고생하여 아예 털어 내는 게 나았다.

"아마라는 말로 퉁칠 게 아니잖아!"

요제프가 흥분했다. 다시 목소리가 높아졌다. 확신이 서지 않는 대답에 저리 화를 내는 것은 당연했다.

어떤 말을 해도 설득할 수 없을 듯해, 엘로라는 두 눈만 내리깔았다. 식사하다가 난리가 난 상황을 지켜보던 아르미트 후작이 자식들을 한번 씩 훑어보더니 결국 입을 열었다.

"다들 목소리 좀 낮추거라."

낮은 목소리에 사위가 고요해졌다. 특히 열을 올리던 요제프는 불만스러운 표정으로 입술을 깨물었다. 그건 정말 아니라고 닦달하고 싶은데 아버지가 나서니 어찌할 수 없는 게 뻔히 보였다.

고개를 든 엘로라는 아버지의 눈치를 보았다. 가족 앞에서는 유약해 보여도 세간에 냉혈한이라고 불리는 이였다.

에곤의 성정이 아르미트 후작을 쏙 빼닮았다는 말이 있다. 제 자식에게는 한없이 약했기 때문에 아버지의 냉정한 모습을 본 적이 거의 없었지만 그렇다 하여 원래 성격이 어디 가는 건 아니었다.

시선을 마주하는 아버지의 모습에 절로 긴장하게 됐다.

"결정을 내렸구나."

"네."

"마음대로 하거라. 네 결혼 하나 막지 못한 아비가 무어라 하여 바뀔 일은 없을 듯하니."

"……아버지!"

잠자코 듣고 있던 에곤이 소리쳤다.

아르미트 후작이 그것을 무시하고 말을 이었다.

"나는 네 결정을 모두 존중해 주기로 마음먹었다. 귀족이 되어서 한 입으로 두말할 수는 없지."

정원에서 엘로라를 믿어 주기로 약속했던 세 형제는 뜨끔하고 말았다. 하지만 한편으로 지금 상황은 경우가 다르다는 생각이 떠나질 않는다.

들키게 된다면 그동안 지켜 온 모든 걸 잃을 수도 있었다.

모든 비밀이 탄로 나지 않더라도 여성이 남성이라 속이고 일했다는 건 충분히 문제가 될 만했다. 아무리 하찮게 여겨도 상대는 황족이었다.

거듭 생각해도 나쁜 경우밖에 떠오르지 않아 걱정돼 죽겠는데 너무 태연한 엘로라나 아버지를 보고 있자니 다들 속이 탔다.

이런 형제의 속을 모르는 것도 아닐 텐데 아르미트 후작이 쐐기를 박았다.

"내신 네 선택에 대한 책임은 스스로 짊어져야 한다. 알겠지?"

"당연하죠, 아버지."

"음식이 거의 식었구나. 얘기는 이만 하고 어서 먹자꾸나."

더는 이 문제를 거론하지 않겠다는 의미였다. 불만이 많았지만 아버지에게 대들 수 없는 일이었으므로 형제들은 다시 제 앞에 있는 음식을 먹기 시작했다. 솔직히 음식이 입으로 들어가는지 코로 들어가는지 알 수 없었다.

한참 과열되었다가 강제로 식어지니 급격히 가라앉은 분위기였다. 다들 말없이 꾸역꾸역 먹었다. 그 분위기를 의식한 엘로라는 식사가 끝나 갈 때쯤에 말을 꺼냈다.

"유모가 다 같이 먹으라고 쿠키를 줬어."

분위기가 분위기인 만큼 다들 바로 자리에서 일어나려고 했다. 하지만 엘로라의 간절한 눈빛에 다시 자리에 앉을 수밖에 없었다. 이러니저러니 해도 결국 막냇동생인 엘로라에게 못 이기는 형제들이었다.

쿠키를 그릇에 담고, 차를 내어 오라 했다.

아이들끼리 얘기할 시간이 필요함을 느낀 아르미트 후작은 먼저 자리를 떴다. 아르미트 후작이 사라지고, 불만 가득했던 형제들과 엘로라만이 남았다. 아까 그렇게 열불을 냈는데 갑자기 하하 호호 화기애애한 분위기를 낼 수 없는 터라 서로 눈치만 보았다.

어색한 분위기가 흘렀다. 시녀가 차를 끓여, 찻잔을 올려놓았다. 쿠키가 근처에 있음에도 선뜻 손을 대지 못한 이들은 마른 목을 축이기 위해 차만 마셨다. 차만 홀짝이다 찻잔 바닥이 거의 드러날 때쯤 엘로라가 걱정스레 물었다.

"입맛이 바뀌었어?"

쿠키를 먹으라고 붙잡아 두었더니 다들 손도 대지 않고 있었다. 누가 보면 독이라도 들어 있는 줄 알 것 같았다. 정말 무해한 쿠키일 뿐인데 아무도 먹지 않으니 엘로라 또한 괜히 손이 가지 않았다.

"에곤 오라버니가 어릴 때 잘 먹던 쿠키라고 해서 들고 왔는데 아무도 안 먹네."

시선을 내리깔았다. 만약 엘로라의 머리에 강아지 귀가 있었더라면 축 처졌을 것이었다. 시무룩한 엘로라의 모습에 그제야 에곤이 허겁지겁 손을 뻗어 쿠키를 집었다.

한입 먹자 엘로라가 기다렸다는 듯이 물어봤다.

"맛있지?"

"……그러네."

나이를 먹으면서 입맛이 바뀐 건지 단 음식을 기피하게 되었지만 에곤이라 하여 꼬꼬마 시절부터 쓴 음식을 잘 먹은 건 아니었다. 그 또한 어릴 때는 달달한 간식을 즐기던 사람이었다. 특히 유모가 해 준 쿠키는 곧잘 먹곤 했다. 그때 먹었던 맛 그대로라 향수를 느꼈다.

“부서지지 않도록 조심해서 들고 왔어.”

그 말을 하는 엘로라는 어디 깨진 데 없는 쿠키를 보고 뿌듯해했다. 마치 ‘잘했지?’라고 묻는 듯해 엘로라의 얼굴을 빤히 쳐다보던 에곤은 한숨을 내쉬었다.

무의미한 신경전이었다. 아버지의 말이 옳았다. 한번 결심했으니 그 어떤 말로도 엘로라를 설득하지 못할 거였다. 그저 알아서 잘 처신하길 바랄 수밖에.

“진짜 유모가 만든 거야?”

“응. 그러면 내가 거짓말하는 줄 알고 안 먹은 거였어?”

“아니, 그게 아니라……. 앗, 작은형! 그거 내가 먹으려고 찜해 둔 거란 말이야.”

“줄까?”

“침 묻은 걸 먹어서 뭐해.”

라엘이 먹던 쿠키를 요제프에게 건네주었다. 한 입 먹은 자국이 남은 쿠키가 눈앞에 있자, 요제프가 질색하며 손을 저었다. 아무리 먹고 싶었다 해도 남이 먹던 걸 입에 넣을 만큼 간절하지 않았다. 보란 듯이 쿠키를 해치우는 라엘을 확인하고는 요제프가 아쉬운 대로 다른 걸 먹었다.

뚱한 표정을 지은 요제프가 쿠키를 맛있게 먹었다. 라엘은 요제프를 딱히 신경 쓰지 않는 듯했다. 그저 분위기가 유해져서 좋았다.

엘로라는 두 사람을 지켜보고 있자니 웃음이 나왔다. 작게 웃음을 터트렸다. 소리가 나니 다들 엘로라를 쳐다봤다. 비록 화장을 지우지 않아 익히 알고 있는 엘로라와 다른 얼굴이지만 근본적으로 그들의 막냇동생인 엘로라였다. 어떤 얼굴을 하던 시무룩한 표정보다는 웃고 있는 게 나았다.

이렇게 또 흥분했던 마음이 사르르 풀렸다.

의도한 건 아니었으니 엘로라 또한 오라버니들의 표정이 풀려서 다행이라 생각했다. 곧 떠날 텐데, 앙금을 남긴 채 헤어지고 싶지 않았다. 잠깐이라 하더라도.

쿠키까지 다 먹고, 오라버니들과 화기애애한 분위기 속에서 대화를 마친 엘로라는 이만 자기 위해 방으로 올라갔다.

오늘 생각보다 많은 일이 일어난 듯했다. 누적된 피로가 순식간에 몰려왔다.

화장을 지우기 귀찮다. 하지만 지우지 않으면 피부가 안 좋아질 게 뻔했다. 피부 상태가 안 좋으면 화장이 잘 먹지 않기 때문에 엘로라는 꾸역꾸역 화장을 지우기 시작했다.

입궁하면 뷔로스 때처럼 종일 화장을 하고 있을 텐데 화장이 잘 먹지 않기라도 한다면 큰일이었다.

"아가씨, 도와 드릴 거 없으신가요?"

엘로라를 따라 들어온 히나가 물었다. 항상 스스로 무언가를 해결하려고 하여 도움이 필요 없다고 말하는 아가씨였기 때문에 오늘 또한 그럴 줄 알았다. 그런데 히나와 얼굴을 마주한 엘로라가 활짝 웃었다.

"히나. 네 도움이 아주 많이 필요해."

"……예?"

그냥 도움도 아니고 아주 많이라니.

당황하여 순간 되물은 히나는 무슨 일이 벌어지고 있음을 본능적으로 느꼈다.

펠런을 통해서 라하트의 제안을 수락한다는 의사를 전했다. 펠런은 굉장히 기뻐하는 눈치였다. 아직 젊은 나이에 황실 사람의 초상화를 그리다니. 펠런의 입장에서는 자신의 안목이 결코 틀리지 않았음을 인정받은 것이었다.

게다가 펠런의 말로는 라하트는 아주 어릴 때를 제외하면 초상화를 그린 적이 없다고 한다. 그 아주 어릴 때라는 게 막 아장아장 걷기 시작했을 터라 황자가 제 의사를 표현하게 된 이후 그려진 초상화는 없다고 보면 되었다.

이 때문에 한동안 황제와 황후가 골머리를 앓았다고 한다. 다른 황족은 다 나이 대에 따라 초상화를 남기고는 하는데, 초상화만 그리려고 하면 가만히 있지를 못하니 제대로 된 그림을 남길 수 있을 리 없었다.

황족이 초상화를 많이 그린다는 걸 익히 알고 있던 엘로라는 라하트의 얼굴을 그린다는 걸 대수롭지 않게 생각했다. 하지만 자세히 알고 보니 생각보다 부담스러운 자리였다. 이 모든 게 라하트의 별남에서 시작된 거였다.

갑자기 상당한 부담감을 느끼게 되었지만 하겠다고 말한 걸 뒤늦게 무를 수 없었다. 이미 엎질러진 물이었다. 덕분에 최대한 있는 실력, 없는 실력 쏟아 내야 되겠다고 다짐한 엘로라였다.

얼떨결에 선금을 이미 받았지만 논의해야 할 사항이 있었기에 두 사람은 해당 건에 대해 얘기를 나누기로 했다. 원래 제정신이 아니지만 낮에는 더욱 제정신이 아닌 라하트를 고려하여 시간대는 저녁으로 잡았다.

함께 식사할 만큼 살가운 사이는 아니었기에 약속 장소는 로이스가 항상 윌런과 만난 그 카페였다.

만반의 준비를 마친 엘로라는 로이스로 변장하여, 약속 시간에 딱 맞춰 도착했다. 주위를 둘러보니 어딜 가나 눈에 띄는 화려한 금발을 가진 남자는 보이지 않았다. 늦을 걸 예상하고 제시간에 온 거였다.

커피를 시킨 엘로라는 테라스에 위치한 자리에 앉아, 느긋한 마음으로 라하트를 기다렸다. 쓰디쓴 커피를 홀짝이며 사람들이 지나가는 걸 구경하고 있으니 얼마 지나지 않아 등 뒤에서 기척이 느껴졌다.

"일찍 왔네."

순간 평소 습관대로 '전하께서 늦게 오신 거예요.'라고 쏘아붙일 뻔했다. 하지만 지금 이 자리에 있는 건 못난이 엘로라가 아닌 로이스였다. 저런 식으로 말했다가는 들키고 말았다. 목 끝까지 차오른 말을 꾹 삼키고, 잔기침만 쏟아 냈다.

이래서 습관이 무서운 거였다. 시작부터 식은땀이 났다.

기침이 거의 가라앉았을 때쯤 걱정스레 쳐다보던 라하트가 겨우 말을 꺼냈다. 남자치고는 체구가 작은 탓에 기침을 하며 들썩이는 어깨가 안타까워 보여 말 걸기가 힘들었다.

"솔직히 네가 거절할 줄 알았어."

그렇게 보여도 이상할 것 없었다. 정말 거절하려고 했으니.

이번 결정은 변덕이나 마찬가지였다.

"나쁘지 않은 제안이었기에 받아들인 것뿐입니다."

"제시한 보상이 마음에 들었다니 다행이네. 그러면 원활한 작업을 위해 당장 입궁하는 건 어때? 내 궁에 네 방을 비워 놓을게."

당장 입궁은 위험했다. 특히 라하트의 궁에 들어가는 건 더더욱. 원래 얼굴을 들키고 싶어서 이 제안을 수락한 게 아니었다.

엘로라는 당황하지 않고 침착하게 미리 준비해 두었던 대답을 내놓았다.

"황자비께서 입궁하면 찾아가도록 하겠습니다. 거처는 그 후 논의하도록 하죠."

"편한 대로 해. 난 네가 그림만 그려 주면 되니까."

라하트가 아무래도 상관없다는 태도여서 다행이었다. 괜

히 물고 늘어졌다면 귀찮게 됐을 거였다.
"그 외에 또 원하는 거 있어?"
엘로라가 기다렸다는 듯이 돈주머니를 꺼냈다. 열어 보지도 않아 처음 받았을 때 그대로였다. 묵직함을 느끼며 주머니를 라하트 앞에 내려놓았다.
"돈은 돌려드리겠습니다. 이렇게 많은 선금은 필요 없습니다. 그림을 구경한 값이라 하여도 제게는 분에 넘칠 정도로 많으니 거절하겠습니다. 그리고 그림을 전부 구매해 준 덕에 저택 또한 하사해 주실 필요 없습니다."
"욕심이 없네."
"제 주제를 아는 것이라고 생각해 주시면 감사하겠습니다."
"좋지. 본인의 그릇이 어느 정도인지 정확히 인지하고 있는 것도."
순간 보랏빛 눈동자가 날카롭게 엘로라를 훑어보았다. 잘 벼려진 칼로 긋는 듯한 시선이었다. 모자를 푹 눌러쓴 채로 고개를 숙이고 있었지만 선명히 닿는 시선에 엘로라는 흠칫 몸을 떨었다.
기분 탓인 걸까. 당황하여 살짝 고개를 들었다. 라하트의 얼굴을 보았을 땐 날카로움을 감추고 특유의 흐리멍덩한 눈을 한 채 방긋 웃고 있었다.
"그러면 이 돈은 후불로 줄게."
그 뜻이 아니었다. 하지만 라하트가 좋을 대로 내버려 두었다. 굳이 라하트와 비효율적인 말씨름을 하여 오랫동안 대면하고 싶지 않았다.

돈주머니를 챙긴 라하트가 한 손으로 턱을 괴고 엘로라를 빤히 쳐다보았다. 부담스러운 시선에 고개가 더더욱 아래로 숙여졌다. 아예 땅으로 꺼져 버릴 듯한 엘로라를 쳐다보던 라하트가 불쑥 질문했다.

"모자는 계속 안 벗을 거야?"

"……저번에도 말씀드렸지만 낯을 많이 가려서."

"앞으로 친해져야겠네."

모자를 쓰고 있어서 다행이었다. 그러지 않았으면 대놓고 싫어하는 표정을 들켰을 것이다. 보이지는 않을 테지만 엘로라는 황급히 찡그렸던 인상을 폈다.

"시간 돼? 우리 낯가림이 뭔지 잊어버릴 만큼 친해질 시간을 가져 볼까?"

"아뇨, 약 먹는 걸 깜빡해서 돌아가 봐야 해요."

아니, 이 남자가 왜 이래?

알고 보면 남자를 좋아하는 취향이 있는 건 아닐까 하는 의심이 갈 만한 상황이었다. 그가 남색을 밝힌다는 소문은 없었지만 상대는 라하트였다. 결코 방심할 수 없었다.

한 번 이상한 쪽으로 생각이 빠지니 왠지 그게 맞는 것 같다. 엘로라는 근거 없이 라하트의 성적 취향을 몰아가지 않도록 노력했다. 그럼에도 혹 모를 가능성에 긴장됐다.

"그러면 친목 도모의 시간은 다음으로 미루자. 앞으로 우리에게 남은 시간은 많으니까."

친목 도모할 생각으로 초상화를 그리겠다는 게 아니건만. 뒤늦은 후회가 몰려왔다. 괜히 그의 제안을 수락했나 싶었다. 그놈의 죄의식이 뭐라고.

과거로 돌아갈 수 있다면 뷔로스로 신혼여행을 간 그 시점으로 갈 것이었다. 그리고 절대 밤늦은 시각에 바다에 가는 일은 하지 않을 거였다.

몰래 빠져나왔다가 라하트와 마주하고, 그의 뒷목을 치는 일 따위 다신 하고 싶지 않았다. 그게 모든 일의 시작이었으니까. 다시 떠올려 봐도 그땐 왜 그랬나 싶었다.

"이제 더 요구할 건 없어?"

"예, 없어요."

슬슬 헤어질 시간이었다. 라하트가 자리에서 일어났다. 엘로라 또한 따라서 자리에서 일어나고 있으니 시야에 라하트의 손이 불쑥 튀어나왔다.

"잘 부탁할게."

"아, 예……."

악수하자는 의미였다. 꽤 정중한 손이다.

얼떨결에 손을 가볍게 맞잡았다. 라하트 또한 아프지 않을 정도로 힘을 주고 놓았다. 라하트가 예상외로 신사적이라서 그런가. 어쩐지 찝찝했다. 찝찝함의 근본적인 원인을 찾지 못한 엘로라는 잠시 맞잡았던 손을 빤히 내려다보다 이내 아무렇지 않은 척했다. 그 모습을 라하트가 지그시 바라보았다.

"황궁으로 오는 길은 알지?"

"예."

수도에서 황궁을 찾는 것만큼 쉬운 일이 없었다.

황궁은 멀리서도 보일 정도로 규모가 컸다. 아무나 붙잡고 물어봐도 당연하게 위치를 알려 주는 곳이 황궁이건만, 다른 지방에서 살다 왔다고 생각하는 걸까. 쓸데없는 걱정이었다.

"똑똑하네. 난 가끔 길을 잃어버리는데."

"아……, 그러신가요……."

숙연해졌다. 이 정도로 똑똑하다 칭하다니.

저 남자는 제국에 둘밖에 없는 황자 중 하나였다. 또한 제국의 근심이기도 하고. 위엄 따위 개나 준 지 오래였다.

"너도 길 잃어버리지 않게 조심해."

"예……, 걱정해 주셔서 감사합니다."

떨떠름하게 대답한 엘로라는 이만 헤어지기 위해 고개를 푹 숙여 인사했다. 라하트가 "잘 가, 다음에 봐." 하고 손을 흔들었다. 다음에 보게 된다는 게 썩 내키지 않았지만 어쩔 수 없었다. 혹 라하트가 뒤를 밟을까 봐 로이스의 집에 들렀다가 저택으로 돌아갔다.

그렇게 빙빙 돌아서 저택에 도착한 엘로라는 입궁 전 해야 할 준비를 시작하였다. 예상치 못하게 로이스가 활동을 계속해야 했기에 이리저리 준비할 게 많았다.

시간은 화살처럼 빠르게 스쳐 지나, 눈 깜짝할 사이에 입궁한다고 못 박아 놨던 날짜가 찾아왔다.

모든 준비를 마친 엘로라는 단단히 마음을 먹고 마차에 올라탔다.

또 다른 시작이었다.

—2권에서 계속

그 신부를 믿지 마세요 1

초판 인쇄 2019년 3월 4일
초판 발행 2019년 3월 14일

지은이 윤온
펴낸이 신현호
편집부장 예숙영
편집 최은지
편집디자인 한방울
영업 · 관리 김민원 조인희
물류 이순우 최준혁 박찬수

펴낸곳 ㈜디앤씨미디어
출판등록 2002년 5월 1일 제117-90-51792호
주소 서울시 구로구 디지털로 26길 111 JnK디지털타워 503호
대표전화 (02)333-2513 팩스 (02)333-2514
전자우편 dncbooks@dncmedia.co.kr
디앤씨북스 블로그 http://blog.naver.com/dncbooks

ISBN 979-11-264-4645-2 (04810)
ISBN 979-11-264-4650-6 (SET)